Pour en savoir plus sur

LA DOULEUR

et vivre mieux

RICHARD THOMAS

Pour en savoir plus sur

LA DOULEUR

et vivre mieux

Traduit et adapté de l'anglais par
Hélène Prouteau

CONSULTANT : DR TIM NASH

SAND

ISBN 2-7107-0673-3

ÉDITEURS	Clare Hill, Richard Shaw, Sue Harper
CONCEPTION	Sue Storey
MAQUETTE	Frances de Rees
DIRECTION DE LA RÉDACTION	Anne Yelland
DIRECTION ARTISTIQUE	Patrick Carpenter et Sean Keogh
DIRECTION ÉDITORIALE	Ellen Dupont
RECHERCHE ICONOGRAPHIQUE	Elaine Willis
COORDINATION ÉDITORIALE	Becca Clunes
ASSISTANCE ÉDITORIALE	Sophie Sandy
INDEX	Laura Hicks
PRODUCTION	Nikki Ingram

TRADUCTION ET ADAPTATION FRANÇAISE	Hélène Prouteau

Imprimé et relié par Partenaires, France.

Ce livre ne prétend pas se substituer aux conseils d'un médecin. Consultez le vôtre avant d'adopter l'une ou l'autre des thérapies proposées ici. L'auteur et l'éditeur déclinent toute responsabilité en cas de dommages subis, directement ou indirectement, par suite de l'utilisation des informations contenues dans cet ouvrage.

Sommaire

Introduction

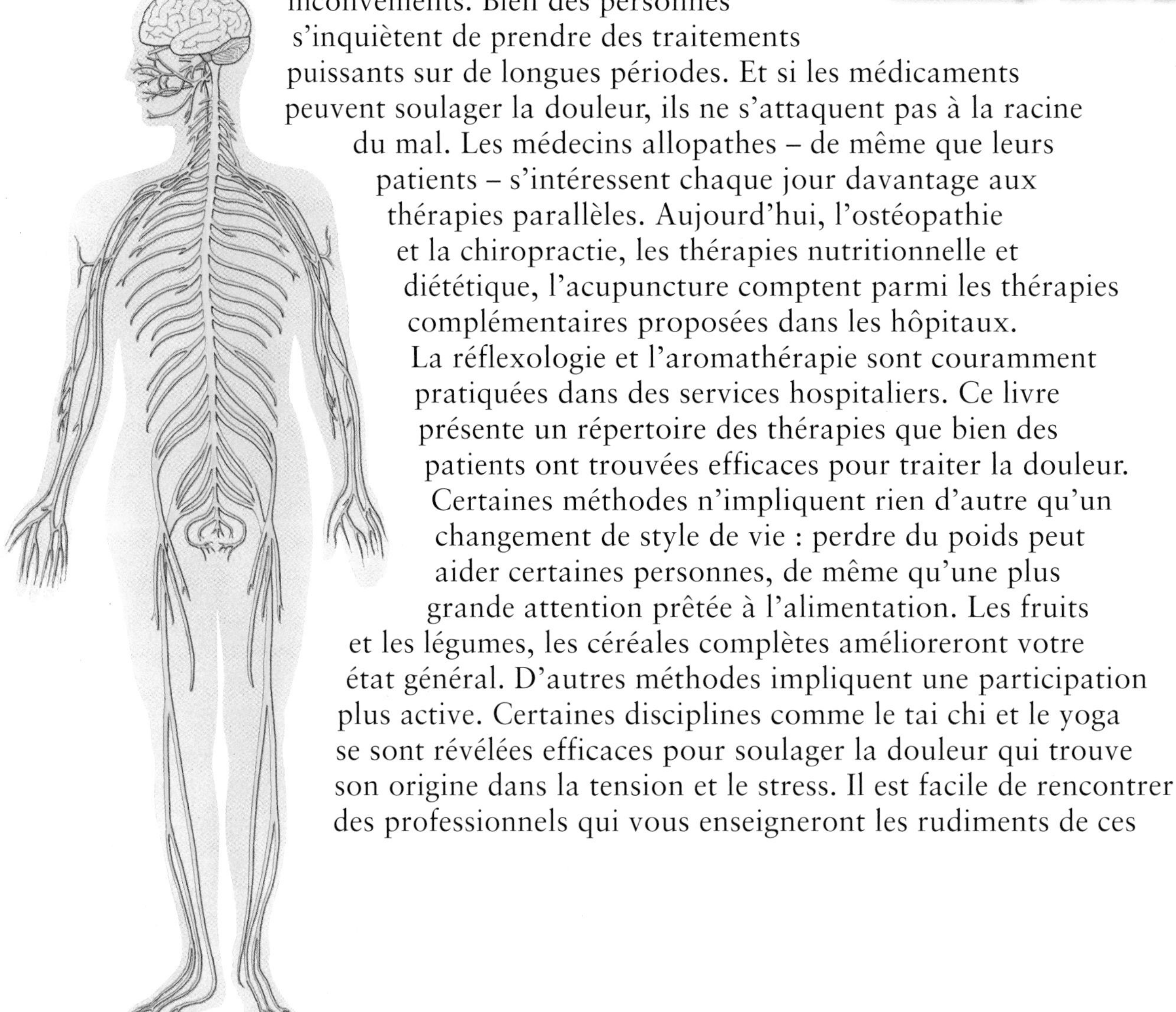

Il y a bien des manières, conventionnelles et parallèles, de soulager la douleur. La médecine conventionnelle s'est montrée très efficace pour traiter des douleurs de différentes origines, aiguës et de courte durée, ou alors chroniques et persistant pendant des semaines, des mois ou même des années. La médecine conventionnelle – qui se traduit souvent par une prescription de médicaments – a cependant des inconvénients. Bien des personnes s'inquiètent de prendre des traitements puissants sur de longues périodes. Et si les médicaments peuvent soulager la douleur, ils ne s'attaquent pas à la racine du mal. Les médecins allopathes – de même que leurs patients – s'intéressent chaque jour davantage aux thérapies parallèles. Aujourd'hui, l'ostéopathie et la chiropractie, les thérapies nutritionnelle et diététique, l'acupuncture comptent parmi les thérapies complémentaires proposées dans les hôpitaux. La réflexologie et l'aromathérapie sont couramment pratiquées dans des services hospitaliers. Ce livre présente un répertoire des thérapies que bien des patients ont trouvées efficaces pour traiter la douleur. Certaines méthodes n'impliquent rien d'autre qu'un changement de style de vie : perdre du poids peut aider certaines personnes, de même qu'une plus grande attention prêtée à l'alimentation. Les fruits et les légumes, les céréales complètes amélioreront votre état général. D'autres méthodes impliquent une participation plus active. Certaines disciplines comme le tai chi et le yoga se sont révélées efficaces pour soulager la douleur qui trouve son origine dans la tension et le stress. Il est facile de rencontrer des professionnels qui vous enseigneront les rudiments de ces disciplines que vous pourrez alors pratiquer chez vous. Vous disposez aussi des thérapies « manuelles » comme le massage, la réflexologie et le shiatsu, qui sont également assez efficaces pour soulager la douleur.

Le principe de base de nombreuses thérapies complémentaires c'est qu'elles sont holistiques. Au lieu de traiter les symptômes, elles considèrent la personne dans son entier – tête, corps et esprit. Par exemple, si vous consultez un homéopathe ou un herboriste, il ne se contentera pas de vous poser des questions sur le type de douleur dont vous souffrez mais il resituera le problème par rapport à un ensemble de données qui ne concernent que vous. Bien sûr, traiter la douleur fera partie intégrante du traitement suggéré.

Quand on est fatigué ou contrarié, la douleur semble encore plus pénible. Les personnes capables de se détendre ont un seuil de douleur plus élevé que celles qui en sont incapables. Pour cette raison, de nombreuses thérapies exposées dans ce livre sont concernées par le pouvoir de l'esprit. La méditation, la relaxation, le biofeedback et l'hypnose sont en mesure de diminuer la douleur, ou de mieux vous armer contre ses effets. Si vous n'avez jamais essayé de thérapie complémentaire, une méthode de relaxation sera sans doute une excellente entrée en matière.

Avertissement : quelle que soit son origine, il est vital d'identifier la cause de votre douleur. Avant d'opter pour la thérapie qui vous convient, il est essentiel de consulter un spécialiste afin de mieux cerner ce dont vous souffrez. N'essayez pas de poser vous-même un diagnostic : des symptômes apparemment mineurs peuvent cacher une maladie plus sérieuse. Même si vous avez le sentiment que votre médecin traitant n'est plus en mesure de vous aider, gardez-le informé sur la thérapie que vous avez l'intention d'essayer et n'arrêtez pas le traitement qu'il vous a prescrit sans son accord. Par exemple, en ce qui concerne l'asthme, arrêter un traitement allopathique peut mettre votre vie en danger.

Comment utiliser ce livre

Ce livre peut être utilisé de différentes manières. Vous pouvez le lire du début jusqu'à la fin pour comprendre de quelle façon la douleur affecte votre corps et choisir les traitements adaptés à votre cas. Vous pouvez aussi le parcourir en utilisant comme guide les suggestions du « Pour en savoir plus », afin d'étudier plus en détail quels techniques ou traitements sont conseillés pour tel état spécifique. À moins que vous ne préfériez piocher dans le chapitre sur les traitements et les thérapies afin d'explorer toutes les options qui vous sont proposées pour surmonter la douleur ou apprendre à vivre avec… après l'avoir apprivoisée.

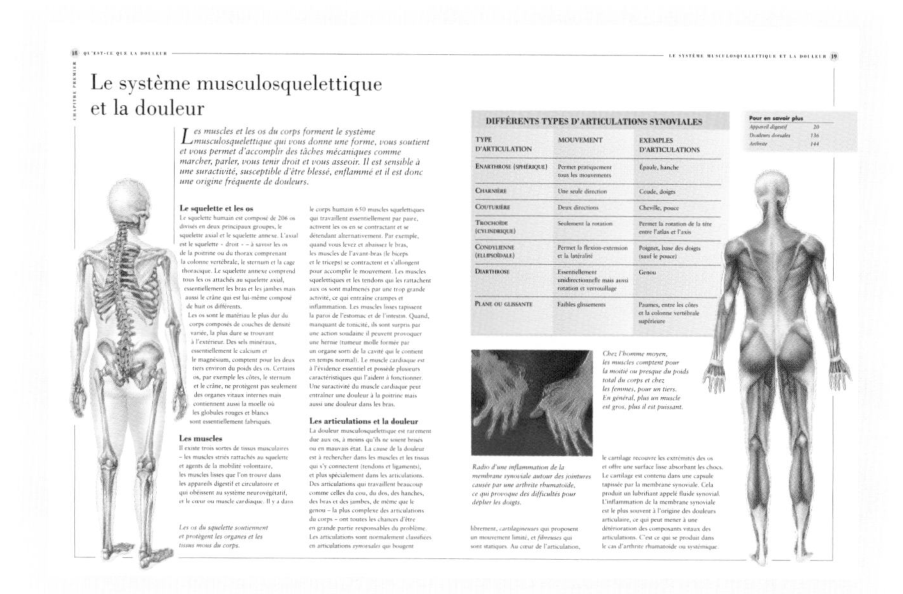

18 QU'EST-CE QUE LA DOULEUR — LE SYSTÈME MUSCULOSQUELETTIQUE ET LA DOULEUR 19

Le système musculosquelettique et la douleur

Les muscles et les os du corps forment le système musculosquelettique qui vous donne une forme, vous soutient et vous permet d'accomplir des tâches mécaniques comme marcher, parler, vous tenir droit et vous asseoir. Il est sensible à une suractivité, susceptible d'être blessé, enflammé et il est donc une origine fréquente de douleurs.

Le squelette et les os

Le squelette humain est composé de 206 os divisés en deux principaux groupes, le squelette axial et le squelette annexe. L'axial est le squelette « droit » – à savoir les os de la poitrine ou du thorax comprenant la colonne vertébrale, le sternum et la cage thoracique. Le squelette annexe comprend tous les os attachés au squelette axial, essentiellement les bras et les jambes mais aussi le crâne qui est lui-même composé de huit os différents.

Les os sont le matériau le plus dur du corps composés de couches de densité variée, la plus dure se trouvant à l'extérieur. Des sels minéraux, […]

[…] le corps humain 650 muscles squelettiques qui travaillent essentiellement par paire, activent les os en se contractant et se détendant alternativement. Par exemple, quand vous levez et abaissez le bras, les muscles de l'avant-bras (le biceps et le triceps) se contractent et s'allongent pour accomplir le mouvement. Les muscles squelettiques et les tendons qui les rattachent aux os sont malmenés par une trop grande activité, ce qui entraîne crampes et inflammation. Les muscles lisses tapissent la paroi de l'estomac et de l'intestin. Quand, manquant de tonicité, ils sont surpris par une action soudaine il peuvent provoquer une hernie (tumeur molle formée par […]

Les muscles

Les articulations et la douleur

Les os du squelette soutiennent et protègent les organes et les tissus mous du corps.

TYPE D'ARTICULATION	MOUVEMENT	EXEMPLES D'ARTICULATIONS
DIFFÉRENTS TYPES D'ARTICULATIONS SYNOVIALES		
ENARTHROSE (SPHÉRIQUE)	Permet pratiquement tous les mouvements	Épaule, hanche
CHARNIÈRE	Une seule direction	Coude, doigts
COUTURIÈRE	Deux directions	Cheville, pouce
TROCHOÏDE (CYLINDRIQUE)	Seulement la rotation	Permet la rotation de la tête entre l'atlas et l'axis
CONDYLIENNE (ELLIPSOÏDALE)	Permet la flexion-extension et la latéralité	Poignet, base des doigts (sauf le pouce)
DIARTHROSE	Essentiellement unidirectionnelle mais aussi rotation et verrouillage	Genou
PLANE OU GLISSANTE	Faibles glissements	Paumes, entre les côtes et la colonne vertébrale supérieure

Radio d'une inflammation de la membrane synoviale autour des jointures causée par une arthrite rhumatoïde, ce qui provoque des difficultés pour déplier les doigts.

Chez l'homme moyen, les muscles comptent pour la moitié ou presque du poids total du corps et chez les femmes, pour un tiers. En général, plus un muscle est gros, plus il est puissant.

Pour en savoir plus

Appareil digestif	20
Douleurs dorsales	136
Arthrite	144

1 Le chapitre 1 définit la douleur. Il explique aussi de quelle façon elle affecte les principaux systèmes du corps : l'appareil locomoteur, le système nerveux, les appareils digestif et urinaire.

2 Le chapitre 2 traite des multiples façons de soigner la douleur, à la fois par la médecine conventionnelle et les médecines parallèles. Pour chaque cas, la philosophie qui sous-tend la thérapie est clairement exposée et on explique de façon détaillée dans quelle mesure elle peut aider à soulager la douleur.

52 LE SOULAGEMENT DE LA DOULEUR — L'EXERCICE PHYSIQUE 53

L'exercice physique

Une gymnastique régulière aidera à entretenir les fonctions du corps et cela contribuera à une sensation de bien être physique et mental.

Courir permet au corps de faire un excellent travail cardio-vasculaire, entretient la musculation et maintient les articulations en bon état.

Comment pratiquer les exercices

LES EXERCICES DE RELAXATION

Les sauts de la star
Les pieds joints et les bras le long du corps, vous sautez et retombez les pieds écartés tout en levant les bras, les mains croisées au-dessus de votre tête. Sautez pour revenir à la position de départ et recommencez cinq fois.

Jogging
Courez sur place et en douceur pendant cinq minutes en gardant la tête et le dos bien droits.

Pour en savoir plus

Le système musculosquelettique	18
Yoga	40
Physiothérapie	82

Plié arrière
La main gauche appuyée à un mur, le bassin bien en place, vous pliez la jambe et attrapez votre pied que vous tirez vers la fesse pour assouplir les muscles antérieurs de la cuisse. Tenez la position 5 à 10 secondes, revenez à la position initiale et passez à l'autre jambe.

Fente avant
Vous vous tenez debout les mains sur les hanches. Vous inspirez en effectuant une fente avant avec la jambe gauche. Le pied droit reste en place. Sur l'apnée, vous pliez les jambes, la cuisse gauche formant un angle de 90 degrés avec le mollet. Vous tenez la position pendant 8 à 10 secondes puis vous passez à la jambe droite. Recommencez cinq fois.

Rotation du buste
Vous avez les bras tendus devant vous, à hauteur des épaules. Vous repliez le bras droit. Votre coude entraîne une rotation du buste vers la droite. Vous allez aussi loin que possible sans forcer. Vous tenez 1 à 2 secondes, vous revenez lentement à la position initiale et vous changez de côté. Vous recommencez 5 à 10 fois.

Étirement du dos
Vous vous tenez assis sur les talons, les bras tendus, les mains en appui sur le sol. Vous glissez doucement vers l'avant tout en vous inclinant vers le sol. Quand vous ne pouvez pas aller plus loin, vous tenez la position 8 à 10 secondes, puis vous revenez lentement à la position de départ et recommencez 5 à 10 fois.

3 Le chapitre 3 offre des remèdes pratiques, faciles à utiliser à la maison pour traiter n'importe quel type de douleur. Organisé en fonction de la partie du corps concernée, ce chapitre répertorie les thérapies spécifiques pouvant venir en aide à ceux qui souffrent, indique la posologie si nécessaire, et donne des conseils quand des thérapies administrées par un tiers peuvent se révéler utiles.

92 SOULAGER LA DOULEUR

CHAPITRE TROIS

Les traitements pour la douleur émotionnelle

Le massage des pieds est idéal pour soulager les tensions qui peuvent contribuer à la souffrance psychique.

Méditation
La méditation aide à calmer un esprit perturbé mais elle peut aussi permettre à la personne qui médite de voir le monde de façon plus lointaine, moins personnelle (voir pp. 48-49). Quand vous ressentez une angoisse, il est facile de croire que le malheur vous a choisi. Pourquoi moi ? Au cours de la méditation, les étudiants apprennent à se concentrer sur l'universel, ce qui peut être un grand soulagement pour ceux qui intériorisent leurs sentiments ou trouvent qu'ils sont incapables de penser à autre chose qu'à leurs problèmes émotionnels.

Guérir
Pour comprendre qu'il y a une force de guérison en dehors de vous, il vous faut un « guide » ou un guérisseur. Trouver quelqu'un qui a le don d'aider les autres est plus facile dans certains pays que dans d'autres (voir pp. 72-73). Les recommandations personnelles sont généralement la meilleure manière de trouver un guérisseur authentique, puisqu'aucune institution ne les regroupe.

Exercices
Toutes les formes d'exercice – surtout s'ils sont distrayants et énergétiques – sont d'un grand secours pour les douleurs émotionnelles et mentales en général. Courir, marcher, grimper, nager et faire du vélo sont d'excellentes manière d'utiliser l'exercice pour qu'il vous aide à surmonter votre douleur psychique, car le sport empêche l'esprit et les émotions de vous submerger. De plus, l'exercice physique est excellent pour les poumons et le cœur, ce qui est essentiel pour la santé, et ils déclenchent la libération d'endorphines, appelées les hormones du plaisir, qui réduisent la douleur physique et psychique. Pratiquer une activité physique aux premiers signes de dépression peut très bien l'arrêter net – sans compter que cela renforce le corps contre les maladies que la dépression peut déclencher ou aggraver.

LES HUILES ESSENTIELLES ET LA DÉPRESSION

INDICATIONS	HUILES ESSENTIELLES
Sédative et anti-dépressive	Bois de santal, ylang ylang
Dépression modérée, sentiment de ne pas être dans son assiette	Lavande, sauge
Dépression accompagnée d'agitation et d'irritabilité	Camomille, sauge, lavande
Dépression accompagnée d'anxiété et d'insomnie	Néroli, rose
Douleur émotionnelle accompagnée de colère	Camomille, ylang ylang, patchouli
Douleur émotionnelle profonde	Néroli, rose
Pour améliorer l'humeur sans provoquer de sédation	Bergamote, géranium, mélisse, rose
Dépression accompagnée de manque de confiance en soi et de peur	Jasmin, oliban, rose
Permet de lutter contre la dépression en général	Bergamote, oliban

Avertissement : *Certaines huiles essentielles sont déconseillées en période de grossesse. Vérifiez auprès de votre médecin.*

LES TRAITEMENTS POUR LA DOULEUR ÉMOTIONNELLE 93

Pour en savoir plus

Aromathérapie	36
Yoga	40
Réflexologie	74

Nager et pratiquer l'aquagym sont des activités très bénéfiques, car votre corps est plus léger dans l'eau et les tensions moins douloureuses. L'exercice peut amener un sentiment de bien-être qui se prolonge longtemps après que votre séance soit terminée.

Aromathérapie
Presque toutes les huiles essentielles utilisées dans l'aromathérapie jouent un rôle utile dans le traitement de la douleur psychique, qu'elles soient utilisées pour des massages, inhalées ou vaporisées avec un brûle-parfum. L'éventail est large mais les huiles les plus utilisées sont répertoriées dans le tableau ci-contre. Demandez des conseils dans une pharmacie ou une boutique qui en vend (on en trouve facilement et on vous fournit parfois des échantillons pour que vous puissiez les essayer avant d'acheter). Dans un même temps, prenez l'avis d'un aromathérapeute qualifié. Pour un massage, mélangez deux ou trois goutte de l'esse[illegible] choisie (il peut y en avoir plusieur[illegible] d'un excipient neutre comme l'[illegible] pépins de raisins ou d'amand[illegible]

Massages
Comme les exercices, l[illegible] un merveilleux relaxan[illegible] les souffrances psychi[illegible] pratiqué avec des huil[illegible] des techniques de m[illegible] et représentées par des thérapeutes professionnels (voir pp. 56-57), mais il vous est toujours possible d'improviser un massage chez vous. Des effleurages et des pétrissages précis et harmonieux, des mouvements qui plaisent à votre partenaire, vont vous détendre et vous distraire de vos souffrances psychiques.

Réflexologie
Masser vos pieds et les manipuler est une excellente façon de vous détendre qui profite à l'esprit et au corps et favorise les émotions positives. La réflexologie est basée sur le principe que tout le corps se retrouve dans les pieds. Les différentes zones des pieds sont reliées à différentes parties du corps et à des organes précis –la base du gros orteil correspond au cerveau et à la tête. Pressez [illegible] avec les pouces et attardez-vous [illegible]endres jusqu'à ce qu'elles [illegible]fectionner votre [illegible] spécialiste

La douleur est un phénomène individuel. Chacun la ressent différemment. Une thérapie qui soulage un type de personne peut très bien ne pas donner de résultats pour une autre. Les trois chapitres de ce livre, pris dans leur ensemble, proposent un guide complet des causes, et des traitements de la douleur.

1

QU'EST-CE QUE LA DOULEUR ?

Il existe deux types de douleurs. La douleur aiguë est une réponse normale du corps à une blessure ou à une maladie et elle est généralement de courte durée. La douleur chronique ou de longue durée est souvent la conséquence d'une maladie chronique, de blessures ou d'interventions chirurgicales, et s'explique par la façon dont nous cicatrisons.

Il n'existe pas deux douleurs exactement semblables. Un des problèmes les plus embarrassants à propos de la douleur c'est que malgré son incontournable réalité, elle est difficile à cerner, très personnelle et résiste à la description. En expliquer la cause est une gageure et trouver des solutions est un défi encore plus complexe.

Ce chapitre essaye de définir la douleur, d'expliquer pourquoi nous la ressentons et de décrire comment elle affecte les différents systèmes du corps.

Identifier la douleur

Le mot « douleur » est généralement utilisé pour désigner un large éventail de réactions physiologiques. On pourrait en donner la définition suivante : « réponse sensorielle ou émotionnelle à une dégradation des tissus, réelle ou potentielle ». Le désordre émotionnel pose des problèmes aussi impératifs que la douleur physique. La douleur peut-être ramenée aux différentes catégories suivantes :

La douleur est le signal d'alarme naturel du corps. C'est un message envoyé de notre corps au conscient pour nous avertir que quelque chose ne va pas.

La douleur aiguë

C'est la douleur immédiate, souvent le résultat d'un traumatisme physique comme une chute ou un coup, une entorse ou une fracture, une inflammation, une infection. C'est un signal d'alerte et son but est d'attirer votre attention. Elle vous informe de façon directe et rapide qu'un dysfonctionnement est intervenu et nous pousse à agir. La douleur aiguë disparait naturellement après la cicatrisation, mais elle peut alors se transformer en douleur chronique.

La douleur chronique

C'est une douleur au long cours, différente de la douleur aiguë qui est souvent temporaire et disparaît avec le temps et le traitement. La douleur chronique persiste après la guérison, ou alors à l'endroit où persiste la cause provoquant la douleur. Pour le corps, l'utilité de la douleur chronique est plus difficile à établir. Il ne s'agit pas d'un indicateur vous priant d'intervenir rapidement mais simplement d'une douleur qui s'incruste de façon plus ou moins inexplicable. Parfois, la douleur est la conséquence de la guérison – la cicatrisation a eu lieu mais d'une certaine façon, elle continue de provoquer la douleur. La douleur chronique est constante, tenace, et elle s'éternise en dépit de tous vos efforts pour la calmer. Les affections qui engendrent des douleurs chroniques sont nombreuses : arthrite, désordres rhumatismaux, maladies à long terme comme le lupus... Une douleur chronique sévère peut être extrêmement déprimante.

La douleur référée

Une des caractéristiques les plus importantes de la douleur, c'est qu'elle peut être indirecte ou référée. Une douleur référée n'est pas ressentie à l'endroit où se situe son origine. En d'autres termes, le siège de la douleur n'est pas nécessairement sa source. Par exemple, l'arthrose de la hanche peut provoquer une douleur dans le genou.
Il est évidemment très important de découvrir la cause de la douleur afin d'être capable de la traiter efficacement. Il faut donc parvenir à identifier sa provenance. Mais quand la douleur n'est pas ressentie à l'endroit qui en est la source, cette identification se complique. Ce phénomène clef est difficile à appréhender pour les non-spécialistes et c'est la raison principale des erreurs de traitement de la douleur par ceux qui pratiquent l'automédication. Certaines de ces erreurs peuvent parfois se révéler fatales. Par exemple, dans des cas très rares, une douleur dans l'épaule droite peut être le symptôme d'un cancer abdominal.
Il est vital de rechercher un avis professionnel, généralement médical, pour une douleur persistante ou qui n'a pas de cause évidente.

La douleur émotionnelle

La douleur est généralement considérée comme un phénomène physique. Mais il existe un autre genre de douleur tout aussi réel. C'est la douleur émotionnelle ou détresse psychique : la douleur et l'anxiété que nous ressentons par le biais de notre esprit et nos émotions. C'est le genre de souffrance dont nous faisons l'expérience quand nous sommes rejetés, frappés par un deuil, que nous connaissons des problèmes relationnels ou une rupture sentimentale. Les causes extérieures, comme la perte d'un travail ou des soucis financiers, peuvent aussi mener à une détresse émotionnelle. La dépression est une forme aiguë de détresse émotionnelle ou psychologique. C'est un terme générique qui recouvre bien des sujets, depuis la tristesse et le découragement jusqu'à une extrême douleur émotionnelle et mentale. La douleur mentale a des dérivés comme les cauchemars, les frayeurs et les phobies, et – plus grave encore – les obsessions et la dépendance à l'égard de la nourriture, de la boisson, de la drogue et du sexe, entre autres. Il est aussi important de reconnaître que la douleur émotionnelle à long terme peut mener à des symptômes physiques comme des ulcères ou des céphalées. Ces maladies psychosomatiques sont alors une forme de douleur référée qui peuvent se révéler difficiles à diagnostiquer.

Notre réponse à la douleur

Douleurs physique et psychologique sont étroitement liées. La douleur physique peut provoquer des effets psychologiques allant de la contrariété passagère à la dépression, et la douleur mentale ou émotionnelle peut entraîner des symptômes physiques. Il est maintenant communément accepté que l'esprit et le corps ne peuvent être considérés comme des entités séparées. Ils ne font qu'un. Ça ne concerne pas seulement les causes de la douleur mais la stratégie thérapeutique. De nombreuses médecines traditionnelles comme la naturopathie et l'homéopathie, ainsi que des médecins conventionnels spécialisés dans le traitement de la douleur reconnaissent le lien entre le corps et l'esprit. La science de la psycho-neuro-immunologie (PNI) se penche sur la façon dont l'esprit peut aider le corps à guérir et le corps peut agir sur l'esprit. Le pouvoir mental peut déclencher la libération de substances chimiques dans le cerveau, qui gèrent l'état physique du corps et peuvent agir de façon positive ou négative. De même, se préoccuper de l'état physique d'une personne en préconisant du sport et des exercices, en influant sur le régime alimentaire, le mode de vie ou les conditions de travail, peut aider à améliorer les symptômes de la douleur mentale ou émotionnelle.

Notre tolérance à la douleur dépend de notre attitude mentale, de la réponse de ceux qui nous entourent à notre souffrance, de notre capacité à contrôler nos réactions à la douleur, et de la situation particulière qui provoque la souffrance.

LES DIFFÉRENTS TYPES DE DOULEURS

LA DOULEUR PHYSIQUE

LA DOULEUR AIGUË	Elle vous assaille brutalement avec une certaine intensité. Elle peut résulter d'une blessure ou d'une infection, et elle se résout par la guérison et la cicatrisation.
LA DOULEUR CHRONIQUE	Elle se prolonge sur une longue période et peut ne pas avoir de cause évidente.
LA DOULEUR RÉFÉRÉE	Celle que l'on ressent dans une partie du corps qui est le siège mais non la cause de la douleur.

LA DOULEUR ÉMOTIONNELLE

LA DÉTRESSE MENTALE	Elle peut avoir une cause « externe » évidente, par exemple un événement nécessairement ressenti comme une source de problèmes, une rupture, un deuil, un profond bouleversement émotionnel. Certains patients peuvent ne ressentir qu'un sentiment temporaire de tristesse alors que d'autres vont sombrer dans la dépression et se retrouver totalement incapables de mener une vie normale. La douleur psychologique est fréquemment accompagnée de douleur physique.

Comment et pourquoi nous ressentons la douleur

L'expérience de la douleur, la façon dont le corps l'affronte n'ont été étudiées que très récemment et on commence tout juste à les comprendre. Les chercheurs du monde entier rassemblent les pièces d'un puzzle composant un système extrêmement complexe et interactif difficile à appréhender. Il n'a pas encore livré tous ses mystères.

Les actes réflexes vous protègent en court-circuitant votre conscience. Votre main s'éloigne d'une surface brûlante avant que vous n'ayez eu le temps d'y réfléchir.

La sensation de la douleur physique se communique par le même mécanisme que les autres sensations. Qu'on vous marche sur l'orteil, que vous ayez mal aux dents, que vous perceviez une odeur ou une caresse, un stimulus est « ressenti » dans une partie périphérique du corps. Ce message est transmis le long d'un nerf jusqu'à la moelle épinière, et termine sa course dans la partie du cerveau concernée par cette sensation particulière. Cette partie du cerveau interprète le message et ce n'est qu'à cet instant que vous percevez la douleur, l'odeur, la chaleur ou le froid. Si la terminaison nerveuse près de la source de la douleur ne fonctionne pas, vous ne ressentirez pas la douleur. Voilà pourquoi les personnes dont les nerfs ont dégénéré pour une raison ou une autre peuvent sans s'en apercevoir subir des dommages considérables. Dans la lèpre, le fourreau protecteur des nerfs (la gaine de myéline) est endommagé par la bactérie. Par exemple les malades peuvent ne pas se rendre compte qu'ils se sont blessé un doigt.

D'un autre côté, une atteinte des nerfs peut provoquer une douleur intense. Le virus de l'herpès simplex s'attaque aussi à la myéline qui protège le nerf, mais dans ce cas, le manque d'isolation peut provoquer un « courant » qui va se propager aux neurones adjacents et envoyer des messages de douleur amplifiés au cerveau.

Les neurones sont variés et ils occupent différentes fonctions. Ils sont larges ou étroits, munis de gaines protectrices ou non, et possèdent différents types de terminaisons nerveuses.

Il semblerait que ces différents types de terminaisons nerveuses déterminent les sensations. Les terminaisons nerveuses de la douleur s'appellent des « nocicepteurs » mais là encore, ce ne sont pas les mêmes qui sont réceptifs à la chaleur et au froid, aux stimuli mécaniques comme une piqûre d'épingle ou à un stimulus faible et prolongé. Ces récepteurs sont excités par une action électrique à l'endroit de la terminaison nerveuse (il s'agit d'un changement dans la différence de potentiel causé par les mouvement de particules chargées) ou par une action chimique. Il semblerait que les substances chimiques modifient la configuration de la membrane de la cellule. De nombreuses substances différentes agissent en ce sens, certaines pour provoquer la douleur et d'autres pour l'apaiser.

L'intensité de la douleur

Dans certains cas, le corps a besoin d'une douleur intense pour se protéger. Si nous touchons une surface brûlante, les nerfs agissent très rapidement, entraînant le réflexe immédiat de retirer la main.

Mais dans d'autres cas, le corps a besoin de garder son pouvoir décisionnel pour choisir sa stratégie, par exemple la fuite ou la lutte. Il peut bloquer la douleur ou la remettre à plus tard jusqu'à ce que la situation d'urgence soit passée.

L'adrénaline intervient pour préparer le corps à un état d'urgence et semble capable d'inhiber la transmission de la douleur. Le corps produit également divers messagers chimiques en réponse aux stimuli de la douleur. Un bon nombre de ces messagers sont des peptides, des molécules composées de chaînes d'acides aminés. Certaines vont augmenter le flux sanguin en direction de la zone affectée ou libérer de l'histamine, enclenchant ainsi des mécanismes de réparation.

D'autres peptides baptisés endorphines ou enképhalines agissent pour inhiber la transmission de la douleur au cerveau en bloquant les récepteurs. Plus de cinquante de ces peptides messagers ont été identifiés et il reste un mystère à éclaircir : pourquoi le corps a-t-il besoin d'autant de peptides ? Ces substances agissent de la même façon que les opiacés mais apparemment sans provoquer d'accoutumance et elles entrent en jeu dans les cas de douleur prolongée.

Les portes de la douleur

Des recherches semblent indiquer que le trajet d'un nerf ne peut assumer qu'une activité limitée et que cette activité dans un ensemble de neurones réduira l'activité dans un autre. Donc, si une sensation normale voyage jusqu'au cerveau, elle peut bloquer ou réduire l'activité des nocicepteurs.

La théorie de la porte de la douleur lance un formidable défi au traitement classique de la douleur. Les traitements médicaux de la douleur, surtout chronique, consistent en grande partie à prescrire des remèdes aux effets secondaires dangereux. Or la théorie de la porte peut amener à traiter la douleur de façon beaucoup plus douce. Elle a aussi ouvert la voie à ce qu'on appelle les thérapies parallèles ou complémentaires, qui forment une grande partie des traitements décrits dans ce livre.

Les différentes attitudes devant la douleur

Il est important de bien poser le problème de la douleur. C'est une réaction naturelle de lutter contre la douleur ou de se mettre en colère parce qu'on souffre. Mais la douleur ne devrait pas être supprimée ou traitée comme un ennemi, cela mène à des tensions supplémentaires et le corps enverra des messages nocifs à l'esprit. Au lieu de cela, on devrait apprendre à écouter soigneusement les messages du corps.

Vous êtes en mesure de contrôler votre douleur en faisant un bon usage des propositions de votre médecin, en utilisant les thérapies naturelles décrites dans ce livre, les techniques de mesure qui évitent d'avoir à briser « la barrière de la douleur ». Accepter la douleur et collaborer avec elle est non seulement possible mais peut vous rendre plus fort et vous faire reprendre goût à la vie.

Pour en savoir plus

Système nerveux 16
Thérapies pour la douleur 27
Dispositifs électroniques 83

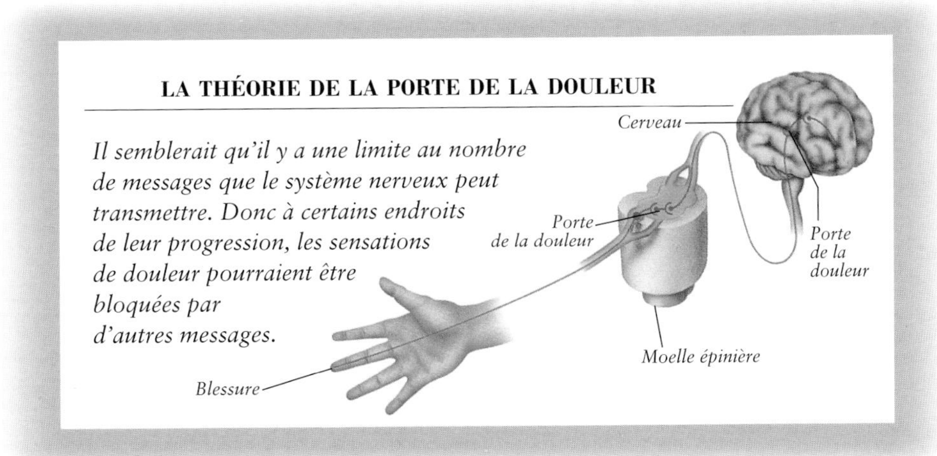

Le système nerveux et la douleur

On peut ressentir la douleur dans pratiquement tout le corps, bien que certaines parties soient moins innervées que d'autres. Le système nerveux transmet la sensation de douleur du corps à l'esprit.

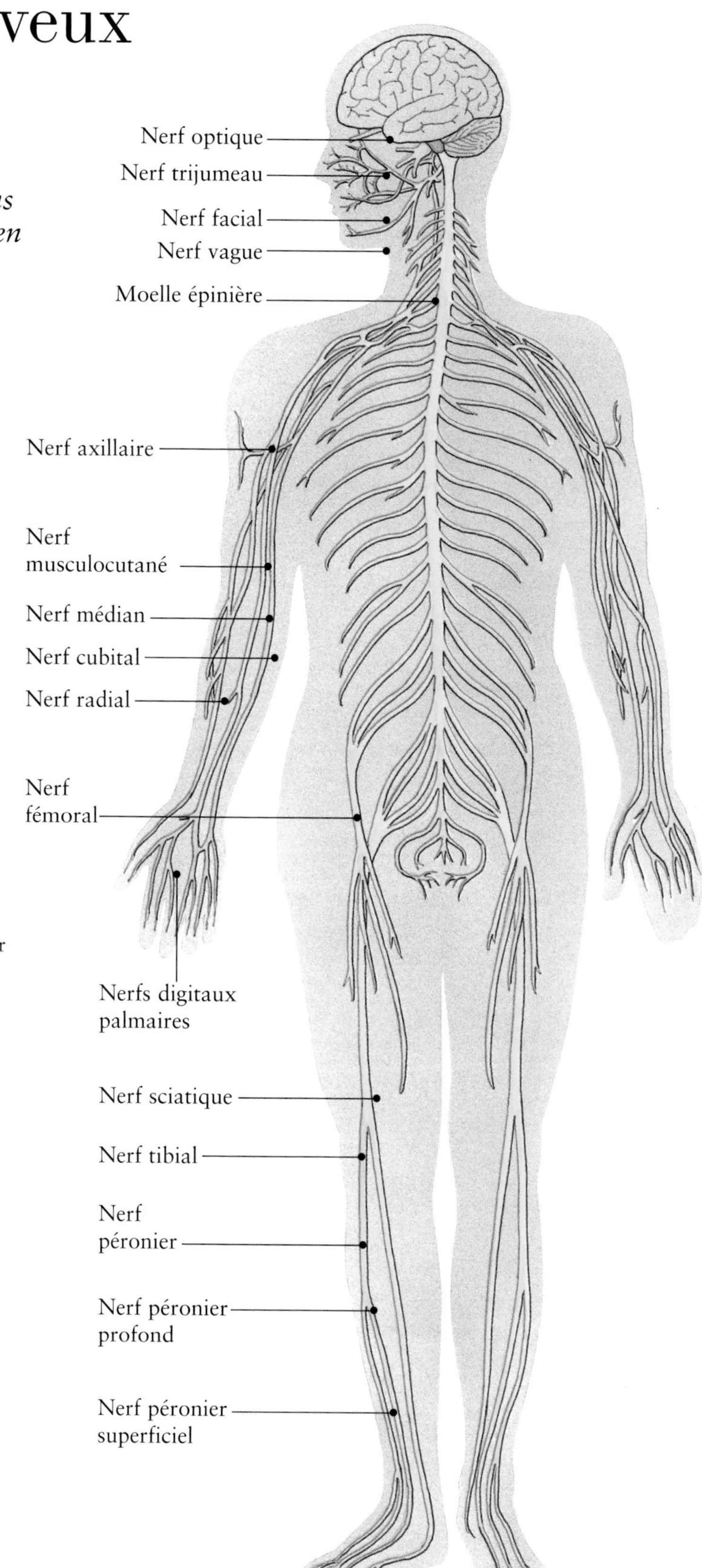

Le système nerveux est composé d'un réseau de fibres complexes connues sous le nom de nerfs qui parcourent le corps comme des fils électriques dans une maison. Les nerfs transmettent des signaux électriques alternatifs entre le cerveau et les différentes parties du corps.

La peau est l'organe le plus innervé par les nerfs. Cette sensibilité lui est nécessaire car elle est en contact direct avec notre environnement. Le système nerveux transmet au cerveau les messages qu'il reçoit de la peau et là ils sont interprétés, ce qui peut donner la douleur ou d'autres formes de stimuli. Quand elles sont étirées ou endommagées, d'autres parties du corps comme les muscles, les articulations et les organes internes, envoient également des signaux de souffrance.

Le système nerveux consiste en trois systèmes différents qui se connectent à un endroit particulier du cerveau :

- le système nerveux moteur, qui contrôle les muscles du corps
- le système nerveux sensoriel, qui transmet au cerveau l'information des cinq sens majeurs concernant le corps : la vue, l'ouïe, le toucher, le goût, l'odeur, ainsi que la sensation de douleur
- le système neurovégétatif ou sympathique qui contrôle des fonctions automatiques comme la respiration, les pulsations cardiaques et la digestion.

La partie la plus importante du cerveau pour le système nerveux central est la mince couche superficielle ou « matière grise » connue sous le nom de cortex cérébral. À l'intérieur du cortex cérébral, les zones qui contrôlent les mouvements des muscles volontaires des membres s'appellent les aires motrices, tandis que celles qui sont en communication avec le toucher et les sensations

de douleur sont les aires sensorielles.
Mais tous les signaux, en dehors des plus simples, sont retransmis à d'autres zones corticales et peuvent être modifiés par d'autres messages d'inhibition ou de stimulation.

Le trajet des nerfs

Les messages envoyés au cerveau sont pris en charge par les nerfs qui vont de la périphérie du corps à la moelle épinière où ils sont protégés par les os de la colonne vertébrale, les vertèbres. La moelle épinière monte dans les vertèbres jusqu'au cerveau. Les signaux du cerveau sont relayés le long de la moelle épinière via les nerfs jusqu'aux différentes parties du corps, puis ils repartent en sens inverse.

Le cerveau est protégé par les os du crâne. Si le crâne ou les vertèbres sont endommagés, le système nerveux est menacé et des nerfs comprimés entre les vertèbres peuvent provoquer une douleur intense. Le nerf sciatique, quand il est comprimé à la base de la colonne vertébrale, provoque une sciatique qui se traduit par une douleur aiguë le long de la jambe. Voilà donc un exemple de douleur indirecte. En ce qui concerne le syndrome du canal carpien ou lésion par effort répétitif, le nerf médian est comprimé au poignet par le ligament annulaire du carpe, entraînant douleurs et fourmillements. Les faisceaux de fibres nerveuses de la moelle épinière comprennent des nerfs des systèmes central et périphérique. Si les nerfs périphériques de la main repèrent une sensation de chaleur et de douleur en touchant une casserole brûlante, la sensation est relayée via les nerfs du système nerveux jusqu'à l'aire sensorielle du cerveau. L'aire sensorielle envoie un signal à l'aire motrice qui en renvoie un autre via la moelle épinière ordonnant aux muscles de la main de lâcher rapidement la casserole. « Le système nerveux central recueille les informations provenant des organes et des récepteurs sensoriels. Après les avoir analysés, il élabore les réponses, que le système nerveux périphérique achemine jusqu'aux organes concernés, provoquant une réponse adaptée. En cas de brûlure de la main, un récepteur transmet un message douloureux à la moelle épinière ; celle-ci génère aussitôt un influx, acheminé par un nerf vers un muscle, qui se contracte pour éloigner la main de la source de chaleur. » (Larousse médical.)

Pour se transmettre de cellule en cellule, les messages doivent traverser des espaces appelés synapses en libérant des substances chimiques permettant le passage de l'impulsion. C'est à l'endroit de la synapse que les messages peuvent être modifiés ou contrôlés.

Pour en savoir plus

Procédés électroniques 83
Névralgie 130
Zona 132

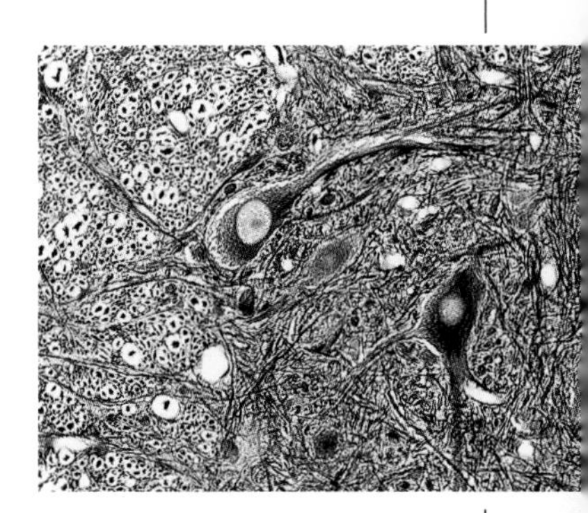

Les axones qui prolongent les cellules nerveuses sont protégés par une couche extérieure appelée gaine de myéline, composée d'un mélange de protéines et de graisses. Elle agit comme un isolant permettant à des signaux d'être transmis plus rapidement par le biais des axones.

LE SYSTÈME NERVEUX VÉGÉTATIF

Le système nerveux végétatif contrôle les fonctions automatiques du corps – celles qui ne sont normalement pas soumises à un contrôle conscient, comme la respiration et la digestion. Il veille à ce que le corps soit maintenu en état de fonctionnement et il est gouverné par le tronc cérébral et l'hypothalamus (une région centrale du cerveau). Il comprend les systèmes sympathique et parasympathique.

Le système sympathique est le système nerveux d'urgence de l'action, celui qui contrôle la réponse « fuir ou se battre » programmée par nos instincts plus tôt dans notre évolution. Dans ce système, la stimulation des nerfs – grâce à la peur, la colère, la faim, etc. – accélère le rythme cardiaque et respiratoire, accroît l'afflux de sang vers les muscles, dilate les pupilles et réduit la production des sucs gastriques de l'urine et de la salive. Par opposition, le système parasympathique est le système de « récupération ». C'est celui qui prend le relais pendant le repos ou le sommeil, ralentissant les rythmes cardiaque et respiratoire et accélérant la digestion.

Le système musculosquelettique et la douleur

Les muscles et les os du corps forment le système musculosquelettique qui vous donne une forme, vous soutient et vous permet d'accomplir des tâches mécaniques comme marcher, parler, vous tenir droit et vous asseoir. Il est sensible à une suractivité, susceptible d'être blessé, enflammé et il est donc une source fréquente de douleurs.

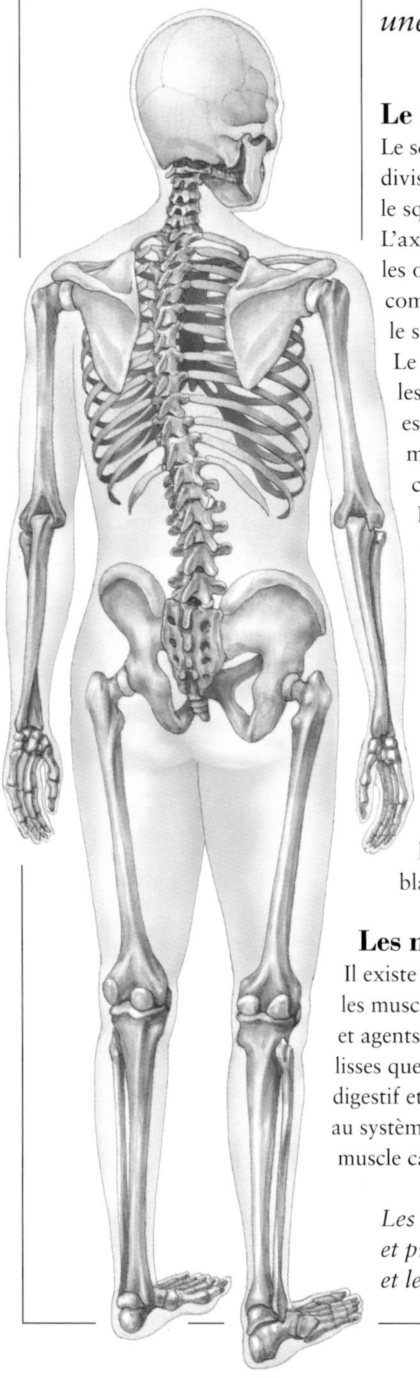

Le squelette et les os

Le squelette humain est composé de 206 os divisés en deux principaux groupes, le squelette axial et le squelette annexe. L'axial est le squelette « droit » – à savoir les os de la poitrine ou du thorax comprenant la colonne vertébrale, le sternum et la cage thoracique. Le squelette annexe comprend tous les os attachés au squelette axial, essentiellement les bras et les jambes mais aussi le crâne qui est lui-même composé de 8 os différents.

Les os sont le matériau le plus dur du corps et sont composés de couches de densité variée, la plus dure se trouvant à l'extérieur. Des sels minéraux, essentiellement le calcium et le magnésium, comptent pour les deux tiers environ du poids des os. Certains os, par exemple les côtes, le sternum et le crâne, ne protègent pas seulement des organes vitaux internes mais contiennent aussi la moelle où les globules rouges et blancs sont essentiellement fabriqués.

Les muscles

Il existe trois sortes de tissus musculaires : les muscles striés rattachés au squelette et agents de la mobilité volontaire, les muscles lisses que l'on trouve dans les appareils digestif et circulatoire et qui obéissent au système neurovégétatif, et le cœur ou muscle cardiaque. Il y a dans le corps humain 650 muscles squelettiques qui travaillent essentiellement par paire, activent les os en se contractant et se détendant alternativement. Par exemple, quand vous levez et abaissez le bras, les muscles de l'avant-bras (le biceps et le triceps) se contractent et s'allongent pour accomplir le mouvement. Les muscles squelettiques et les tendons qui les rattachent aux os sont malmenés par une trop grande activité, ce qui entraîne crampes et inflammations. Les muscles lisses tapissent la paroi de l'estomac et de l'intestin. Quand, manquant de tonicité, ils sont surpris par une action soudaine, ils peuvent provoquer une hernie. Le muscle cardiaque est à l'évidence essentiel et possède plusieurs caractéristiques qui l'aident à fonctionner. Une suractivité du muscle cardiaque peut entraîner une douleur à la poitrine mais aussi une douleur dans les bras.

Les os du squelette soutiennent et protègent les organes et les tissus mous du corps.

Les articulations et la douleur

La douleur musculosquelettique est rarement due aux os, à moins qu'ils ne soient brisés ou en mauvais état. La cause de la douleur est à rechercher dans les muscles et les tissus qui s'y connectent (tendons et ligaments), et plus spécialement dans les articulations. Des articulations qui travaillent beaucoup comme celles du cou, du dos, des hanches, des bras et des jambes, de même que le genou – la plus complexe des articulations du corps – ont toutes les chances d'être en grande partie responsables du problème.

Les articulations sont normalement classifiées en articulations *synoviales,* qui bougent librement, *cartilagineuses,* qui proposent un mouvement limité, et *fibreuses,* qui

LES DIFFÉRENTS TYPES D'ARTICULATIONS SYNOVIALES

TYPE D'ARTICULATION	MOUVEMENT	EXEMPLES D'ARTICULATIONS
ENARTHROSE (SPHÉRIQUE)	Permet pratiquement tous les mouvements	Épaule, hanche
CHARNIÈRE	Une seule direction	Coude, doigts
COUTURIÈRE	Deux directions	Cheville, pouce
TROCHOÏDE (CYLINDRIQUE)	Seulement la rotation	Permet la rotation de la tête entre l'atlas et l'axis
CONDYLIENNE (ELLIPSOÏDALE)	Permet la flexion-extension et la latéralité	Poignet, base des doigts (sauf le pouce)
DIARTHROSE	Essentiellement unidirectionnelle mais aussi rotation et verrouillage	Genou
PLANE OU GLISSANTE	Faibles glissements	Paumes, entre les côtes et la colonne vertébrale supérieure

Pour en savoir plus

Appareil digestif 20
Douleurs dorsales 136
Arthrite 142

Chez l'homme moyen, les muscles comptent pour la moitié ou presque du poids total du corps et chez les femmes, pour un tiers. En général, plus un muscle est gros, plus il est puissant.

Radio d'une inflammation de la membrane synoviale autour des jointures causée par une polyarthrite rhumatoïde, ce qui provoque des difficultés pour déplier les doigts.

sont statiques. Au cœur de l'articulation, le cartilage recouvre les extrémités des os et offre une surface lisse absorbant les chocs. Le cartilage est contenu dans une capsule tapissée par la membrane synoviale. Cela produit un lubrifiant appelé fluide synovial. L'inflammation de la membrane synoviale est le plus souvent à l'origine des douleurs articulaires, ce qui peut mener à une détérioration des composants vitaux des articulations. C'est ce qui se produit dans le cas de polyarthrite rhumatoïde ou d'arthrite.

Les appareils digestif et urinaire et la douleur

Ces deux appareils indépendants mais liés sont chargés de convertir la nourriture et les liquides en énergie et d'expulser les déchets. Au cours d'une vie, les organes travaillent sans interruption, et ils sont souvent surmenés et surchargés.

Boire beaucoup d'eau aide à éliminer les déchets du corps et à remplacer l'humidité perdue

Les appareils urinaire et digestif consistent en une série d'environ une douzaine d'organes entre la bouche et l'entrejambe. Quand les gens ne savent pas réguler ce qu'ils ingèrent, ces organes sont sujets à des dysfonctionnements. Ils ne sont pas très innervés en terminaisons nerveuses et les souffrances qu'ils provoquent sont difficiles à identifier et à traiter.

L'appareil digestif

De la bouche aux intestins, la nourriture et la boisson suivent le chemin décrit dans le diagramme ci-contre. Elles sont réduites et digérées grâce à une série de processus effectués par les différents organes. Ces organes sont aussi responsables de l'excrétion des déchets produits par le corps, comme les cellules mortes et les toxines dont il n'a pas l'usage. L'appareil digestif est résistant et très actif. Cependant, bien des maladies et des douleurs viennent de là. Essentiellement pour deux raisons : la première, c'est que le processus digestif lui-même a besoin d'énergie pour s'accomplir et trop souvent notre style de vie nous empêche de lui donner le temps de fonctionner tranquillement. L'indigestion et le syndrome des intestins irrités viennent souvent de là, de même que le stress. La deuxième raison, c'est que les gens souffrent de désordres de la nutrition comme l'anorexie ou la boulimie, à moins qu'ils ne boivent de l'alcool ou du café, ce qui est malsain pour l'organisme.

Un dysfonctionnement des organes digestifs peut provoquer une douleur aiguë ou la formation de calculs. Si l'équilibre des éléments passant par eux est rompu, il se forme des calculs dans certains organes, dont la vésicule biliaire et les reins. Les calculs sont une cristallisation de cholestérol qui intervient quand le foie et la vésicule biliaire ne peuvent plus traiter les excès de graisses ingérées.

L'appendice semble être le vestige d'un organe dont les êtres humains n'ont plus l'usage. De la nourriture ou des bactéries peuvent s'y loger, provoquant une appendicite souvent difficile à diagnostiquer : la douleur n'est pas bien localisée et on peut la confondre avec un désordre digestif ou urinaire.

L'appareil urinaire

L'appareil urinaire est composé des reins, de l'uretère, de la vessie et de l'urètre. Les reins filtrent le sang en retenant les toxines, tout en maintenant dans le corps les taux d'hormones, d'eau et de sels nécessaires. Un dysfonctionnement des reins est une maladie très sérieuse, parfois fatale.

Après les reins, l'urine passe dans l'uretère puis arrive dans la vessie avant d'être expulsée par un tube très mince – l'urètre. La partie basse de l'appareil urinaire est sensible aux infections comme la cystite, quand les bactéries qui proviennent souvent des intestins remontent dans l'appareil urinaire via l'urètre et provoquent des inflammations douloureuses, surtout chez les femmes.

Pour en savoir plus

Douleurs et systèmes corporels 16
Système musculosquelettique 18
Calculs rénaux 158

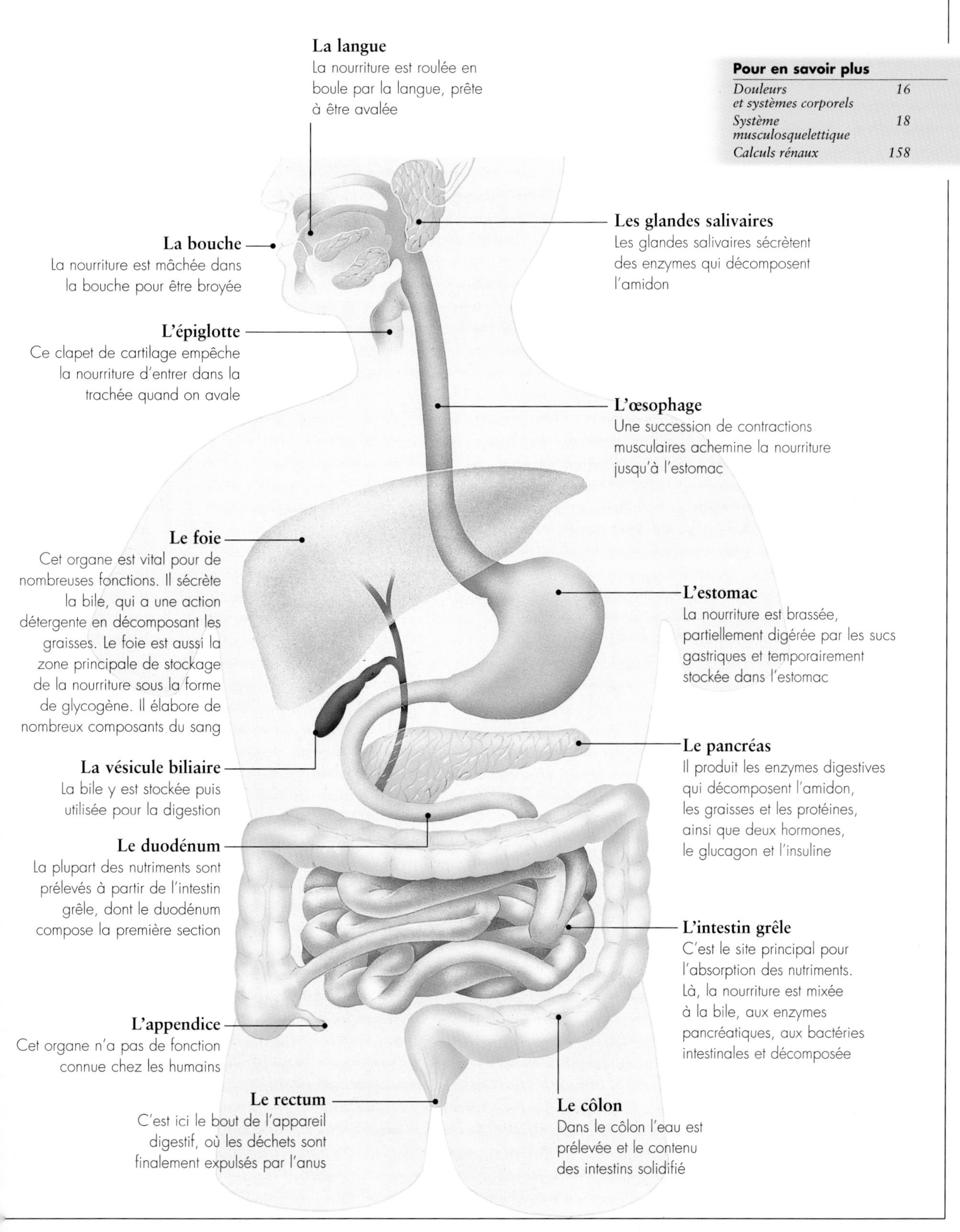

2

L'APPROCHE DE LA DOULEUR

La douleur varie selon qu'elle est produite par un dysfonctionnement aigu ou par une irritation désagréable et sans gravité. Et donc les approches du soulagement de la douleur varient selon les conditions. La médecine conventionnelle tend à se reposer sur la prescription de drogues puissantes pour soulager les symptômes. Le plus souvent, elles ne soignent pas la cause et peuvent entraîner des troubles et des dérèglements. Les thérapies parallèles permettent à la personne qui souffre de prendre sa santé en charge. Un diagnostic médical bien posé établit clairement les causes de la douleur. Il est indispensable. Pour les maladies sérieuses, les thérapies parallèles devraient accompagner le traitement conventionnel.

Médecine complémentaire

Les thérapies complémentaires offrent des traitements que l'on ne trouve pas dans la médecine conventionnelle, mais qui peuvent être utilisés en même temps que les traitements conventionnels. Ce sont la médecine traditionnelle chinoise, la naturopathie, la médecine shamanique, la médecine populaire européenne, les plantes et toutes les formes de médecines « New Age ».

On utilise souvent les huiles essentielles diluées dans une huile excipient pour un massage apaisant, un bain relaxant, dans un brûle-parfum pour assainir l'atmosphère d'une pièce, ou en inhalation pour dégager les voies respiratoires.

La médecine non conventionnelle n'est pas un domaine bien défini mais un ensemble de thérapies qui ne cesse de croître. Au cours des dernières années, la description « complémentaire » en est venue à décrire de nombreuses thérapies et de nombreux traitements qui ne visent pas à remplacer la médecine conventionnelle mais viennent la compléter. Plutôt que de s'exclure, les deux travaillent en partenariat. Certains thérapeutes affirment qu'ils offrent une alternative à la médecine allopathique mais la plupart d'entre eux acceptent maintenant le terme de médecine complémentaire pour décrire leurs méthodes de traitement.

Dans ce contexte, la médecine parallèle ou complémentaire est un terme utilisé pour décrire ce que recouvre la médecine populaire ou indigène de différentes cultures. Ces médecines ont souvent une histoire de plusieurs centaines d'années mais cela n'est pas une preuve d'efficacité en soi. Leurs adeptes devraient approcher toutes les formes de traitement médical d'un œil critique. La médecine conventionnelle occidentale, qui s'est développée au cours des 150 dernières années grâce à des techniques permettant d'isoler certaines substances et d'accomplir des opérations chirurgicales, est née de l'herboristerie et de pratiques chirurgicales plus anciennes.

L'approche holistique

La philosophie fondamentale de la médecine complémentaire est, ou devrait être, ce qui est très exactement au cœur de la bonne médecine conventionnelle : utiliser l'approche la plus douce, éviter les procédures dangereuses et traumatisantes et traiter le patient comme un tout. Le patient est perçu comme un individu particulier, composé d'un corps, d'un esprit et d'émotions qui, pour une raison ou pour une autre, est capable de créer sa propre maladie, mais peut aussi prendre une part active à sa guérison et par la suite à l'entretien de sa santé.

Les principes généraux

Bien que la médecine parallèle rassemble des traitements complètement différents, la plupart des thérapeutes appliquant des médecines parallèles comprennent, acceptent et travaillent d'après les principes suivants :

- Un être humain est un alliage subtil et complexe d'un corps, d'un esprit et d'émotions. Un problème touchant plus particulièrement l'un ou l'autre de ces éléments peut provoquer des dysfonctionnements ou y contribuer. Chaque individu est un « tout » pleinement cohérent et non un assemblage de parties indépendantes.
- La bonne santé est un état d'équilibre émotionnel, mental, spirituel et physique. L'équilibre est fondamental dans la notion de santé, et la mauvaise santé est le résultat d'un déséquilibre ou « mal-aise ».
- L'environnement et les facteurs sociaux ont

une influence sur l'état physique et émotionnel d'une personne, et donc sur sa santé.
- Traiter la racine d'un problème est plus important que de traiter les symptômes immédiats. En ne considérant que les symptômes, on peut masquer un problème sous-jacent qui réapparaîtra plus tard sous une forme plus sérieuse.
- Chaque personne est un individu unique et ne peut pas être traitée exactement de la même façon qu'une autre. Un thérapeute complémentaire voudra généralement en savoir plus sur vous qu'un médecin conventionnel.
- Le corps a une capacité naturelle de guérison et de retour à la stabilité, mais guérir est plus rapide et plus efficace si la personne se prend en charge et participe activement au processus de guérison.

L'efficacité des thérapies complémentaires

La plupart du temps, les gens se tournent en dernier recours vers les thérapeutes des médecines parallèles. Après avoir suivi la procédure ordinaire, ils sont insatisfaits. Quoi qu'il en soit, mieux vaut le plus souvent inclure les traitements complémentaires
à celui que vous suivez déjà. C'est généralement ce qui donne les meilleurs résultats car grâce à cette association, les patients connaissent souvent une amélioration de leur condition et une meilleure qualité de soins. Ils découvrent que des traitements comme l'ostéopathie, la chiropractie, l'acupuncture, les plantes, l'homéopathie, les massages, l'aromathérapie et la réflexologie sont efficaces pour traiter la douleur.

Au cours des dernières années, il y a eu une augmentation rapide du nombre de médecins et d'infirmières recommandant les thérapies complémentaires pour la douleur.

Cependant, de nombreux médecins continuent de s'en méfier. La raison en est que la plupart du temps, on ne peut pas démontrer pourquoi un traitement a fonctionné et seules les preuves expérimentales et tangibles sont admises par la science. Deuxièmement, si un traitement ne marche pas, les patients peuvent être amenés à en essayer un autre, ce qui contredit le schéma des traitements spécifiques pour des maux spécifiques définissant la médecine occidentale.

La récente popularité de la médecine non conventionnelle a eu pour effet une foule de nouveaux traitements entrant dans le « menu » des thérapies de la douleur : cela va des approches connues comme l'acupuncture, l'ostéopathie et l'homéopathie, aux thérapies moins connues, récemment introduites sur le marché médical. Un bon nombre d'entre elles ne résisteront pas à l'épreuve du temps.

Il est également vrai que de nombreux thérapeutes n'ont pas de formation officielle. Il n'est pas impossible qu'ils offrent un traitement efficace mais quand ils cherchent un praticien, les patients devraient toujours en tenir compte. Des médecines plus anciennes ont maintenant une structure d'enseignement et des organismes professionnels contrôlant leur pratique.

Toutes les thérapies auxquelles on se réfère dans ce livre se sont révélées efficaces pour le traitement de la douleur.

Pour en savoir plus

Thérapies pour la douleur 27
Que peut-on attendre d'un thérapeute ? 28

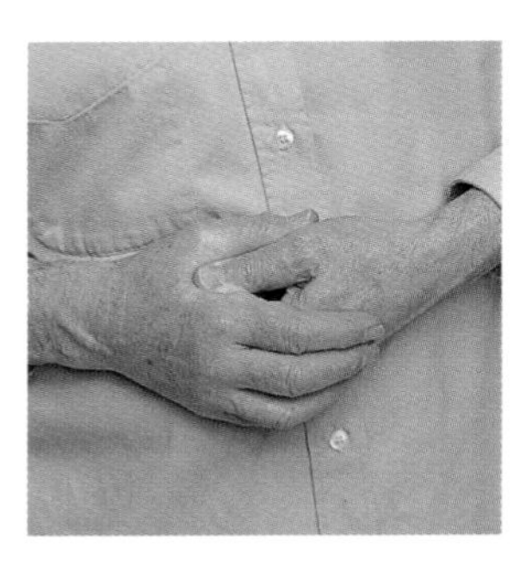

La digitopuncture est une thérapie répandue que l'on pratique soi-même. Elle est basée sur les mêmes principes que l'acupuncture mais elle utilise la pression manuelle plutôt que l'insertion d'aiguilles.

LA FORCE DE GUÉRISON NATURELLE

De nombreuses personnes pensent qu'il existe une force de guérison ou énergie dans l'univers. Les Chinois l'appelle le chi, les Japonais le ki et les Indiens prana. En Occident, on la désigne généralement par sa description latine, vis medicatrix naturae, *ce qui signifie « force de guérison naturelle »; mais aujourd'hui on la désigne plus simplement par le terme de « force vitale ». La plupart des praticiens de médecines parallèles croient que n'importe qui peut utiliser cette force et qu'un praticien expérimenté peut l'activer chez le patient, ou l'aider à l'activer.*

Les différents types de thérapies complémentaires

Les thérapies complémentaires tombent en gros dans deux catégories : les thérapies physiques et les thérapies psychologiques. Certains praticiens en désignent une troisième : les thérapies par l'énergie.

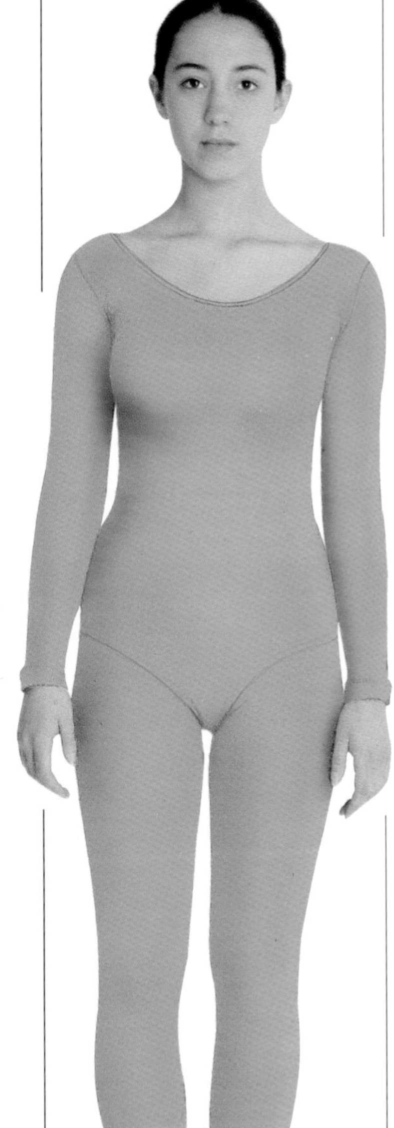

Une thérapie implique une manipulation, une activité physique, à moins qu'elle n'initie le patient aux médecines alternatives comme la phytothérapie et l'homéopathie, ou ne traite l'état mental du patient par la visualisation, la musique ou la méditation. De nombreux patients utilisent plusieurs thérapies à la fois et envisagent leurs problèmes sous différents aspects. Mais la plupart des praticiens complémentaires examineront toutes les données du problème que leur pose un patient.

Les thérapies physiques

Ces thérapies s'intéressent au corps du patient. Le traitement peut être passif, par exemple avec l'acupuncture et les massages, ou actif, comme avec le yoga et le tai chi. Le yoga mettra également l'accent sur l'état mental du patient tandis que la physiothérapie, c'est un exemple parmi d'autres, sera beaucoup plus physique. Les thérapies physiques incluent aussi celles qui proposent au patient des médecines non conventionnelles, comme les remèdes à base de plantes. La diététique se concentre sur l'équilibre de l'alimentation. L'aromathérapie, qui utilise des huiles essentielles naturelles pour induire des états psychiques particuliers, fait partiellement partie des thérapies physiques, dans la mesure où le patient se sert de ses sens pour inhaler leur parfum, à moins qu'on n'utilise ces huiles pour des massages.

Le yoga traite le corps et l'esprit grâce à des exercices physiques qui exigent une grande concentration.

Les thérapies psychologiques

Les thérapies psychologiques s'adressent à des états mentaux et émotionnels. Pour des patients qui souffrent de douleurs physiques ainsi que pour ceux dont la maladie a pour origine le stress et la douleur émotionnelle, les thérapies psychologiques sont bénéfiques pour la relaxation physique et mentale. Là encore, ces traitements peuvent être actifs ou passifs. Les patients peuvent écouter de la musique ou en jouer, faire de la peinture ou être guidés par des techniques de visualisation ou de méditation. Les états mentaux et émotionnels d'une nature plus sérieuse sont traités par des thérapies comme les entretiens, la psychothérapie et l'hypnose pour les troubles émotionnels sévères, les obsessions, les phobies et les dépendances diverses.

Les thérapies par l'énergie

C'est au « champ énergétique » ou à la « force de vie » cachée du corps que s'adressent les thérapies par l'énergie. Dans la médecine chinoise, l'énergie serait canalisée dans des circuits appelés des méridiens, et le yoga fait appel à des centres d'énergie appelés chakras, qui sont utilisés pour centraliser toutes sortes d'énergies. Les thérapies par l'énergie sont souvent basées sur des concepts orientaux concernant la santé et la maladie. Elles affirment que les dysfonctionnements sont le résultat d'un déséquilibre ou d'une interruption de l'énergie naturelle du corps ou « force de vie » à un niveau très subtil. Les concepts orientaux sur l'énergie sont de plus en plus utilisés dans le traitement de la douleur. Ces thérapies incluent l'acupuncture, la digitopuncture et la « guérison par la foi ».

Pour en savoir plus
Force de guérison naturelle 25
Que peut-on attendre d'un thérapeute ? 28
Spécialistes médicaux 78

LES THÉRAPIES COMPLÉMENTAIRES BÉNÉFIQUES POUR LA DOULEUR

THÉRAPIES PHYSIQUES	Technique Alexander Aromathérapie Thérapie électromagnétique Phytothérapie Manipulation (y compris la chiropractie, l'ostéopathie crânienne et l'ostéopathie)	Massages Naturopathie (y compris l'hydrothérapie) Thérapies nutritionnelle et diététique Réflexologie Tai chi
THÉRAPIES PSYCHOLOGIQUES	Biofeedback Entretiens Hypnose	Méditation Psychothérapie Relaxation et visualisation
THÉRAPIES PAR L'ÉNERGIE	Acupuncture Homéopathie	Réflexologie Shiatsu

Comment pratique-t-on la médecine complémentaire ?

Les techniques médicales complémentaires varient quant au niveau de connaissances qu'elles supposent. Pour certaines thérapies, le patient devra s'en remettre à des praticiens aguerris. Dans cette catégorie, on retrouve les thérapies par la manipulation comme l'ostéopathie, la chiropractie et le Rolfing, ainsi que les psychothérapies, les entretiens et la psychanalyse.

D'autres thérapies tombent dans une catégorie « intermédiaire », dans la mesure où initialement elles exigent un diagnostic et un traitement prescrit par un expert. Dans certains cas, le patient peut aussi passer par une formation avant de les appliquer seul chez lui. Dans cette catégorie sont rangées les thérapies par le mouvement comme la technique Alexander, ainsi que l'herboristerie chinoise.

Dans la troisième catégorie, on classe les techniques que vous pouvez appliquer tranquillement chez vous sans que cela exige un contrôle particulier. Il s'agit de l'aromathérapie, certains régimes diététiques, les thérapies par le mouvement comme le yoga et le tai chi. Elles rassemblent aussi les thérapies énergétiques comme le shiatsu, ou mentales comme la méditation.

Il est important d'aborder toute thérapie entreprise à titre personnel avec un minimum de bon sens.

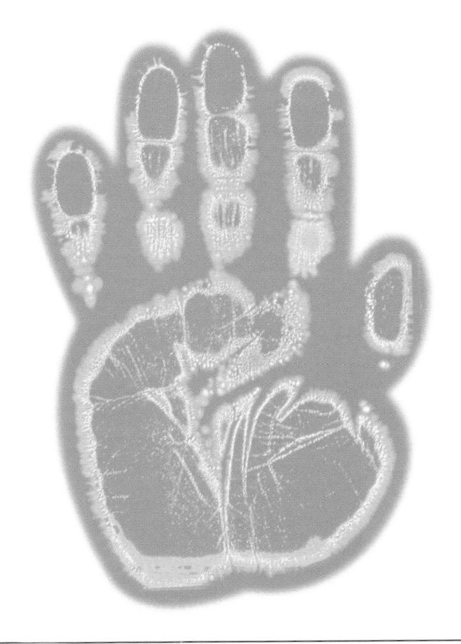

La photographie de Kirlian enregistre la réponse du corps à un signal électrique. C'est une thérapie basée sur l'énergie et qui entend mesurer et analyser les champs d'énergie du corps. Le contour de la main d'un jaune lumineux s'appelle l'aura.

Que peut-on attendre d'un thérapeute ?

La plupart des professionnels de la santé vous accorderont beaucoup plus de temps que votre médecin de famille. Une première visite peut durer d'une demi-heure à deux heures, ce qui permettra au thérapeute d'en apprendre autant à votre sujet qu'il sera nécessaire afin de vous suggérer les traitements les plus adaptés.

Un thérapeute complémentaire accordera la plus grande attention à l'état dans lequel vous vous trouvez au moment de votre rendez-vous, et il y a des chances que le thérapeute s'y arrête longuement avant de passer à d'autres symptômes. Par exemple, si vous arrivez avec un rhume, il commencera par s'intéresser à ce rhume plutôt qu'à vos douleurs : les thérapeutes croient qu'il n'est pas survenu sans raison et qu'il faut tout d'abord en découvrir l'origine. Ils estiment qu'un tel état est lié au problème provoquant la douleur.
Il s'agit d'une approche commune à l'ostéopathe que vous voyez pour votre mal de dos, au réflexologue qui vous examine pour des désordres intestinaux, à l'aromathérapeute que vous consultez pour le stress ou à l'acupuncteur à qui vous demandez de soulager votre céphalée. Les thérapeutes complémentaires adapteront le traitement aux circonstances de la visite d'un malade car en agissant ainsi, ils pensent qu'ils encouragent le corps à se soigner de la meilleure manière possible.

Prendre vos responsabilités en ce qui concerne votre santé implique d'en apprendre davantage sur la maladie dont vous souffrez à partir du traitement que vous recevez.

Prendre ses responsabilités

La plupart des thérapeutes complémentaires estiment que quelqu'un qui prend la peine de les consulter veut prendre sa santé en charge et participer au processus de guérison. Ce patient refuse d'être le bénéficiaire passif du traitement. Bien qu'aujourd'hui les médecins occidentaux tiennent compte des facteurs psychologiques en ce qui concerne le traitement de la douleur et la rééducation dans les cas de crises cardiaques ou de fatigue chronique, cette approche est très différente des principes de la médecine conventionnelle qui traite les symptômes physiques isolément. Les vrais thérapeutes holistiques considèrent l'individu comme un carrefour complexe d'influences interactives, ils ne le voient plus comme le simple représentant d'un problème médical répertorié exigeant le traitement correspondant.
Participer activement à sa propre guérison est un facteur important dans le succès de la plupart des thérapies de complément. Pour cette raison, un bon praticien vous encouragera toujours à en passer par là.

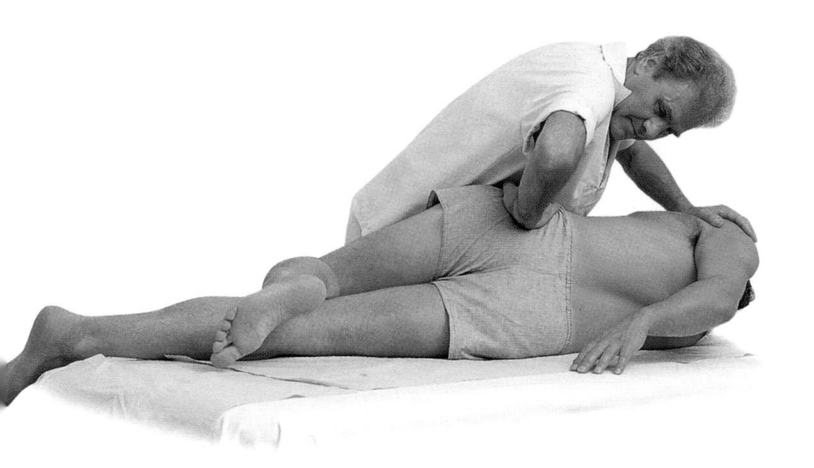

Pour en savoir plus

Thérapies complémentaires 27

Médecine chinoise 42

Un thérapeute complémentaire soigne le corps dans son entier. Quand il traitera une douleur dans la nuque ou dans l'épaule, un chiropracteur prendra en considération l'alignement de toute la colonne vertébrale.

L'ENQUÊTE SUR LES ANTÉCÉDENTS D'UN MALADE

Avant de vous traiter, le premier souci d'un bon thérapeute est de découvrir ce qui explique les raisons de votre maladie. Il s'engagera donc dans un processus visant à retracer votre parcours personnel. Il dressera un tableau complet de votre personnalité, allant de votre tempérament à votre état de santé.

Cette reconstitution aura lieu lors de la première visite et elle prendra d'une demi-heure à une heure. Pendant ce temps, il faut vous préparer à des questions et des méthodes d'investigation qui vont bien au-delà des renseignements que vous demande un médecin ordinaire.

Votre situation particulière est peut-être le résultat de problèmes psychologiques qui comptent autant et peut-être davantage que vos problèmes physiques. Pour cette raison, on vous posera des questions sur votre état mental et émotionnel ainsi que sur vos souffrances physiques. Ce diagnostic holistique est posé à la suite d'une séance de questions-réponses très détaillée, au cours de laquelle le thérapeute vous interrogera non seulement sur les symptômes dont vous souffrez, mais aussi sur la vie que vous menez, votre régime alimentaire, les conditions dans lesquelles vous vivez, votre profession, vos fréquentations, vos habitudes intestinales, vos rythmes de sommeil, etc. Tandis que vous répondez aux questions, les thérapeutes qualifiés prendront note de votre langage corporel – votre façon de vous asseoir, ce que vous faites de vos mains, le ton de votre voix, etc., car cela vous définit parfois tout autant que ce que vous dites – ou ne dites pas.

Les praticiens de certaines disciplines, comme la médecine traditionnelle chinoise ou védique, examineront aussi votre langue, prendront vos pouls (contrairement à la médecine orthodoxe, ils en comptent plusieurs), examineront vos urines et vos selles. D'autres, surtout dans les pays occidentaux, utiliseront certaines techniques comme l'examen de l'iris de l'œil (iridologie), la radiesthésie, le diagnostic établi à partir de l'aura de Kirlian ou l'analyse des cheveux.

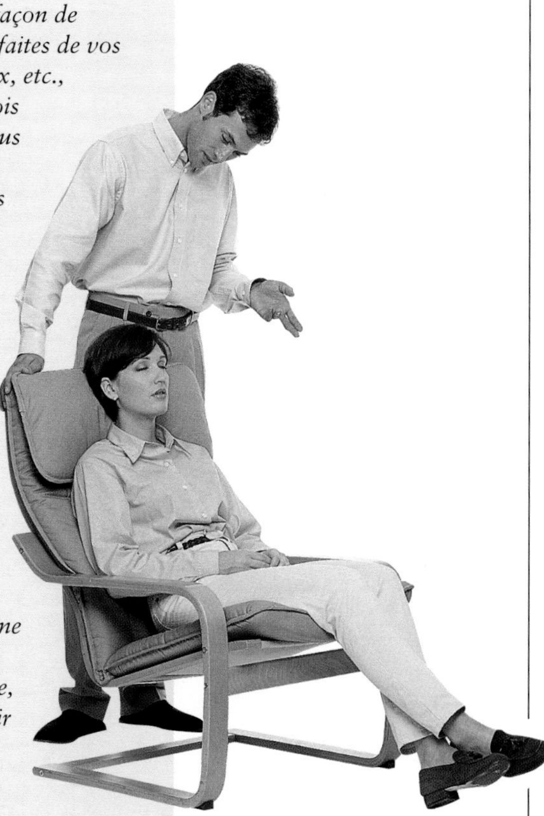

Thérapie diététique

Le but de la thérapie diététique est de tirer le meilleur parti de votre organisme grâce à la nutrition. Un thérapeute diététicien analysera votre régime, puis il établira un organigramme de ce que le patient devra manger afin d'améliorer son état de santé. Tout ce qui serait susceptible de nuire à l'organisme sera supprimé.

Les fruits frais et les légumes contiennent une grande quantité de minéraux et de vitamines. Boire des jus de fruits frais est une excellente manière d'ingérer ces micronutriments essentiels.

Il existe toutes sortes de régimes destinés à améliorer la santé : ils sont basés sur des principes variés et se proposent de soulager certaines conditions pénibles. Le monorégime en fait partie, de même que le régime Hay, celui de Gerson et le régime macrobiotique. À des troubles comme l'asthme, la migraine et l'arthrite correspondent des recommandations alimentaires. Les patients qui souffrent de l'une ou l'autre de ces maladies doivent surveiller l'évolution de leurs douleurs, noter quand elles surviennent, et peut-être pourront-ils mettre au point le régime qui leur convient. Tout régime doit être soigneusement étudié afin de vérifier qu'il n'est pas carencé, puis il devra être suivi à la lettre.

Le régime macrobiotique

Le régime macrobiotique ou « yin-yang » vise à ramener le corps à son équilibre énergétique idéal grâce à des aliments contenant des énergies yin et yang. Le yang représente le côté actif et chaud de notre nature, le yin le côté passif et froid. La nourriture yang comprend les céréales, les racines comestibles et les légumes secs, tandis que la nourriture yin comprend les légumes à feuilles, les noix et les graines ainsi que les fruits. Les adeptes du régime macrobiotique vantent aussi les bienfaits des cultures locales cultivées par des procédés naturels. D'autre part, fruits et légumes devraient être consommés à la saison qui est la leur.

Le monorégime (qui se limite à un seul aliment)

On affirme que les régimes de ce genre procèdent à un nettoyage de l'appareil digestif par la consommation d'un seul type de fruit ou de légume pendant deux jours ou plus. La nourriture est généralement réduite en purée ou en jus. Les raisins, les pommes, les carottes, les betteraves et les choux sont communément utilisés.

Le régime Hay

Mis au point par le Dr William Hay, un chirurgien américain, ce régime préconise l'association de certains aliments à l'exclusion de certains autres. Il recommande de ne pas consommer des féculents comme les pâtes, le pain et les pommes de terre en même temps que des aliments protéinés comme la viande, le poisson et les produits laitiers. D'après le docteur Hay, l'amidon et les protéines sont « transformés » dans l'appareil digestif par différents processus chimiques. En les consommant ensemble, aucun ne se convertit correctement. Ce régime aurait de bons résultats sur les douleurs causées par l'arthrite et les problèmes digestifs.

Le régime Gerson

Préconisé par Max Gerson, un médecin américain, le régime Gerson préviendrait le cancer. Ce régime préconise de consommer des fruits et des légumes qui ont poussé organiquement, surtout des légumes verts à feuilles vertes comme le chou, le chou de Bruxelles et le brocoli qui contiennent des substances chimiques du nom d'indoles. Les indoles désactivent l'œstrogène, qui est

LES THÉRAPIES NUTRITIONNELLE ET DIÉTÉTIQUE

Il ne faut pas confondre thérapie nutritionnelle et thérapie diététique. La diététique met l'accent sur des repas équilibrés, tandis que la nutrition est concernée par l'utilisation de suppléments alimentaires ou de micronutriments pour traiter les problèmes de santé.
Les diététiciens vous donnent des conseils sur ce que vous devez et ne devez pas manger, tandis que les thérapeutes par la nutrition sont spécialisés dans le dosage et la prescription des vitamines et des minéraux à visée thérapeutique.
Bien que ces deux disciplines se recoupent de plus en plus souvent, et qu'il soit fort possible qu'à un moment ou à un autre elles se confondent, d'importantes différences demeurent. Par exemple, les diététiciens ne pensent pas qu'un supplément régulier en vitamines et minéraux puisse traiter des maladies. La plupart d'entre eux ne voient pas la nécessité des micronutriments si on suit un régime sain et équilibré.
Au contraire, les nutritionnistes, même s'ils encouragent une alimentation saine et équilibrée, estiment que le régime de bon nombre d'Occidentaux ne contient pas tous les micronutriments dont le corps a besoin. Ils attribuent cela essentiellement aux méthodes modernes de production alimentaire qui appauvrissent la plupart des aliments.
Les nutritionnistes recommandent de pallier ce manque par la prise de vitamines, de minéraux et de suppléments alimentaires divers.

Pour en savoir plus

peut-être impliqué dans certains types de cancers, ce qui justifierait dans une certaine mesure le régime de Gerson.

Le jeûne

Bien que tous les médecins ne soient pas d'accord, un jeûne qui ne dépasse pas 24 heures, pratiqué sous surveillance et à certaines conditions, est une façon efficace d'éliminer les toxines du corps.

Les régimes adaptés à certaines maladies

De nombreuses maladies chroniques peuvent être soulagées par un régime. Il sera adapté à chaque patient mais, d'une manière générale, il semblerait qu'un régime pauvre en graisses et en protéines soulage la douleur due à la polyarthrite rhumatoïde. Ceux qui souffrent de céphalées devraient éviter le chocolat, le fromage et le vin. Pour l'asthme, il faut trouver à quels aliments on est allergique et éviter ceux qui contiennent des sulfites, comme le vin et la bière.

L'ANALYSE DES MINÉRAUX GRÂCE AUX CHEVEUX

Certains nutritionnistes utilisent des cheveux pour détecter les déficiences minérales dans le corps. Il suffit d'envoyer une mèche de cheveux dans un laboratoire où les cheveux sont coupés et analysés pour y détecter la présence ou l'absence de substances chimiques spécifiques. Certains laboratoires suggéreront alors la prise de tel ou tel complexe de minéraux et de vitamines ou de suppléments alimentaires pour vous permettre de rétablir l'équilibre. Ils les vendent eux-mêmes au client.
Les tarifs des laboratoires pour cette analyse sont très élevés et de nombreux spécialistes doutent de l'efficacité d'un tel examen. Les minéraux contenus dans les cheveux peuvent ne pas refléter l'état du corps et différents laboratoires ont donné des résultats divergents pour les mêmes échantillons de cheveux.
Les cheveux sont également affectés par les shampooings et autres produits capillaires. Les indications qu'ils nous donnent sur notre état interne ne sont pas vraiment fiables. Pour cette raison, on ne devrait pas se baser uniquement sur les cheveux pour déterminer les quantités de minéraux contenus dans le corps.

Thérapie diététique

LE GUIDE POUR UNE NOURRITURE ET DES BOISSONS SAINES

ALIMENTS	RÉGULIÈREMENT	PARFOIS	À ÉVITER
Gâteaux et biscuits	Gâteaux et biscuits faits à la maison	Gâteaux et biscuits contenant des graisses poly-insaturées, sorbets, crème glacée allégée	Gâteaux du commerce, gâteaux à la crème, crème glacée à la crème fraîche
Pain et céréales	Farine complète, avoine, pâtes complètes, riz brun, céréales sans sucre et sans sel	Pâtes raffinées, riz blanc, pain blanc, biscottes, crackers, produits élaborés avec de la farine blanche	Croissants, brioches et pâtisseries
Œufs et produits laitiers	Lait écrémé, fromage blanc égoutté, blanc d'œuf, yaourts maigres, fromage frais	Lait demi-écrémé, fromages maigres et pas très gras, jaunes d'œufs	Yaourts entiers, lait, crème fraîche, fromages, café au lait
Corps gras et huiles	Huile d'olive	Graisses poly-insaturées et margarines diététiques à base d'huile de tournesol et de maïs	Beurre, saindoux, beurre clarifié
Poisson	Sardines, thon, saumon, maquereau, truite, poisson blanc comme le cabillaud ou l'aiglefin		Poisson frit dans du beurre, tarama
Fruits et légumes	Fruits et légumes frais ou congelés, haricots, lentilles et autres légumes secs	Pommes de terre frites dans des huiles poly-insaturées, avocats	Chips et pommes de terre frites dans des huiles mono-insaturées
Viande	Poulet et dinde sans peau	Bœuf maigre, porc, agneau, bacon, foie, rognons ou autres abats	Viande grasse, saucisses, pâtés en croûte, salamis, canard, pâtés
Sauces, confitures et sucreries	Herbes, moutarde, sauces légères, confitures sans sucre	Vinaigrettes et mayonnaises allégées, confitures au sucre, marmelades, miel, chocolat noir	Vinaigrettes et mayonnaises grasses, sucre, chocolat au lait et autres confiseries
Boissons et soupes	Eau, jus de fruit, soupes allégées	Alcool, thé, café, boissons maltées et chocolat allégé	Soupes à la crème fraîche, boissons au lait entier

Un thérapeute nutritionniste analysera votre régime, votre état de santé et votre style de vie. Muni de ces informations, il vous conseillera de modifier certains éléments de votre alimentation et vous prescrira des doses thérapeutiques de divers suppléments nutritionnels

Thérapie nutritionnelle

Avec la découverte de la vitamine A en 1913, les scientifiques ont reconnu la part vitale que ces composés jouent dans la nutrition. Avec la mise en évidence d'autres vitamines essentielles, les suppléments alimentaires sont devenus plus répandus.

Les vitamines jouent un rôle essentiel dans le métabolisme du corps. Il y en a environ une quinzaine, mais quand on se réfère à la vitamine B, on parle de complexe vitaminique regroupant un ensemble de composés apparentés. À partir des aliments le corps est capable de synthétiser certaines vitamines tandis que d'autres sont prélevées directement. Les vitamines sont divisées en deux groupes : celles qui sont solubles dans les lipides et celles qui sont solubles dans l'eau. Les vitamines A, D, E, et K appartiennent au premier groupe et elles peuvent être emmagasinées par le corps ; B et C appartiennent au second groupe et doivent donc être ingérées régulièrement. De plus, comme elles sont solubles dans l'eau, on les perd souvent au cours de la cuisson. Si on prend plus de vitamines que ce que le corps peut emmagasiner, elles peuvent se révéler dangereuses, tandis que si on ingère de trop grandes quantités de vitamines B et C, le corps les élimine aussitôt.

La thérapie nutritionnelle est basée sur la constatation que la carence en nutriments spécifiques provoquera certains dysfonctionnements qui iront du scorbut (manque de vitamine C) à l'anémie (qui peut être due à un manque de vitamines B, C ou E). On peut suppléer à une insuffisance vitaminique en équilibrant le régime alimentaire ou en prenant des suppléments vitaminiques. Au cours d'une maladie, le corps consomme davantage de micronutriments pour lui permettre de lutter contre une baisse de forme et de réparer ses cellules.

La thérapie par les mégadoses de vitamines

Quand on les utilise pour guérir et non pour se maintenir en forme, les doses recommandées peuvent atteindre des niveaux très élevés. Par exemple, on peut vous prescrire des doses de 1000 mg ou plus de vitamine C pour lutter contre la maladie, alors que la dose recommandée par les autorités sanitaires pour une consommation quotidienne est de 60 mg par jour.

La thérapie par la prise de vitamines à hautes doses doit être contrôlée par des praticiens qualifiés, car il y a un danger de surdose. Cependant, prendre des suppléments de vitamines et de minéraux en suivant les doses recommandées sur les étiquettes est parfaitement inoffensif (voir tableau page 35).

Un nutritionniste analysera tout ce que vous mangez afin de déterminer si votre régime est approprié ou non. Il vous dira ce qu'il en pense et vous conseillera s'il y a lieu d'en changer.

Thérapie nutritionnelle

Les déficiences nutritionnelles dans un régime peuvent être identifiées par l'analyse des fluides du corps.

D'une manière générale, les suppléments doivent être pris régulièrement pendant des semaines, des mois ou même des années, encore que la vitamine C puisse très rapidement faire remonter vos défenses immunitaires.

Prendre des suppléments de vitamines et de minéraux de bonne qualité est la meilleure façon de vous assurer un bon équilibre en micronutriments. La prise d'une seule vitamine ou d'un seul minéral n'est pas aussi efficace qu'une association de ces éléments. De nombreux micronutriments ont besoin les uns des autres pour être efficaces. Par exemple, la vitamine C est plus active en présence du zinc et la plupart du temps les vitamines B doivent être associées entre elles. Il y en a plus d'une douzaine et elles sont complémentaires.

Voici un certain nombre de recommandations :

- Prendre ces suppléments au milieu des repas ou juste après.
- Si vous en prenez plusieurs, répartissez-les sur les différents repas. Une moitié au petit-déjeuner et une moitié au déjeuner. Ou alors un tiers au petit-déjeuner, un tiers au déjeuner et un tiers au dîner. Ne prenez pas toute la vitamine C le matin et les vitamines B le soir. Comme ces vitamines ne peuvent pas être stockées par le corps, les excédents sont immédiatement éliminés.
- Si vous pratiquez l'automédication, suivez la posologie indiquée sur les dépliants. Prendre un supplément contenant des vitamines et des minéraux et l'associer à un autre peut vous amener à dépasser les doses prescrites.
- Si vous avez l'intention d'ingérer de fortes doses d'un supplément quelconque, prenez l'avis d'un spécialiste. Leurs effets peuvent varier : par exemple, les vitamines B prises tard le soir peuvent provoquer une insomnie tandis que les minéraux peuvent vous aider à dormir. De plus, de hautes doses de suppléments prises pendant longtemps au mauvais moment (par exemple pendant la grossesse) peuvent se révéler toxiques. Cela est vrai pour la vitamine A, le zinc, le fer et le sélénium.
- Attendez-vous à ressentir les bienfaits de ces traitements au cours des trois premiers mois. Voyez un nutritionniste si votre état ne s'améliore pas.
- Si vous ressentez des malaises, des effets secondaires ou des symptômes inhabituels comme des nausées ou une céphalée, arrêtez de prendre les suppléments et consultez un thérapeute.
- Si vous souffrez d'un dysfonctionnement particulier, il est conseillé de rechercher l'avis d'un expert ou d'un nutritionniste qualifié.

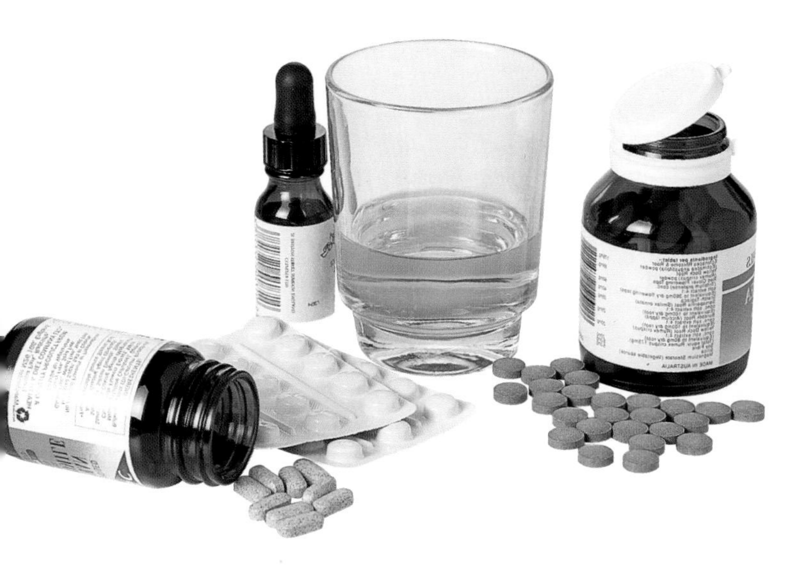

Pour en savoir plus

Les suppléments en cachets sont des concentrations compressées d'ingrédients. Les capsules les contiennent sous forme liquide ou plus libre.

LES DOSES QUOTIDIENNES DE VITAMINES ET DE MINÉRAUX

VITAMINES	DQR	DOSES SUPÉRIEURES
VITAMINE A	800 µg	2300µg
VITAMINE B_1 (thiamine)	1.4 mg	100 mg
VITAMINE B_2 (riboflavine)	1.6 mg	200 mg
VITAMINE B_3 (niacine*)	18 mg	150 mg
VITAMINE B_6	2 mg	200 mg
VITAMINE B_{12}	1µg	500 µg
VITAMINE C	60 mg	2000 mg
VITAMINE D	5 µg	10 µg
VITAMINE E	10 mg	800 mg
BIOTINE (vitamine B_7)	150 µg	500 µg
ACIDE FOLIQUE (B_9)	200 µg	400 µg
ACIDE PANTOTHÉNIQUE (B_5)	4 mg	500 mg

MINÉRAUX	DQR	DOSES SUPÉRIEURES
CALCIUM	800 mg	1500 mg
IODE	150 µg	500 µg
FER	10 mg	15 mg
MAGNÉSIUM	300 mg	350 mg
PHOSPHORE	800 mg	1500 mg
ZINC	15 mg	15 mg
CUIVRE	—	5 mg
CHROME	—	200 mg
MANGANÈSE	—	15 mg
MOLYBDÈNE	—	200 µg
SÉLÉNIUM	—	200 µg

mg = milligramme µg = microgramme

DQR : Doses quotidiennes recommandées
DOSES SUPÉRIEURES ne présentant pas de danger pour un supplément quotidien. Ces mesures ont été communiquées par la Fédération européenne des fabricants de produits de santé ainsi que par le UK Council for Responsible Nutrition.
Ces dosages ne sont qu'une indication, ils varient avec l'âge, le sexe et la corpulence. Les femmes et les enfants ont des besoins différents selon les périodes de leur vie, mais ils devraient consulter pour mieux les évaluer.

** La niacine (B3) est disponible sous la forme de nicotinamide et d'acide nicotinique. La dose supérieure à ne pas dépasser pour l'acide nicotinique est de 150 mg par jour, et de 450 mg pour la nicotinamide. Prenez l'un ou l'autre, mais pas les deux.*

Aromathérapie

On prête des propriétés curatives aux huiles distillées à partir des plantes. Ces essences concentrées sont connues sous le nom d'huiles essentielles. Chacune se distingue par une odeur forte, plaisante et facilement identifiable.

L'utilisation d'huiles essentielles pour le massage est une pratique qui remonte à des milliers d'années. Le terme d'aromathérapie a été utilisé pour la première fois en 1920 par le chimiste français René-Maurice Gattefossé qui s'intéressait aux propriétés curatives des plantes. Les huiles sont inhalées et utilisées pour des massages de la peau mais il arrive aussi qu'on les prenne par voie orale.

L'utilisation des huiles essentielles

Celles que l'on utilise pour l'aromathérapie contiennent des concentrés de plantes susceptibles de provoquer de sévères réactions cutanées si elles ne sont pas diluées avec une huile. Par exemple de l'huile d'amandes douces, de pépin de raisin ou de tournesol.

- Toujours suivre les indications sur la boîte. Généralement, le dosage consiste à mélanger 25 gouttes d'huile essentielle dans 50 ml d'une huile excipient. Une formule plus diluée sera conseillée pour les parties les plus fragiles du corps, comme le visage ou le sexe. N'appliquez pas d'huile sur le sexe si un praticien ne vous l'a pas conseillé.
- Évitez le contour des yeux. Ne mettez jamais d'huile dans les oreilles à moins que cela ne vous ait été conseillé par un praticien.
- Certaines huiles sont inadaptées pour les jeunes enfants et les femmes enceintes (par exemple l'huile essentielle de bois de cèdre). Elles ne devraient être utilisées que sur les prescriptions d'un aromathérapeute qualifié.
- N'utilisez jamais l'aromathérapie en lieu et place d'une consultation médicale ou comme un substitut de traitement pour un trouble précis.
- La qualité des huiles varie énormément. D'une manière générale, les huiles bon marché sont de piètre qualité et elles seront beaucoup moins efficaces.

L'UTILISATION THÉRAPEUTIQUE

Les huiles essentielles peuvent agir par inhalation ou par voie transcutanée. Les experts ne sont pas d'accord sur la quantité de produit absorbée par le corps et affirment qu'un massage en aromathérapie ne sert à rien d'autre qu'à une agréable relaxation. Les thérapeutes estiment que les effets vont plus loin que cela. Ils affirment que les arômes améliorent le bien-être mental et émotionnel en agissant directement sur le cerveau par le biais des voies nasales pour améliorer certains états. Les huiles inhalées au-dessus d'un brûle-parfum ou dans un bain permettent de lutter contre le stress et l'angoisse.

Les massages avec des huiles essentielles traitent un large éventail de problèmes douloureux qui vont de l'angine à l'arthrite et à la céphalée en passant par le mal de dos. Les huiles ont les mêmes propriétés que les plantes médicinales. Elles améliorent également le tonus musculaire et favorisent la relaxation, aidant ainsi à soulager la tension et à accroître la mobilité. L'effet calmant est également utile contre la dépression, le stress émotionnel et la fatigue.

Pour en savoir plus

Massage 56
Réflexologie 74

LES HUILES ESSENTIELLES ET LEUR UTILISATION THÉRAPEUTIQUE

ACTION	HUILES	ÉTATS PATHOLOGIQUES
CALMANTE	Bois de santal	Peau irritée, absence de désir sexuel
	Myrrhe	Douleurs neurologiques (névralgie, névrite), engelures, gelures
	Néroli	Mal de dos, syndromes prémenstruels, maux de tête, mauvaise circulation, insomnie, dépression
	Jasmin	Dépression, accouchement, manque de désir sexuel
	Rose	Maux de gorge, sinusite, mauvaise circulation, syndromes menstruels, dépression, insomnie
ÉQUILIBRANTE	Lavande	Maux de tête, insomnies, dépression, bleus et tuméfactions, piqûres d'insectes
	Géranium	Problèmes cutanés (coupure, irritations, bleus, pied d'athlète, piqûres d'insectes)
	Camomille	Brûlures d'estomac, syndromes prémenstruels, rhume des foins, problèmes cutanés, musculaires et nerveux
	Cyprès	Douleurs musculaires et articulaires, tendinites
	Romarin	Douleurs articulaires, problèmes respiratoires, épuisement physique et mental
	Marjolaine	Maux de tête, mal de gorge, syndromes prémenstruels, mauvaise circulation, muguet, insomnie
STIMULANTE	Eucalyptus	Sinusite, douleurs musculaires et articulaires, tendinites
	Hysope	Sinusite, toux, eczéma, dermite
	Genièvre	Eczéma, cystite, prostatite, urétrite, lithiase rénale
	Pin	Sinusite, douleurs thoraciques dues à des problèmes respiratoires, hyperventilation
	Théier	Mal de gorge, douleurs menstruelles, vaginite, infections pelviennes. Peut également être utilisée comme antiseptique

La liste ci-dessus comprend les huiles les plus connues et les plus efficaces pour un certain nombre de maux et de douleurs. Ces huiles sont faciles à trouver et leur utilisation ne présente aucun danger pour les états physiques indiqués, tant qu'on ne les substitue pas aux traitements médicaux.

Digitopuncture et techniques de pression

La digitopuncture est une technique assez simple de contrôle de la douleur qui utilise la pression des doigts ou des mains sur les points d'acupuncture du corps. On peut la pratiquer chez soi pour soulager la douleur, une fois qu'on a assimilé la localisation des points.

On définit souvent la digitopuncture comme une acupuncture sans aiguilles, car elle utilise les points d'acupuncture du corps. C'est une méthode de traitement qui vient de l'Orient. Les praticiens orientaux croient que les points de pression sont distribués le long des méridiens ou lignes d'énergie parcourant le corps. L'organe dont on pense qu'il est affecté par les points de pression le long d'un méridien donne son nom à ce dernier. La douleur provoquée par des problèmes du système musculosquelettique, et en particulier les tensions, serait très bien soulagée par la digitopuncture. La digitopuncture que l'on exerce sur soi-même est des plus efficaces en tant que technique de premier secours pour des douleurs aiguës comme celles que déclenchent la migraine ou l'aponévrite, et pour des nausées provoquées par exemple par le mal des transports. Pour les problèmes chroniques, il faut avoir recours à un traitement prescrit par un thérapeute qualifié.

LES AUTRES TECHNIQUES DE PRESSION

La plupart des formes de digitopuncture utilisées aujourd'hui ont été développées au Japon. La variante la plus connue est le shiatsu mais elle n'est pas la seule et chacune a sa propre technique. Elles sont généralement pratiquées par des spécialistes.

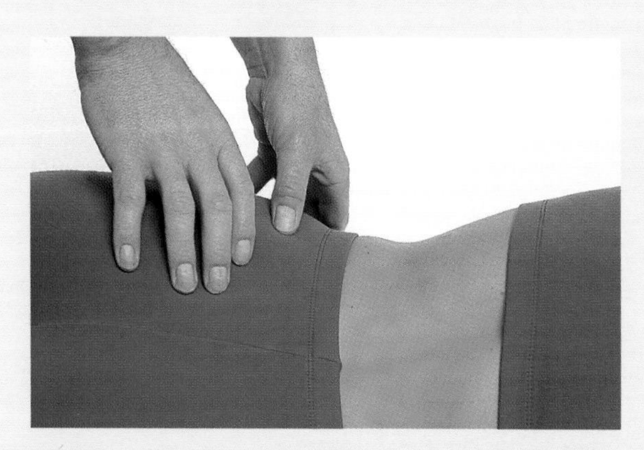

SHIATSU : *le shiatsu se caractérise par des pressions rythmiques qui vont de quelques secondes à quelques minutes sur des points spéciaux ou « tsubos » localisés le long des canaux d'énergie ou méridiens. Les praticiens mettent également à profit des techniques de physiothérapie et peuvent utiliser leurs paumes, bras, coudes, genoux et pieds pour varier les pressions et l'intensité du traitement.*

DO IN : *une forme de digitopuncture combinée avec la respiration et des exercices réguliers pour stimuler les méridiens et aider à prévenir les maladies.*

JIN SHEN (OU JIN SHIN) : *une technique spécialisée dans des pressions prolongées durant parfois plusieurs minutes, appliquées à certains points du corps.*

JIN SHEN DO : *une variation, parmi d'autres, du Jin shen. Chaque variation est identifiable par un mot supplémentaire (dans ce cas précis « do ») rajouté à la fin. Ces différences semblent si minces au non-initié qu'il y prête peu d'importance ; la maîtrise de ces subtilités par les spécialistes est cependant nécessaire pour l'efficacité de la thérapie.*

SHEN TAO : *une variation appartenant à la médecine chinoise, apparentée à certaines techniques des manipulations les plus douces. On peut la rapprocher de certaines formes de guérison par l'imposition des mains.*

LES POINTS EN DIGITOPUNCTURE POUR SOULAGER LA DOULEUR

Pour en savoir plus

Massage 56
Acupuncture 68
Réflexologie 74

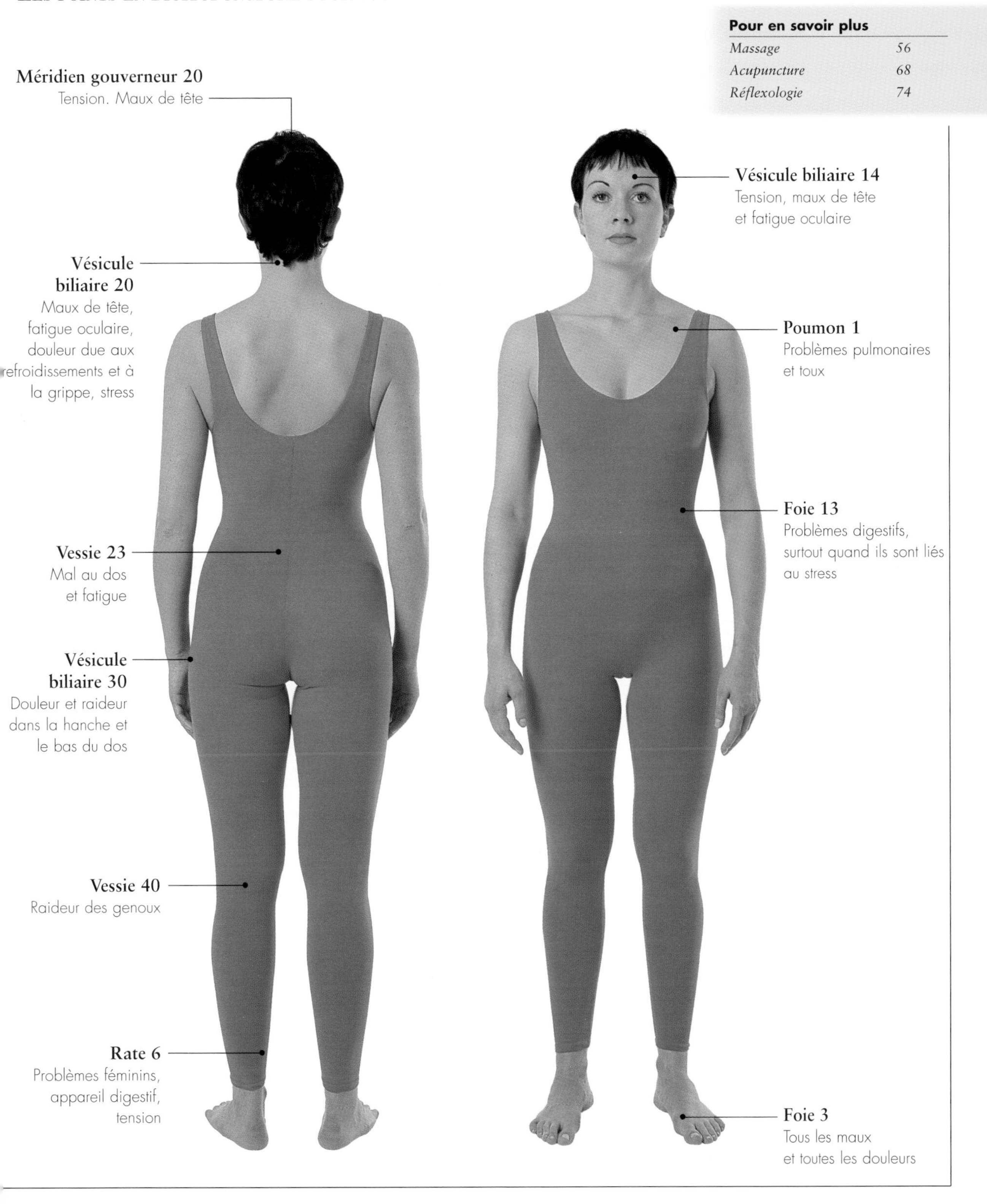

Yoga

Au cours de milliers d'années, ceux qui enseignent la spiritualité en Inde ont élaboré ce système d'exercices mentaux, spirituels et physiques. Il existe plusieurs branches de yoga et tout le monde peut bénéficier de ces pratiques qui vont de la méditation tranquille à un travail physique exigeant.

La meilleure définition du yoga est celle d'un art spirituel – à l'origine, il a été conçu pour développer la conscience spirituelle et physique. Il se pratique par le biais de la méditation, de la visualisation, d'exercices respiratoires et de postures physiques qui amènent à une concentration de chaque instant sur la méditation et les mouvements du corps.

En Occident, ce sont les mouvements du Hatha Yoga, où le corps est étiré en douceur dans des positions que l'on appelle *asanas*, que l'on pratique le plus couramment. Mais une respiration juste et un esprit vide libéré de toute préoccupation sont essentiels pour réaliser ces positions.

Quand on pratique les positions du yoga on s'étire, on effectue des rotations ou on se ramasse sur soi-même. Les mouvements alternés favorisent la circulation, stimulent les fonctions internes et font travailler la souplesse du corps.

Le yoga est efficace pour se relaxer et calmer l'esprit. Il favorise également la souplesse des muscles et maintient les articulations en bon état de fonctionnement.

Le yoga au service de la douleur

Le yoga peut aussi soulager efficacement certains types de douleur comme les tensions musculaires, les douleurs menstruelles, les maux de tête. Il peut être d'un certain secours pour les problèmes de digestion. On utilise certaines positions pour les crampes et les engourdissements dus à une mobilité restreinte à la suite d'un accident, d'une blessure ou d'une inflammation des muscles, des nerfs et des articulations. Le yoga est également efficace pour le mal de dos et l'arthrite. Il arrive que les asanas corrigent des distorsions du corps provoquées par de mauvaises conditions de travail. En même temps que notre corps vieillit, on s'habitue à être le plus souvent assis ou debout et on est de moins en moins capable de se pencher et de s'étirer. Le yoga permet à un corps vieillissant de se détendre et cela améliore la circulation des fluides, le ravitaillement du corps en micronutriments, la tonicité musculaire interne et externe.

Quand on débute, le yoga doit être pratiqué sous surveillance. Certaines positions ne sont pas recommandées pour les personnes dont le cœur ou la pression sanguine posent un problème, et les patients souffrant de douleurs chroniques devraient consulter leur médecin pour lui demander son avis. Cependant, une approche prudente des positions permet à chacun de juger de ses capacités et d'augmenter très progressivement les efforts au fur et à mesure des séances.

Les bénéfices psychologiques

Le yoga favorise non seulement la mobilité physique mais il apporte de profonds bénéfices psychologiques. L'amélioration de la souplesse, une meilleure circulation sanguine peuvent aider à soigner la dépression. Une concentration plus facile soulage le stress et les tensions. Chaque posture induit un bien-être physique et renforce la tonicité du corps.

Pour apprendre le yoga, un livre ou une vidéo ne remplaceront jamais un bon professeur qui surveillera les mouvements et la respiration. Aujourd'hui, le yoga est tellement populaire et répandu qu'il est très facile de trouver des cours.

Les postures de base

Le but des postures de yoga qui vous sont enseignées sur cette page est de favoriser et d'entretenir la souplesse du dos dans toutes les directions, avant, arrière, côté ou rotation. Ce sont des exercices importants contribuant à préserver la souplesse de votre dos, ce qui est vital pour votre santé et votre vitalité.

Pour en savoir plus

Yoga et respiration 42
Méditation 48
Exercice physique 52

La flexion latérale

1 Vous vous tenez les jambes écartées, les pieds parallèles, les bras le long du corps et les paumes contre les cuisses.

2 Vous inspirez en levant le bras droit qui vient se placer contre l'oreille. En retenant votre respiration, vous étirez le bras qui entraîne l'épaule.

3 Vous expirez et vous vous penchez lentement sur le côté en laissant le bras gauche glisser le long de la jambe tandis que le bras droit s'étire latéralement. Faites attention à ne pas vous pencher vers l'avant. Tenez la pose pendant 30 secondes puis revenez à votre position initiale en redressant le corps et en abaissant le bras.

4 Même chose avec l'autre bras. Quand vous aurez terminé, revenez à la position initiale et détendez-vous.

L'étirement du dos

1 Vous êtes assis sur le sol, les jambes allongées devant vous, les bras le long du corps. Expirez. Puis inspirez et levez les bras à la verticale en tirant sur les doigts. Étirez-vous au maximum. Vous sentez votre buste qui se soulève. Travaillez avec des gestes lents et sûrs, sans à-coups.

2 Vous videz lentement vos poumons tout en maintenant l'étirement. Vous vous inclinez lentement vers l'avant et vous allez aussi loin que possible.

3 Parvenu au maximum de l'étirement vous relâchez les bras qui viennent se placer de part et d'autre des jambes et vous baissez la tête. Respirez normalement pendant au moins 30 secondes puis détendez-vous et redressez-vous pendant l'inspiration. Allongez-vous et attendez d'avoir retrouvé votre calme.

Comment respirer comme les yogi

Respirer correctement est au cœur de la pratique du yoga. Les yogis hindous pensent que la respiration est une circulation d'énergie dans le corps. En prenant conscience de notre respiration, nous nous concentrons sur la force vitale. Le contrôle de la respiration peut soulager certains problèmes respiratoires.

Une des branches du yoga, le *pranayama*, est consacrée à la maîtrise du souffle et à des exercices respiratoires très particuliers. Certains mettent l'accent sur des respirations lentes et profondes, d'autres sur une expulsion bruyante de l'air. Ces exercices présentent de nombreux avantages : ils préparent à la méditation car la prise de conscience de la respiration entraîne un grand calme mental. Ils peuvent aussi aider ceux qui souffrent d'asthme, de bronchite ou de sinusite. La tendance à étouffer provoquée par l'asthme peut être soulagée par la pratique de la respiration du yoga qui favorise l'oxygénation du corps et combat les effets néfastes d'une respiration trop haute.

Pour bien respirer, vous utilisez le diaphragme (le grand muscle transversal en forme de dôme situé sous les poumons) afin de pousser sur les poumons qui se vident, ce qui leur permettra ensuite de se remplir. Cela entraîne la respiration abdominale qui complète la respiration thoracique. Si vous vous contentez de gonfler la poitrine, vous ne laissez pas suffisamment d'oxygène passer dans le sang.

L'exercice ci-dessous favorise la respiration abdominale. On devrait le pratiquer trois fois par jour. Il est le plus efficace le matin au réveil et le soir avant de se coucher.

L'exercice pour les poumons

- Vous vous étendez sur le sol ou sur votre lit.
- Vous repliez les jambes afin que votre dos soit bien plat.
- Vous vous détendez au maximum en relâchant bien vos muscles (pour cela il vaut mieux avoir les yeux fermés).
- Vous placez une main sur le ventre pour vérifier qu'il monte et qu'il descend tandis que votre poitrine suit le mouvement. Vous inspirez sur un temps et vous expirez sur un temps.
- Vous inspirez sur deux temps et vous expirez sur deux temps.
- Vous continuez d'inspirer et d'expirer sur des temps de plus en plus longs, jusqu'à atteindre sept ou huit.
- Poursuivez l'exercice pendant un quart d'heure et détendez-vous.

La respiration avec le diaphragme

- Assurez-vous que votre dos est bien droit en vous étendant sur un lit ou en adoptant la station debout, au choix.
- Inspirez lentement en remplissant vos poumons au maximum.
- Contractez vos abdominaux, ce qui entraîne un aplatissement du ventre.
- Tout en restant contracté, vous expirez afin de vider vos poumons au maximum.
- Vous restez une seconde en apnée dans cette position puis vous relâchez tout.
- Concentrez-vous sur une respiration ventrale plutôt que thoracique. Vos épaules restent parfaitement immobiles. Laissez venir une respiration aussi calme et naturelle que possible. Il vous faudra un certain temps pour y parvenir sans faire appel à une intense concentration.
- Répétez l'exercice pendant un quart d'heure et détendez-vous.

Tai chi

Cette gestuelle très ancienne est née en Chine. Elle y est encore tellement populaire que chaque matin, il n'est pas rare de voir dans les parcs et sur les grandes places publiques des dizaines et parfois des centaines de personnes pratiquant le tai chi qui est leur gymnastique quotidienne. Tout comme le yoga, le tai chi s'est répandu en Occident et il est maintenant pratiqué dans de nombreux pays.

Le tai chi, né d'une gestuelle encore plus ancienne, le chi kong, se reconnaît au style lent et gracieux de ses mouvements. Il a été à juste titre décrit comme de la méditation en action.
Le but du tai chi est de développer le *chi* ou *ki* (la force de vie) dans le corps pour contrer le vieillissement et encourager les lumières spirituelles. Tout comme le yoga, le tai chi sert également à se soigner et à se maintenir en bonne forme.
Le tai chi entraîne des bienfaits physiques, psychologiques, et il est particulièrement efficace pour relâcher les tensions de tous ordres.

LA SALUTATION AU SOLEIL

C'est un enchaînement simple qui prend environ 5 à 10 minutes et qui est plus efficace au réveil. Chaque mouvement, lent et gracieux, doit s'enchaîner sans heurts au suivant. Concentrez-vous sur l'équilibre, la respiration, et essayez de visualiser chaque étape de votre exercice en même temps que vous l'accomplissez.

Premier mouvement :

LA MONTAGNE

Vous vous tenez debout, les jambes écartées et légèrement pliées, les bras le long du corps. Vous devez rechercher la sensation suivante : tout le poids du corps est « contenu » dans les reins (la source du ki, d'après la philosophie chinoise).

Deuxième mouvement :

LA SALUTATION AU SOLEIL

Accueillez l'aurore en levant les bras pour saluer le ciel. Vos yeux accompagnent le mouvement. Restez là un instant puis baissez les bras en un geste arrondi, les paumes des mains tournées vers vous.

Troisième mouvement :

RECONNAÎTRE LE PASSÉ

Dégagez un pied vers l'arrière et saluez le passé en repliant les bras, les paumes tournées vers vous

Tai chi

Quatrième mouvement :
TIRER LES RIDEAUX
Tout en gardant la même position que dans le troisième mouvement, transférez le poids du corps sur la jambe avant. Écartez des rideaux imaginaires avec les mains.

Cinquième mouvement :
S'OUVRIR AUX CIEUX ET À LA TERRE
Ramenez la jambe arrière vers l'avant. Vous êtes maintenant debout, les pieds écartés. En utilisant vos bras et vos mains, imaginez que vous attirez l'énergie (le ki) du ciel et l'énergie du sol et que vous les rassemblez au niveau du plexus solaire.

Sixième mouvement :
DONNER L'ÉNERGIE
Vous vous penchez et laissez partir vos bras et vos mains vers l'avant, puis vous « donnez » l'énergie visualisée sous forme de feu.

Septième mouvement :
RECEVOIR LA PLUIE
Penchez-vous en arrière et « recevez la pluie » en laissant vos mains passer le long de votre buste, de bas en haut et sans le toucher, tout en percevant la sensation des gouttes tombant sur vous et en les visualisant.

Huitième mouvement :
RECONNAÎTRE L'UNIVERS
Vous avancez à pas lents et posés, comme si vous étiez un arbre flexible et mobile. Vous marchez en rond, tout en « sentant » votre environnement avec vos mains.

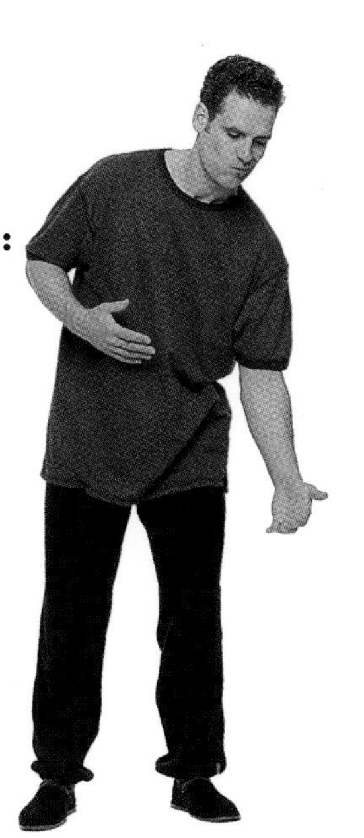

Neuvième mouvement :
RASSEMBLER LES ÉLÉMENTS
Vous vous tenez bien planté sur le sol. En utilisant alternativement vos deux mains, imaginez que vous rassemblez les éléments, vous les attirez à vous.

Dixième mouvement :
LA RESTITUTION DES ÉLÉMENTS
Imaginez que vous rendez à la création tout ce que vous lui avez pris en laissant les bras venir se placer le long du corps puis en les envoyant vers le ciel à partir du sommet de votre tête, comme si vous y aviez emmagasiné l'énergie que vous restituez.

Onzième mouvement :
LA RÉAPPROPRIATION DE L'ÉNERGIE
Penchez-vous et imaginez que vous rassemblez à deux mains l'énergie tirée du sol.

Douzième mouvement :
L'ÉTREINTE AVEC LE TIGRE
Vous avez les bras croisés sur la poitrine dans une position d'étreinte.

Treizième mouvement :
LE RETOUR À LA MONTAGNE
Vous revenez à une position de repos, les jambes écartées et légèrement pliées, et vous sentez le « poids » dans vos reins. Vous tenez les bras arrondis au niveau de la taille, les paumes des mains tournées vers le ciel. Vous vous sentez à la fois paisible et pleinement éveillé.

Les psychothérapies que l'on pratique soi-même

Les cassettes d'autosuggestion sont une façon très efficace de calmer l'esprit et de l'« endoctriner » pour qu'il adopte des schémas de pensée positifs.

L'auto-hypnose, la méditation et la visualisation sont des techniques favorisant les états mentaux et psychologiques positifs. On les utilise pour se détendre ou lutter contre des problèmes spécifiques.

Les techniques décrites ci-dessous fonctionnent toutes grâce à l'autosuggestion qui suscite certaines dispositions d'esprit, généralement en se répétant des images ou des phrases clés. Certaines personnes ont utilisé ces techniques pour lutter contre des dépendances comme le tabac ou les désordres alimentaires et pour soulager la douleur.

L'auto-hypnose

Le Français Émile Coué a inventé le terme « autosuggestion » il y a plus d'un siècle. Coué croyait qu'en se contraignant à répéter certaines phrases on changeait les schémas de pensée négatifs en schémas de pensée positifs. Il est l'inventeur de la fameuse maxime : « Je vais de mieux en mieux à chaque instant et dans tous les domaines. »
L'auto-hypnose utilise le pouvoir du subconscient pour persuader le conscient d'aller dans le sens qui lui serait le plus profitable. Les gens sont plus ou moins ouverts à ce genre de suggestion mais pour certains, cela soulage la douleur chronique et combat les désordres psychiques comme la dépression. Il faut d'abord enseigner aux patients comment pratiquer l'autosuggestion avant qu'ils soient en mesure de poursuivre eux-mêmes les séances.
Des vidéos, des cassettes et des CD sont maintenant disponibles pour vous engager sur la voie de l'autosuggestion. Ils abordent un large éventail de problèmes psychologiques et émotionnels. Les résultats varient selon les réponses de chacun à un programme donné.

Les affirmations

La thérapeute Louise Hay a inventé une version plus moderne d'auto-hypnose appelée affirmations. Les patients émettent des suggestions positives pour contrecarrer les schémas de pensée nocifs et négatifs. Exemples d'affirmations de Louise Hay, qui seront plus efficaces si vous vous regardez dans un miroir :

- Je suis calme et confiant
- Je m'apprécie et je m'approuve
- Je suis le pouvoir et l'autorité régissant mon existence, personne ne peut le faire à ma place
- Je suis rempli du pouvoir de guérison

La relaxation

Essayez la technique de relaxation suivante pour calmer le système nerveux et relâcher les tensions musculaires du corps.
Étendez-vous confortablement sur le dos. Respirez doucement par le nez, comme si vous respiriez à l'intérieur de votre ventre. Pointez les orteils et étirez-les afin qu'ils aillent le plus loin possible. Tenez quelques secondes et lâchez tout. Recommencez avec vos chevilles, puis continuez en remontant progressivement le long du corps. Vous contractez les muscles un à un avant de les relâcher. Même chose avec le visage et le crâne. C'est alors que vous vous sentez lourd et complètement détendu.

Pour en savoir plus

Méditation	48
Training autogène	51
Psychothérapies	76

LA THÉRAPIE DU BIOFEEDBACK

Pour la thérapie du biofeedback, vous tenez de petites électrodes dans la main, à moins qu'elles ne soient connectées à un bandeau enserrant votre tête. Ces électrodes contrôlent le métabolisme de votre corps en termes de rythme cardiaque, de tension artérielle, d'ondes cérébrales et de chimie sanguine. Avec l'aide d'un thérapeute, vous apprenez à contrôler votre métabolisme en observant les aiguilles de mesure et en corrigeant leur orientation. Vous pouvez susciter un état de relaxation, contrôler des nausées ou des douleurs.
Le biofeedback a été conçu dans les années 1960 au cours du programme spatial américain et utilisé par les scientifiques au centre de la NASA, afin d'apprendre aux astronautes à contrôler le mal de l'espace.
Depuis lors, les gens ont appris à maîtriser leur tension artérielle et leur rythme cardiaque. En contrôlant les effets induits par la douleur, comme la transpiration et une accélération du pouls, on peut jusqu'à un certain point la contrôler. En ramenant la tension ou la douleur à de simples aiguilles bougeant sur un écran, il est beaucoup plus facile pour l'esprit de reprendre le contrôle de la situation.
La thérapie du biofeedback a maintenant pignon sur rue, surtout aux États-Unis, car elle est fiable, non violente et très efficace pour parvenir à se détendre.
Depuis ses débuts, la technologie du biofeedback s'est beaucoup développée et elle comprend maintenant un large éventail d'appareils plus ou moins chers et sophistiqués. Cela va de simples boîtiers fonctionnant avec des piles à utiliser à la maison, à des fauteuils inclinables reliés à toute une panoplie d'écrans d'ordinateurs utilisés par les thérapeutes dans des centres spécialisés.

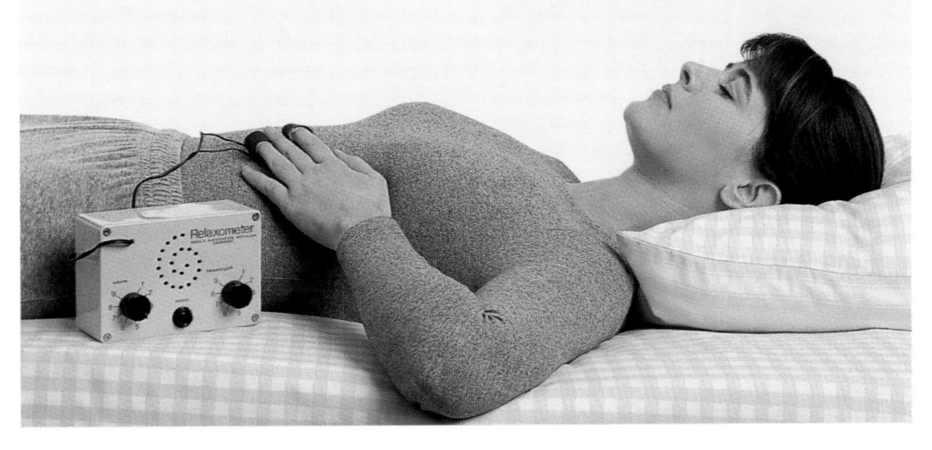

La méditation

Si on le libère de l'angoisse et des bouleversements émotionnels, l'esprit peut avoir un effet positif sur le corps. On utilise la méditation pour l'apaiser et remettre les choses dans leur juste perspective. En accédant à un niveau profond de la conscience, une personne qui pratique la méditation régulièrement peut développer la capacité de transcender la douleur.

La flamme d'une bougie dégageant un parfum agréable peut vous aider à vous concentrer. Elle retient naturellement votre attention sans rien vous demander en échange.

Il y a plusieurs niveaux de méditation auxquels on peut avoir accès. Mais si l'esprit et le corps se détendent profondément, vous pouvez en retirer des bénéfices pour maîtriser des états psychologiques de tension et d'angoisse, ainsi que des désordres physiques liés au stress.
Ces troubles comprennent l'hypertension, l'asthme, des intestins irritables et des problèmes dermatologiques, souvent liés au stress. La méditation suscite un état de relaxation profonde, vous amenez à votre conscient les fonctions inconscientes du corps, votre seuil de réceptivité et de sensibilité est augmenté. Vous influez sur la chaleur du corps et le rythme cardiaque. La méditation vous conduit à une sensation de paix et de tranquillité qui, en dehors de ses vertus thérapeutiques, procure un grand bien-être. Des recherches en Hollande ont démontré que quand on la pratique régulièrement, la méditation transcendantale fait baisser la tension artérielle. Et les primes d'assurance santé pour ceux qui la pratiquent régulièrement ont été baissées.

Les différents types de méditation

Ces dernières années ont vu la promotion d'un large éventail de techniques de méditation, souvent par des organisations religieuses vantant les bienfaits de leur méthode. La plus célèbre est sans doute la méditation transcendantale (MT).
Il faut cependant insister sur le fait que la méditation n'a rien de très mystérieux. Le training autogène (voir Visualisation, page 50) est un bon exemple d'une version occidentale efficace de la méditation qui se pratique sans aucun rituel préalable.

S'exercer à la méditation

Les effets de la méditation ne sont pas immédiats mais ceux qui la pratiquent depuis longtemps affirment qu'ils se sentent plus énergiques, plus résistants et qu'ils parviennent beaucoup mieux à contrôler la douleur. Cependant, pour que la méditation soit efficace, elle doit être pratiquée régulièrement.
Tout le monde peut méditer, mais acquérir une véritable expérience dans ce domaine demande du temps. Il est donc à tous points de vue préférable de suivre les cours d'un professeur expérimenté.

Se concentrer sur un mandala, la carte orientale symbolisant l'univers, est souvent bénéfique pour la méditation. Le mot mandala signifie cercle en sanskrit, et la plupart des mandalas présentent des dessins circulaires.

COMMENT MÉDITER

Le but de la méditation est de détendre le corps, puis l'esprit, afin d'atteindre un état de conscience altéré. Au début, cela peut paraître compliqué mais avec de la pratique, on y parvient assez facilement. Dans l'idéal, on devrait méditer une demi-heure matin et soir. La meilleure façon d'y parvenir est de s'exercer à des heures précises afin d'intégrer le processus à votre routine quotidienne.

- *Enfilez une tenue confortable qui ne vous entrave pas.*

- *Choisissez un endroit tranquille, bien chauffé mais pas trop chaud, bien aéré et où on ne vous dérangera pas.*

- *Asseyez-vous de manière à vous sentir stable et à l'aise (si vous vous étendez, vous risquez de vous endormir et l'exercice perdra complètement de son intérêt). Veillez à ce que vos épaules soient détendues mais gardez le dos droit. Laissez vos mains reposer sur vos genoux.*

- *Fermez les yeux ou, si vous êtes tenté par le sommeil, fixez votre regard sur un objet très simple comme une pierre ou une bougie allumée. Vous devez être à la fois détendu et éveillé mentalement.*

- *Respirez profondément, par le nez plutôt que par la bouche, mais en douceur et en faisant bien travailler le diaphragme pour ne pas escamoter la respiration abdominale.*

- *Répétez en boucle, silencieusement ou à voix haute, un seul mot ou une seule phrase. Cela s'appelle un mantra dans la tradition hindou et ressemble à une incantation. Le mot ou la phrase n'a pas d'importance, il suffit qu'ils vous plaisent et que votre esprit ne soit concentré sur rien d'autre.*

- *Ne vous inquiétez pas si des pensées viennent perturber votre esprit, ne vous souciez pas de savoir si vous êtes ou non dans la bonne voie. Adoptez une attitude de laisser-faire. Ceux qui ont l'expérience de la méditation disent « ne poussez pas la rivière, laissez-la couler ».*

- *Essayez de vous concentrer pendant au moins une demi-heure. Quand vous êtes prêt à arrêter, ouvrez les yeux, attendez une minute, puis étirez-vous et levez-vous tranquillement.*

Visualisation

Pour aider le corps, on peut canaliser le pouvoir de l'imagination. On l'a utilisé avec succès pour le traitement de désordres aussi mineurs que la toux et aussi sérieux que le cancer.

Avec la visualisation, qui sur ce point s'accorde à d'autres techniques comme la relaxation et le rêve éveillé, vous imaginez que vous vous intégrez à un paysage tranquille et plaisant.

Ces exercices fonctionnent de la même façon que l'autosuggestion ou certains stades de la méditation. Ils induisent un état d'esprit particulier qui peut avoir des effets bénéfiques sur le corps. On encourage ceux qui souffrent d'un cancer à imaginer une armée de cellules saines attaquant et détruisant toutes les cellules cancéreuses du corps et les remplaçant par des cellules saines.

Les résultats dépendent beaucoup de la personnalité du patient. Cette technique fonctionne mieux pour ceux qui ont de l'imagination ou qui permettent à leur esprit de s'exprimer librement. Cela explique peut-être que les enfants et les jeunes gens obtiennent de meilleurs résultats que les adultes, mais chacun peut parvenir à des résultats s'il s'autorise une telle liberté.

Les exercices de visualisation de la douleur

Avant de commencer, mettez-vous à l'aise et détendez-vous. Adoptez une respiration tranquille et laissez votre esprit s'apaiser. Que la douleur soit physique ou psychologique, il vous faut essayer de la comprendre et de décrire l'effet qu'elle a sur vous. Est-elle lancinante, aiguë, sourde ? Circonscrite, diffuse, lourde, légère ? Quand vous l'aurez identifiée aussi précisément que possible, il vous faudra en imagination la changer en un objet concret qui vous semblera bien la représenter. Par exemple une douleur sourde, invasive et lourde, peut être vue comme un gros rocher pesant sur la partie douloureuse de votre corps, et une douleur aiguë, légère et localisée, comme une aiguille qui vous rentre dans la chair. Imaginez que vous soulevez avec aisance

ce rocher qui vous écrase, ou que cette douleur aiguë devient inefficace parce que vous portez une épaisse armure. Ensuite, imaginez que vous vous retrouvez dans un endroit qui vous remplit de bonheur et de satisfaction. Peu à peu, vous vous intégrez à la scène. Vous avez l'esprit libre, vous vous sentez en pleine forme, la douleur a disparu et vous envisagez la vie de façon positive.

Pour en savoir plus

Auto-hypnose 46
Méditation 48

LE TRAINING AUTOGÈNE

Le training autogène a été mis au point par le Dr Johannes Schultz, un psychiatre et hypnotiseur allemand. Il avait remarqué que les patients avaient le pouvoir de provoquer d'eux-mêmes les effets physiologiques de l'hypnose, comme la sensation de chaleur dans le corps et la relaxation des muscles, qui soulageaient la douleur et le stress. Le système qu'il développa est lié à la méditation (on l'appelle souvent la méditation occidentale), l'auto-hypnose et le yoga.

On apprend aux étudiants à faire les exercices étendus, assis sur une chaise ou dans un fauteuil afin de leur permettre de les pratiquer n'importe où. Dans l'idéal, on doit pratiquer les exercices trois fois par jour après les repas.

Le training autogène utilise six exercices standard qui exigent de diriger son attention sur son moi intérieur et de se concentrer sur les points suivants :

- *des sensations de lourdeur dans le corps*
- *une sensation de chaleur dans les bras et les jambes*
- *des battements de cœur lents et réguliers*
- *une sensation de chaleur dans l'abdomen*
- *une respiration facile et naturelle*
- *une tête froide*

Exercice physique

Une gymnastique régulière aidera à entretenir les fonctions du corps et cela contribuera à une sensation de bien-être physique et mental.

Courir permet au corps de faire un excellent travail cardio-vasculaire, entretient la musculation et maintient les articulations en bon état.

Quand le corps est plus sollicité qu'à l'habitude, de nombreuses fonctions sont stimulées par un afflux de sang et d'oxygène entraînant des effets positifs sur le bien-être et le tonus général. Le muscle cardiaque est renforcé et la capacité respiratoire s'agrandit. Un meilleur tonus physique peut avoir des effets remarquables sur la souffrance psychique, comme la dépression ou l'anxiété. L'exercice représente aussi une méthode d'expression non verbale qui aide à libérer les émotions réprimées.

Pour les personnes qui souffrent psychiquement, une gymnastique douce est recommandée pour stimuler les fonctions du corps et détendre les membres, surtout pour les maladies inflammatoires comme l'arthrite et les problèmes musculaires et articulaires.

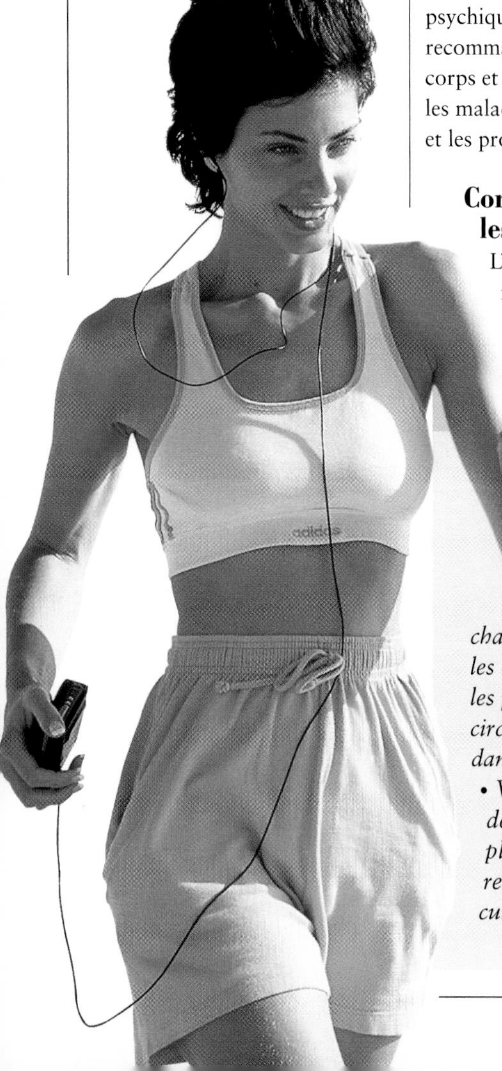

Comment pratiquer les exercices

L'appareil digestif est une des fonctions qui peut être inhibée par le sport, ce qui explique pourquoi vous ne devez pas pratiquer d'exercices trop violents après un repas.

Votre dépense physique doit être adaptée à votre état et il vous faut consulter votre médecin généraliste pour qu'il vous explique ce qui vous conviendrait le mieux. Les meilleurs sports pour ceux qui souffrent sont la natation, la marche ou un jogging modéré, mais même s'ils vous sont interdits, il vous reste toujours la gymnastique ou la rééducation.

Pour que vous ressentiez le bénéfice de ces exercices, vous devez y consacrer 20 minutes environ, trois ou quatre fois par semaine. On ne peut pas capitaliser la forme, et la régularité de vos séances de gymnastique est indispensable.

Comme les effets bénéfiques des exercices s'évanouissent au bout de 24 heures, il vous faudra donc vous résoudre à faire régulièrement de la gymnastique pendant toute votre vie.

LES EXERCICES DE RELAXATION

La relaxation musculaire détend l'esprit et prépare aux exercices physiques.

- *Asseyez-vous confortablement sur une chaise. Vous commencez par remuer les orteils, puis vous vous massez les pieds et décrivez des mouvements circulaires à partir des chevilles, dans un sens puis dans l'autre.*
- *Vous mettez en tension les muscles des mollets, ce qui va contracter la plante des pieds, puis vous les relâchez. Même chose avec ceux des cuisses qui vont entraîner les genoux. À chaque étape, prenez conscience des différences de sensation entre avant et après.*
- *Ensuite, vous contractez les fesses, vous maintenez la contraction quelques secondes et vous relâchez.*
- *Inspirez lentement et contractez les muscles du ventre et de l'estomac. Tenez la contraction un instant puis relâchez en expirant, en vous assurant que tous vos muscles se détendent.*
- *Faites la grimace et poussez votre menton vers l'avant. Relâchez.*
- *Étirez-vous doucement et détendez-vous.*

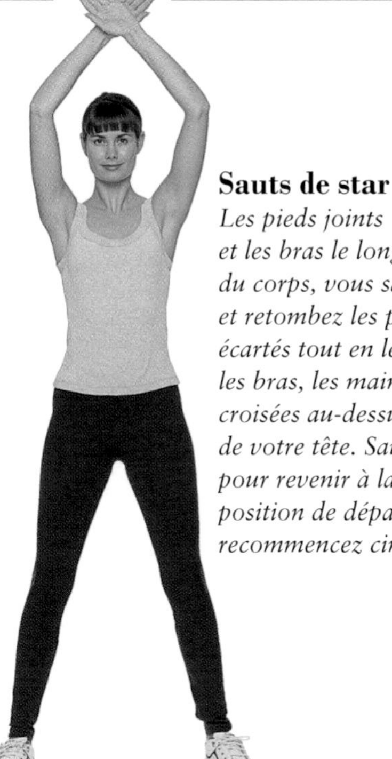

Sauts de star

Les pieds joints et les bras le long du corps, vous sautez et retombez les pieds écartés tout en levant les bras, les mains croisées au-dessus de votre tête. Sautez pour revenir à la position de départ et recommencez cinq fois.

Jogging

Courez sur place et en douceur pendant 5 minutes en gardant la tête et le dos bien droits.

Pour en savoir plus

Le système musculosquelettique	18
Yoga	40
Physiothérapie	82

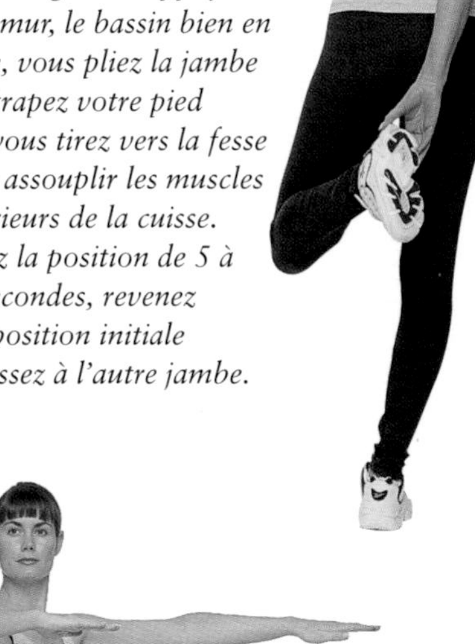

Plié arrière

La main gauche appuyée à un mur, le bassin bien en place, vous pliez la jambe et attrapez votre pied que vous tirez vers la fesse pour assouplir les muscles antérieurs de la cuisse. Tenez la position de 5 à 10 secondes, revenez à la position initiale et passez à l'autre jambe.

Fente avant

Vous vous tenez debout les mains sur les hanches. Vous inspirez en effectuant une fente avant avec la jambe gauche. Le pied droit reste en place. Sur l'apnée, vous pliez les jambes, la cuisse gauche formant un angle de 90 degrés avec le mollet. Vous tenez la position de 8 à 10 secondes puis vous passez à la jambe droite. Recommencez cinq fois.

Rotation du buste

Vous avez les bras tendus devant vous, à hauteur des épaules. Vous repliez le bras droit. Votre coude entraîne une rotation du buste vers la droite. Vous allez aussi loin que possible sans forcer. Vous tenez 1 ou 2 secondes, vous revenez lentement à la position initiale et vous changez de côté. Vous recommencez de 5 à 10 fois.

Étirement du dos

Vous vous tenez assis sur les talons, les bras tendus, les mains en appui sur le sol. Vous glissez doucement vers l'avant tout en vous inclinant vers le sol. Quand vous ne pouvez pas aller plus loin, vous tenez la position de 8 à 10 secondes, puis vous revenez lentement à la position de départ et recommencez de 5 à 10 fois.

Thérapie par les arts créatifs

La danse, la peinture, la musique, l'art dramatique et d'autres formes d'activités créatrices peuvent être utilisées pour explorer et exprimer des états émotionnels sans passer par la parole.

La peinture abstraite est une forme d'expression qui permet à l'esprit de travailler en laissant libre cours à l'imagination.

Les gens de tous âges et quels que soient leurs talents peuvent utiliser la création artistique comme un moyen thérapeutique afin d'extérioriser des problèmes psychologiques comme la dépression, les phobies, les obsessions et les dépendances. C'est particulièrement précieux pour ceux qui ont des difficultés à s'exprimer verbalement. Il a été démontré que la création artistique est un outil de communication très puissant, non seulement avec les autres, mais aussi avec soi-même. Cette forme très actuelle de psychothérapie permet de dépasser le blocage de la parole.

On peut pratiquer ces thérapies à la maison et sans aucune formation particulière. Cependant, travailler avec un thérapeute spécialisé dans ces disciplines peut vous encourager à explorer vos émotions et à trouver un moyen d'expression efficace.

La thérapie par la musique

Donner naissance à un son avec la voix ou un instrument de musique peut permettre d'exprimer librement des sensations et des sentiments profonds qui, sans cela, risqueraient de rester bloqués. La simple écoute d'une musique qui réveille vos émotions peut aussi vous apporter une précieuse liberté. Dans les cas de troubles du langage comme le bégaiement, elle a également son utilité. Même les sourds en profitent car elle parvient à leur communiquer un certain sens du rythme.

La thérapie par la danse

Le mouvement permet à certains d'extérioriser des sensations et des sentiments enfouis au plus profond d'eux-mêmes. Basée sur le travail de Rudolf von Laban, le pionnier des années 20, la thérapie par la danse est plus efficace quand elle est pratiquée en groupe sous la conduite d'un thérapeute qualifié, mais on peut aussi s'exercer chez soi. Pour ceux qui souffrent d'arthrite ou qui, à la suite d'accidents, suivent des rééducations pour récupérer l'usage de leurs membres et de leurs muscles, la danse peut amener le corps à bouger en douceur.

La thérapie par les arts plastiques

La peinture permet d'atteindre une forme d'expression à la fois libre et personnelle. Peindre, sculpter ou modeler sont des disciplines artistiques courantes et on peut choisir n'importe laquelle, tout dépend de ce qui vous attire le plus. Le but de la thérapie est d'exprimer librement ce que l'on ressent. La valeur artistique de l'œuvre ou la compétence de l'artiste n'entrent pas en ligne de compte.

On utilise la peinture comme une forme physique de la visualisation, ou comme un moyen de laisser libre cours à ce que l'on ressent, par exemple la joie, la colère ou le chagrin. Un tableau peut représenter une émotion spécifique – par exemple dans un autoportrait l'auteur peut paraître gai ou triste, mais les thérapeutes essayent d'encourager une approche plus abstraite ou surréaliste, afin que le peintre ne soit pas bloqué par la technique. Souvent, les images qui viennent à l'esprit au cours d'un travail de ce genre sont reliées à des événements ou des traumatismes remontant à l'enfance, et l'interprétation peut aider à les affronter sur un autre plan.

L'acte physique qui consiste à éclabousser une toile de couleurs ou à jeter et modeler de l'argile avec vos mains est un acte libérateur. Un thérapeute spécialisé vous aidera par ses interprétations et ses intuitions. En regardant comment une personne travaille et en explorant avec elle le processus de création qu'elle met en œuvre, il la fait progresser dans sa cure personnelle.

La thérapie par l'art dramatique

Les effets thérapeutiques de l'incarnation d'un rôle ont été formulés pour la première fois en Europe puis aux États-Unis pendant les années 20 par Jacob Moreno. Étroitement liée au psychodrame, la thérapie par le théâtre est maintenant reconnue et largement pratiquée.

La thérapie par le jeu dramatique vous encourage à être quelqu'un d'autre afin d'acquérir une vision différente de vos problèmes personnels envisagés selon une nouvelle perspective. Cela vous permet également d'imaginer diverses solutions.

En jouant des situations imaginaires au sein d'un groupe, vous parviendrez à mettre au jour des sentiments cachés ou réprimés. Chez vous, vous pouvez également pratiquer l'art dramatique mais son enseignement sera certainement moins probant.

Le jeu du jardin d'enfants

En jouant avec des jouets miniatures dans le « monde » du bac à sable, le passé, le présent ou le futur sont abordés de façon thérapeutique avec l'aide d'un praticien spécialisé. Ce moyen d'expression est utilisé pour aider les enfants à s'exprimer mais les adultes peuvent aussi y trouver un exutoire à leurs problèmes émotionnels.

Pour en savoir plus

Psychothérapies que l'on pratique soi-même 46
Psychothérapies 76
Traitements pour les souffrances psychiques 92

La thérapie par l'art dramatique permet en toute sécurité une exploration de vos problèmes émotionnels par le biais d'un personnage imaginaire.

Massages

Frotter l'endroit où l'on a mal est une réaction instinctive. Des massages plus étendus soulagent de nombreux états douloureux allant du stress à des souffrances diverses.

Que ce soit pour détendre des muscles et des articulations endoloris ou pour traiter différents désordres, les massages se pratiquent de plus en plus dans les hôpitaux et les cliniques. On les prescrit essentiellement pour soulager la douleur chronique. On peut aussi les pratiquer avec un partenaire, ce qui est très agréable. Les techniques sont faciles à apprendre et un couple peut tirer profit d'une intimité partagée et de ce moment privilégié passé ensemble.

Les zones clés du corps menacées par la raideur, la tension ou même les déplacements par le stress sont le cou, les épaules et le dos. Un massage ne peut qu'améliorer leur état. Chez les cancéreux, un massage apporte un soulagement à court terme dans les cas de douleur chronique. Il assouplit les articulations, prévient les maux de tête et céphalées.

Les différents types de massages

Il existe toutes sortes de techniques allant de la pression appuyée utilisée dans les massages suédois à une approche plus douce et apaisante, que l'on retrouve dans la manipulation précautionneuse des tissus chez les ostéopathes ou chez certains guérisseurs travaillant par imposition des mains. L'efficacité des massages est due à leur capacité à stimuler la circulation du sang et à détendre les nerfs et les muscles trop tendus. Ils apportent aussi un bien-être psychologique non négligeable, le sentiment que l'on s'occupe de vous.

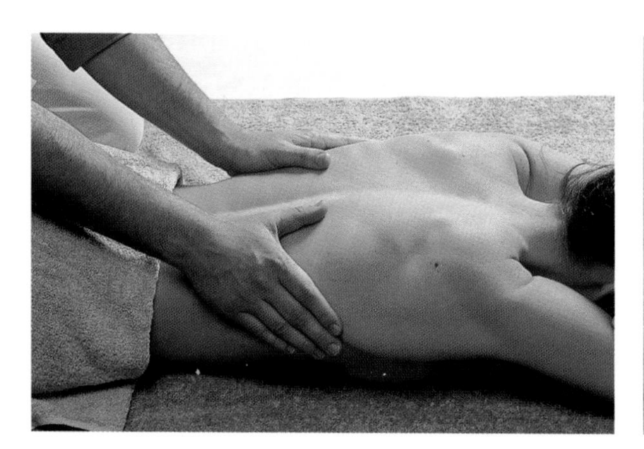

Effleurage

C'est la technique la plus élémentaire, utilisée pour commencer et terminer le massage. Pour obtenir les meilleurs résultats, ces effleurages devraient durer au moins une demi-heure. Posez les mains sur les reins. Faites-les glisser sur le dos avec des gestes lents. La pression s'exerce dans un sens ascendant, jamais le contraire.

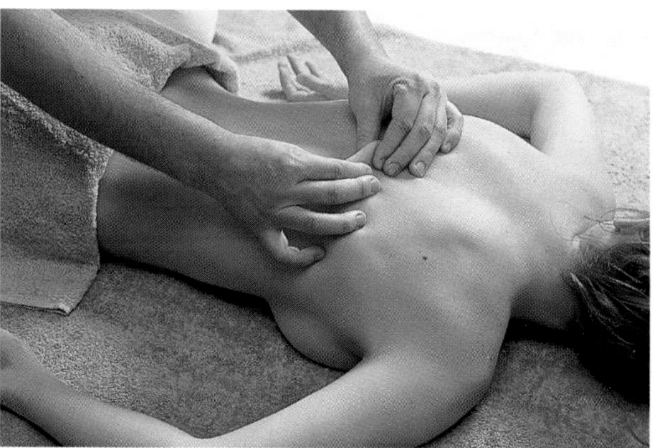

Pétrissage

Vous saisissez la peau entre les doigts et le pouce pour faire rouler les tissus superficiels sur les tissus plus profonds, comme si vous pétrissiez une pâte. On utilise cette technique sur les zones les plus charnues du corps, comme les hanches et les cuisses, afin de relâcher la tension des muscles, améliorer la circulation et réduire les dépôts graisseux qui sont éliminés plus facilement par le corps.

Pour en savoir plus

Aromathérapie	36
Digitopuncture	38
Physiothérapie	82

COMMENT PRATIQUER UN MASSAGE

La personne qui se fait masser doit s'étendre sur une surface confortable et ferme dans une pièce bien chauffée. Gardez une ou deux grandes serviettes à portée de la main pour que le sujet ne prenne pas froid. Pour permettre aux mains de glisser facilement sur la peau, utilisez une huile neutre. On en trouve partout, surtout dans les pharmacies et les magasins diététiques. Les huiles essentielles sont très bénéfiques (voir Aromathérapie, page 36). Les techniques montrées ici sont également utilisées par les professionnels. Elles sont faciles à apprendre et à pratiquer et tout le monde peut en bénéficier, même les enfants et les bébés.

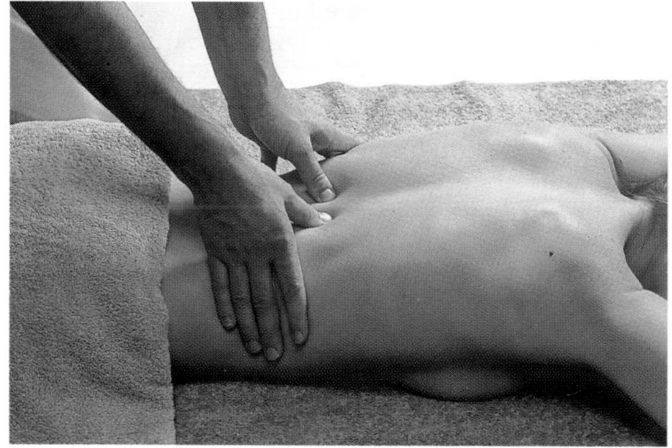

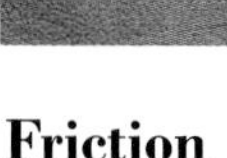

Friction
C'est une variante du pétrissage qui a des effets comparables. Utilisez les doigts, le pouce ou le talon de la main pour imprimer de petits mouvements circulaires sur la peau. L'encerclement est utilisé quand vous ressentez une tension particulière qui forme un « nœud ». Vous pressez doucement en encerclant progressivement la zone contractée et en augmentant la pression quand vous sentez une réponse du corps.

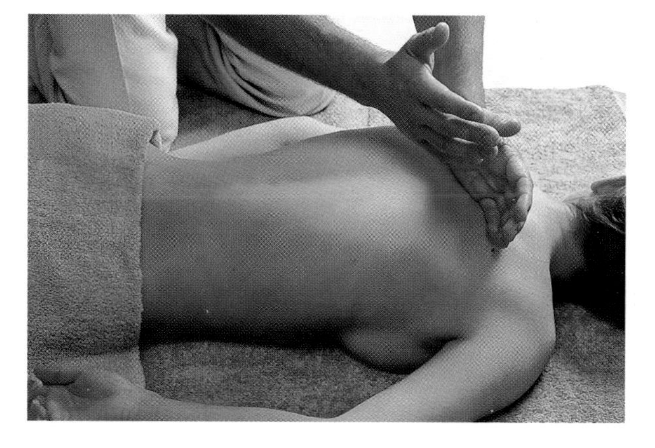

Tapotement
Pour stimuler la circulation et encourager la disparition de la tension et de la raideur. Cette technique utilise des tapotements pratiqués avec le tranchant de la main. Comme il s'agit d'une action assez brutale, ce traitement est souvent réservé aux fesses, aux cuisses et aux mollets. S'abstenir sur les personnes fragiles.

Accessoires de massage

Toute une série d'accessoires peuvent être utilisés comme auxiliaires ou en remplacement des mains. On les trouve dans les boutiques diététiques, les pharmacies, les magasins de sport. On peut aussi les commander sur catalogue. Ils sont couramment utilisés dans les cliniques spécialisées dans le traitement de la douleur.

Lors d'un massage, vous pouvez découvrir qu'un accessoire est beaucoup plus efficace que vos mains pour effectuer certaines tâches. Il vous permet d'atteindre plus facilement la zone à traiter, ce qui vous demandera moins d'efforts physiques. Les accessoires de massage varient du simple instrument en bois avec lequel vous pétrissez les muscles à des appareils électriques plus sophistiqués. Comme pour la plupart des thérapies, le traitement demande du temps (jusqu'à une heure) et de la régularité (pour obtenir les meilleurs résultats, il doit être quotidien).

Il arrive que les accessoires de massage soulagent la douleur pendant plusieurs heures, parfois même plusieurs jours après le traitement.

Les plus simples sont les accessoires à poignée qui incluent des boules, mobiles ou non. On les passe sur le corps en utilisant des pressions plus ou moins fortes. Il y en a de toutes les formes et de toutes les tailles. Ils sont souvent en bois et leur prix est tout à fait abordable. La plupart des gens les trouvent relaxants et faciles à utiliser. Il existe également divers accessoires électriques qui soulagent la douleur dans un grand nombre de cas (voir ci-contre).

Ces accessoires sont souvent en bois et d'utilisation facile. Certains servent simplement à frotter la zone à traiter (illustration de droite). D'autres ont des boules incorporées qui pétrissent la chair et les muscles (voir ci-dessus)

LES ACCESSOIRES DE MASSAGES ÉLECTRIQUES

Ils sont plus sophistiqués car ils utilisent le courant électrique. Ils marchent avec des piles ou alors on les branche sur le secteur, et ils stimulent le corps grâce aux vibrations, à la lumière ou au son. Certains d'entre eux proposent plusieurs stimuli simultanés. Par exemple, ils combinent les vibrations et un traitement à la lumière infrarouge, ce qui permet au patient de rester passif et donc plus détendu, surtout si le traitement est destiné à soulager une douleur sévère.

VIBRATION

Les vibrations électriques amènent un soulagement en stimulant le flux sanguin vers la zone affectée et en inhibant les messages de douleur qui ne parviennent plus au cerveau.
Les machines se présentent sous différentes formes. Cela va des accessoires simples et bon marché que l'on manipule manuellement à des lits ou des fauteuils inclinables très onéreux. Certains sièges ou divans vibratoires offrent également des options pour le traitement par la chaleur avec les huiles essentielles, le biofeedback et la musique d'ambiance.
Les accessoires que l'on manipule manuellement présentent des têtes ou « applicateurs » intégrés dans l'appareil, de formes et de textures variées pour satisfaire les besoins des utilisateurs. Il y a les appareils à « forte chaleur » qui peuvent également être utilisés avec des huiles essentielles pour augmenter les effets du traitement, ceux qui imitent les mouvements de mains d'un masseur, et ceux qui massent les points de digitopuncture.

LUMIÈRE

L'utilisation de la lumière infrarouge est bien connue et largement répandue pour le traitement conventionnel et complémentaire de la douleur. Les rayons de la lumière infrarouge pénètrent dans les tissus mous et les réchauffent à un niveau plus profond. L'effet est beaucoup plus rapide qu'avec n'importe quel procédé. Le traitement peut se révéler utile dans les cas d'urgence, pour les traumatismes physiques et les douleurs chroniques dues, par exemple, à l'arthrite.

SONS

La thérapie par vagues sonores a été mise au point dans les années 1920 en Suède mais l'appareil actionné manuellement est de fabrication récente. Il propose une méthode rapide et facile pour aider à soulager soi-même la douleur.
Ce mécanisme à « intrasons » fonctionne à peu près de la même façon que les vibrations électriques mais il permet de pénétrer à un niveau plus profond. Les ondes provoquées par des sons de basse fréquence sont envoyées dans les tissus pour stimuler le flux sanguin et d'autres processus métaboliques à l'endroit même de la douleur. Elles accélèrent le processus de cicatrisation du corps. Les ondes sonores sont générées par de l'électricité passant par un cristal à l'intérieur de la tête métallique de l'instrument. Le traitement est à la fois indolore et silencieux.
Cet appareil peut se révéler utile quand les tissus endommagés sont trop sensibles au toucher, mais il faut s'en servir avec précaution si ces tissus sont sérieusement endommagés. Les résultats sont variables mais certains patients affirment que cela les soulage considérablement.

Pour en savoir plus

Aromathérapie 36
Digitopuncture 38
Physiothérapie 82

La médecine par les plantes

La médecine par les plantes est sans doute la plus ancienne et jusqu'au XVIIIe siècle elle n'eut pratiquement pas de concurrence en Occident. Aujourd'hui, dans de nombreux pays en voie de développement, elle reste encore la forme de traitement la plus courante.

L'usage des plantes est de nouveau à la mode en Occident, peut-être à cause de la méfiance grandissante que les effets secondaires déplaisants de nombreux remèdes pharmaceutiques ont entraîné. La médecine pharmaceutique est née en grande partie de la phytothérapie, dans la mesure où la plupart des médicaments modernes sont à base de plantes, mais ces préparations sont maintenant des produits de synthèse et non des extraits. Cela signifie que le remède est un pur concentré. Les autres composés chimiques des plantes qui agissent en synergie avec le composé essentiel sont absents. Les herboristes estiment que les remèdes produits synthétiquement ont des

PLANTES	PROPRIÉTÉS	INDICATIONS
Aloe vera	Purgatif (interne), calmant (externe)	Utilisé en interne pour augmenter le flux menstruel. Utilisé en externe pour les brûlures, les morsures, les dermites douloureuses. **Ne pas utiliser en cas de grossesse**
Arnica	Anti-inflammatoire, cicatrisant	Bleus, entorses, douleurs rhumatismales, phlébite, douleurs liées à la peau
Calendula	Anti-inflammatoire, antifongique, astringent, cicatrisant	Inflammation de la peau, coupures, bleus, entorses, ulcères de la peau, brûlures (y compris par liquide bouillant), indigestion et problèmes digestifs, ulcères, règles douloureuses
Camomille	Antispasmodique, anti-inflammatoire, analgésique, antiseptique, cicatrisant	Anxiété, insomnie, indigestion, gastrite, flatulences, dyspepsie, gingivite, conjonctivite, maux de gorge, rhume, sinusite, coupures, œdème dû à l'inflammation
Girofle	Antiseptique, anesthésique, stimulant	Nausées, vomissements, flatulences, névralgies dentaires et de la gencive
Pimbina	Antispasmodique, sédatif, astringent	Crampes et douleurs musculaires, règles douloureuses et trop abondantes
Échinacée	Antibiotique	Infections virales et bactériennes, bronchite, laryngite, angine, gingivite, irritations, coupures, furoncles, septicémie, cystite
Eucalyptus	Décongestionnant, antiseptique	Maladies respiratoires, blessures, coupures
Matricaire	Anti-inflammatoire, relaxant	Céphalées, arthrite, acouphènes, vertiges, règles douloureuses, fatigue
Ail	Antiseptique, antifongique, antiviral, antispasmodique, antimicrobien, hypotenseur	Infections, douleurs digestives et respiratoires (bronchite, refroidissements, rhume, asthme), teigne, tension artérielle, congestion artérielle

effets secondaires variés sur le corps et dans l'ensemble sont plutôt moins efficaces. Pour distinguer les remèdes traditionnels à base de plantes des médicaments synthétiques, les herboristes d'aujourd'hui préfèrent utiliser des termes comme « phytothérapie » et « médecine botanique » plutôt que « médecine par les plantes ».
Les plantes orientales utilisées par la médecine chinoise traditionnelle et la tradition médicale védique sont de plus en plus souvent mises à profit par les herboristes occidentaux, qui ont déjà tiré le meilleur parti des traditions européenne et nord-américaine.

Les traitements à base de plantes

Ils sont disponibles en comprimés ou en gélules chez les bons pharmaciens et aux rayons santé des grands magasins ou des boutiques diététiques. On peut les utiliser pour toute une série de problèmes de santé mineurs. Pour des affections plus sérieuses, il est fortement conseillé de prendre rendez-vous avec un herboriste qualifié. Les plantes sont des médicaments puissants – elles peuvent se révéler dangereuses dans des mains inexpérimentées. Pour être sûr que vous utilisez la bonne plante à la bonne posologie sans risques d'effets secondaires, ne consultez que des herboristes qualifiés.

Pour en savoir plus
Aromathérapie 36
Naturopathie 62
Homéopathie 70

PLANTES	PROPRIÉTÉS	INDICATIONS
GINGEMBRE	Stimulant, calorifique, carminatif	Mauvaise circulation, engelures, dyspepsie, flatulences, colites, maux de gorge, aponévrite, muscles froissés
HYDRASTIS	Tonique, laxatif, astringent, stimulant	Gastrite, colite, ulcères, rhume, hémorragie, eczéma, teigne, démangeaisons, maux d'oreille, conjonctivite, favorise l'accouchement. **Ne pas utiliser en cas de grossesse**
RÉGLISSE	Expectorant, émollient, anti-inflammatoire, antispasmodique, laxatif	Toux, bronchite, rhume, gastrite, ulcères, coliques
MYRRHE	Antimicrobien, astringent, expectorant, cicatrisant, antiseptique	Ulcères buccaux, gingivite, sinusite, pharyngite, laryngite, problèmes respiratoires, furoncles, mononucléose infectieuse, coupures et blessures
PERSIL	Diurétique, expectorant, carminatif	Flatulences, coliques, règles douloureuses. **Ne pas utiliser en cas de grossesse**
PASSIFLORE	Sédatif, antispasmodique, hypnotique	Insomnie, hystérie, névralgies, zona, asthme, tension, flatulences, coliques, dyspepsie, nausées, vomissements, mal des transports, malaises matinaux
MENTHE POIVRÉE	Carminatif, antispasmodique, digestif, anesthésiant, tonique nerveux, antiseptique	Diarrhées, ulcères buccaux, gingivite, maux de gorge. **Ne pas utiliser en cas de grossesse**
FRAMBOISIER	Astringent, tonique, agent de refroidissement	Maux de gorge, amygdalite, gingivite, inflammation de la bouche ou de la langue, ulcères buccaux, dyspepsie, blessures. **Ne pas utiliser en cas de grossesse**

Naturopathie et hydrothérapie

Toute une gamme de thérapies par les médecines naturelles est incluse dans le terme général de naturopathie. L'hydrothérapie, considérée comme très efficace contre la douleur, en est l'une des plus importantes.

L'utilisation de l'eau pour traiter la douleur remonte à 2 500 ans. Après des siècles d'oubli, l'hydrothérapie est maintenant couramment utilisée par des patients des médecines conventionnelle et complémentaire.

Hippocrate, le père de la médecine moderne dans la Grèce antique, était sans doute le premier défenseur de la naturopathie. Il croyait que si on lui procurait de l'eau et de l'air purs, le corps guérissait de lui-même. La personne devait suivre certaines règles d'hygiène, se livrer à des activités favorisant la santé et manger une nourriture saine. Cette philosophie fut réactualisée en Europe centrale au cours du XIXe siècle par une nouvelle génération de pionniers dont Benedict Lust, en Allemagne. La naturopathie moderne vit le jour quand Henry Lindlahr et Benedict Lust émigrèrent aux États-Unis au début du XXe siècle, et c'est Benedict Lust qui forgea le terme de « naturopathie ».

La naturopathie moderne

Aujourd'hui, la naturopathie est fondée sur le principe que la santé représente l'état naturel du corps. S'il en a la possibilité, le corps tendra toujours vers le bien-être. L'objectif du thérapeute et du patient c'est de permettre au corps de se soigner. Lié à ce concept du corps tendant

aturellement à la santé, correspond l'idée
que la maladie elle-même est un phénomène
aturel. Les symptômes de la maladie
e seraient la plupart du temps qu'une
tape d'un processus de guérison.
u niveau le plus simple, les rhumes
t les éternuements sont pour le corps
n moyen d'éliminer un virus.
es thérapies de la naturopathie englobent
a plupart des principes de la médecine
omplémentaire. Les naturopathes traitent
esprit et le corps comme un tout et ils
nalysent le mode de vie du patient – son
ravail, son régime alimentaire – avant
le recommander des thérapies allant des
nassages à la médecine homéopathique.
lutôt que de supprimer les symptômes
le la maladie, le traitement naturopathe
ncourage les symptômes à disparaître.
e corps est stimulé pour les combattre
t retrouver son équilibre.
l est courant que les naturopathes
ecommandent un jeûne de courte durée
our lutter contre des affections assez
imples comme la grippe. Ils prêtent aussi
ne grande attention aux intestins, car
est là que les nutriments sont captés
ar le flux sanguin. Les toxines des
ntestins peuvent causer de nombreux
roblèmes digestifs.
es régimes spécifiques destinés à nettoyer
es intestins et empêcher la multiplication
les bactéries et des levures nuisibles
ont également recommandés. D'après
es naturopathes, ces bactéries et ces levures
ontribuent aux empoisonnements, aux
llergies et aux faibles réponses immunitaires
lu corps.
Jne approche extrémiste connue sous le
om de « cure par la nature » ou « hygiène
aturelle » est encore vivace chez quelques
aturopathes qui condamnent la simple
rescription de suppléments sous
a forme de vitamines et de minéraux.
)'une manière générale, les naturopathes
lécouragent la prise de micronutriments,
urtout si cela implique de hautes doses
le suppléments, sans les avoir consultés
u préalable afin qu'ils puissent vous guider.

La naturopathie et les autres thérapies

La naturopathie moderne a agrandi son champ d'action et englobe maintenant des thérapies complémentaires. De nombreux naturopathes se sont également spécialisés dans d'autres disciplines. Ceux qui ont suivi un cursus dans des écoles spécialisées apprennent l'herboristerie, les massages, l'homéopathie, la manipulation, l'acupuncture, l'hypnose, les thérapies nutritionnelle et diététique, et l'hydrothérapie. De plus, ils envoient leurs patients chez des chiropracteurs et des ostéopathes afin qu'ils aient toutes les chances de se rétablir.
Cette approche très complète est aujourd'hui à la base de la naturopathie moderne. C'est ainsi qu'elle est enseignée à ceux qui étudient la médecine naturelle au sens le plus large.

L'hydrothérapie

L'hydrothérapie moderne s'est développée au XIXe siècle grâce à un médecin autrichien, Vincent Preissnitz. Elle implique l'utilisation thérapeutique de l'eau, que ce soit par la natation, les douches, les massages par jets, les bains chauds et froids, les compresses chaudes et froides, les saunas et les bains de vapeur. Il y a des traitements qui demandent des établissements spécialisés mais il y en a d'autres que les patients peuvent s'administrer eux-mêmes à domicile.

Pour en savoir plus

Thérapies complémentaires 26
Thérapie diététique 30
Homéopathie 70

L'HYDROTHÉRAPIE ET LA DOULEUR

L'hydrothérapie est devenue un traitement très répandu, particulièrement efficace pour stimuler la circulation, soulager les désordres respiratoires, apaiser les douleurs musculaires et articulaires survenues à la suite de blessures ou de pathologies à long terme comme les rhumatismes. L'hydrothérapie stimule ou calme selon les cas, et elle est aussi très efficace pour traiter les troubles psychiques et émotionnels.

Techniques corporelles

Une manipulation expérimentée du corps, surtout des os et des muscles de la colonne vertébrale, peut aider à soulager différents types de problèmes chroniques. La chiropractie et l'ostéopathie qui sont les meilleures et les plus efficaces de ces thérapies utilisant la manipulation pour calmer la douleur.

Notre mode de vie entraîne des distorsions de notre système musculosquelettique. De mauvaises positions au travail, des gestes trop souvent répétés, le fait de porter de lourdes charges provoquent des dysfonctionnements et des souffrances. Les thérapies décrites ici appartiennent aux thérapies complémentaires disponibles sur le marché médical.

La chiropractie

Le but de la chiropractie est de restaurer la santé et l'équilibre en manipulant les os, les muscles et les tissus du corps, essentiellement ceux de la colonne. La chiropractie a été mise au point au Canada à la fin du XIXe siècle par Daniel Palmer. Cette technique tourne essentiellement autour des nerfs, contrairement à l'ostéopathie où l'on considère que c'est le flux sanguin qui est le facteur déterminant. La chiropractie est souvent plus brutale que l'ostéopathie et ses praticiens sont plus conventionnels dans leur examen clinique. Par exemple ils utilisent les radios pour faire un diagnostic. Les techniques vont de brusques poussées utilisées par certains chiropracteurs pour libérer les articulations à des mouvements plus doux, qui ramènent progressivement les muscles et les os à reprendre leur place initiale.

L'ostéopathie

Le mot « ostéopathie » signifie « traitement des os » mais l'ostéopathie vise à améliorer la structure générale du corps. Ses praticiens affirment qu'ils soignent n'importe quel désordre physique, y compris la douleur, par la manipulation des os, des muscles et des tissus mous du corps grâce à des techniques de manipulation, d'élongation et de pression. L'ostéopathie s'est développée aux États-Unis il y a plus d'un siècle, grâce à Andrew Taylor Still, un médecin de l'armée. Aujourd'hui, c'est une technique tellement courante aux États-Unis que ses praticiens sont

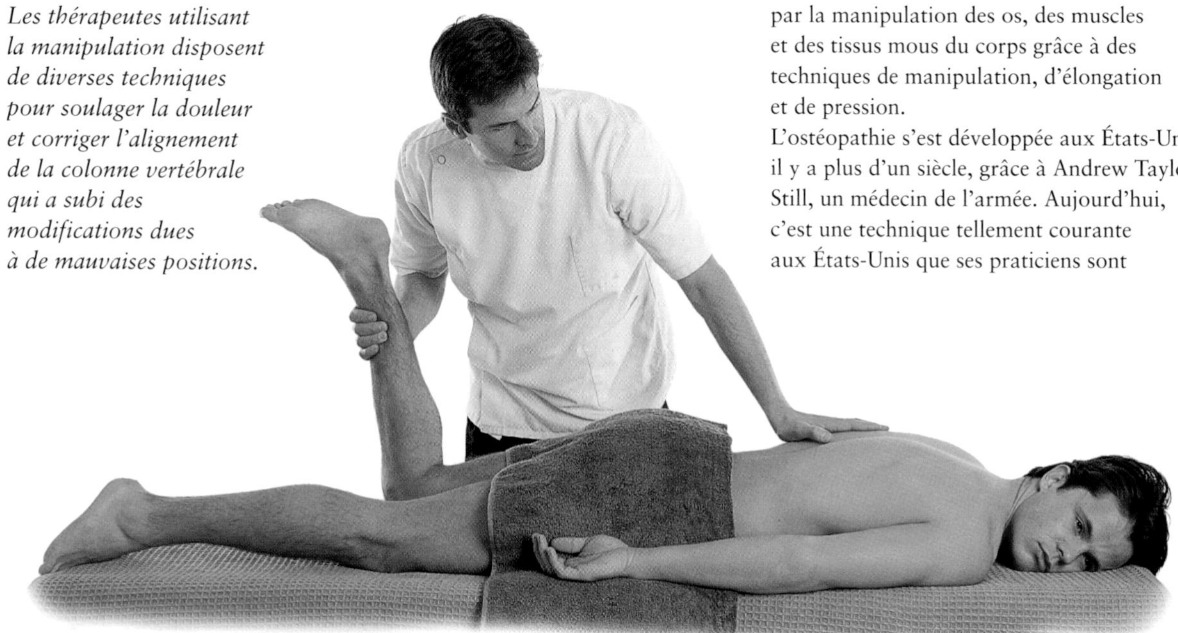

Les thérapeutes utilisant la manipulation disposent de diverses techniques pour soulager la douleur et corriger l'alignement de la colonne vertébrale qui a subi des modifications dues à de mauvaises positions.

tous des médecins conventionnels qui ont suivi des cours de manipulation.
Les ostéopathes se contentent de manipuler les tissus mous plutôt que les os et ils ont un toucher profond et insistant pour détecter les zones de tension. Une autre technique consiste à utiliser les mouvements passifs des membres des patients pour libérer les muscles et les ligaments.

L'ostéopathie crânienne

Une des branches de l'ostéopathie est l'ostéopathie crânienne, qui, avec sa dernière variante, la thérapie crâniosacrée, traiterait tout le corps grâce à une très douce manipulation des os du crâne et jusqu'à un certain point de la colonne vertébrale.
Les os du crâne protègent le cerveau qui est irrigué par une mince couche de fluide appelé le liquide céphalorachidien. Ce fluide protège aussi la moelle épinière située à l'intérieur de la colonne vertébrale. Les ostéopathes crâniens pensent que si le passage de ce liquide est bloqué, il s'ensuit des maladies physiques ou émotionnelles. En plaçant légèrement les mains sur la tête du patient et en utilisant des pressions douces, le thérapeute vise à relâcher ces contractions pour restaurer l'équilibre et un fonctionnement normal.

Les points gâchettes

La thérapie par les points clés vise à soulager les souffrances du système musculosquelettique en se concentrant sur les points où les cellules nerveuses qui transmettent les messages au cerveau sont connectées aux muscles. Ces points sont connus sous le nom de « points gachettes ». Le fuseau neuromusculaire est le récepteur sensoriel qui contrôle l'étirement. La douleur amène le fuseau à contracter les tissus du muscle. Cela provoque une pression sur les tissus qui y sont rattachés et la douleur augmente. La thérapie par les points déclencheurs consiste en une pression soutenue sur les muscles pour contrer les effets tenseurs des messages de la douleur, ce qui entraîne un étirement des muscles. Des séances régulières vont briser le cercle vicieux « douleur-tension-douleur » et permettre aux muscles de se détendre et de retrouver un bon fonctionnement.

L'ostéopathie viscérale

Par cette technique, on manipule et on masse les viscères (les organes mous de l'abdomen) pour améliorer leur fonctionnement et leur état de santé. On l'utilise pour soigner les problèmes d'estomac, du pancréas et des intestins. Le thérapeute exerce des pressions profondes, lentes et contrôlées sur les organes pour détecter les dysfonctionnements ou les anomalies ressentis comme des « nœuds » sous les doigts. Puis ces zones sont massées afin qu'elles se détendent.

La thérapie par le relâchement du tissu conjonctif musculaire

Dans cette thérapie on exerce des pressions profondes sur le tissu conjonctif musculaire (le tissu fibreux collagène) pour relâcher les zones de tension dans des pathologies comme les névralgies. La thérapie peut se révéler douloureuse et la technique s'apparente à celle du Rolfing (voir page 66).

Pour en savoir plus

Système musculosquelettique 18
Massages 56
Physiothérapie 82

L'ostéopathie est surtout connue comme un traitement pour restaurer la structure du corps. Les ostéopathes confirmés considèrent cependant cette thérapie d'un point de vue holistique, et une consultation avec eux fera le point sur votre régime et tous les facteurs de votre style de vie pouvant provoquer votre douleur.

Techniques corporelles

Au cours de la deuxième partie de ce siècle, on a pris conscience que des facteurs mentaux et émotionnels pouvaient avoir des effets néfastes sur le système musculosquelettique. Le stress ou la dépression vont se traduire par des muscles contractés et un mauvais équilibre, ce qui à son tour va déclencher des douleurs persistantes et une déformation de la musculature.
Un certain nombre de techniques ont été développées pour améliorer les manipulations physiques du corps en tenant compte de ces facteurs. Nous allons vous présenter les techniques les plus connues.

Le rolfing

La biochimiste allemande Ida Rolf a mis au point cette technique aux États-Unis dans les années 1930. D'après elle, soit nous rencontrons les forces de la gravité dans un esprit harmonieux et permettons à notre corps d'être équilibré, soit nous luttons contre cette gravité, provoquant des tensions et de mauvais alignements de la structure du corps.
Le principe du Rolfing c'est l'« intégration structurelle » et le réalignement du corps grâce à des massages vigoureux. Le Rolfing utilise souvent les coudes et même les genoux pour s'enfoncer profondément dans le tissu conjonctif (les tissus qui relient les fibres musculaires) afin de relâcher et restructurer le corps qui s'est déformé avec le temps, les blessures, les traumatismes et les mauvaises positions.
Une amélioration de la posture apportera souvent un soulagement extraordinaire à des personnes souffrant d'asthme et de problèmes digestifs, mais il arrive aussi que certains patients ne supportent pas les manipulations du Rolfing.

LA TECHNIQUE ALEXANDER

Cette technique s'est développée au début du XXe siècle grâce à Frederick Matthias Alexander, un acteur australien dont la carrière était menacée par ses problèmes de voix. En s'étudiant attentivement dans des miroirs alors qu'il répétait ses textes, il comprit que le port de tête était déterminant pour un meilleur équilibre et une libération de l'émission vocale. Alexander pensait que l'évolution de la race humaine nous avait privés de la connaissance instinctive de notre corps et que le style de vie sédentaire entraînait de mauvaises positions.
La méthode s'apprend avec un professeur en 4 à 6 leçons. Ensuite, on peut travailler tout seul.
La technique est une façon de réapprendre comment utiliser le corps avec un maximum d'efficacité et un minimum de tension.
Cette technique est devenue célèbre et elle est maintenant largement utilisée pour surmonter les douleurs musculaires et articulaires du cou et du dos, ainsi que les problèmes respiratoires et l'aponévrite. Ceux qui ont des problèmes de circulation et de respiration, qui souffrent de céphalées et de maux de tête peuvent aussi en tirer un certain bénéfice. La technique Alexander est très en vogue chez les musiciens qui jouent pendant des heures dans des positions entraînant des distorsions du corps.

Pour en savoir plus

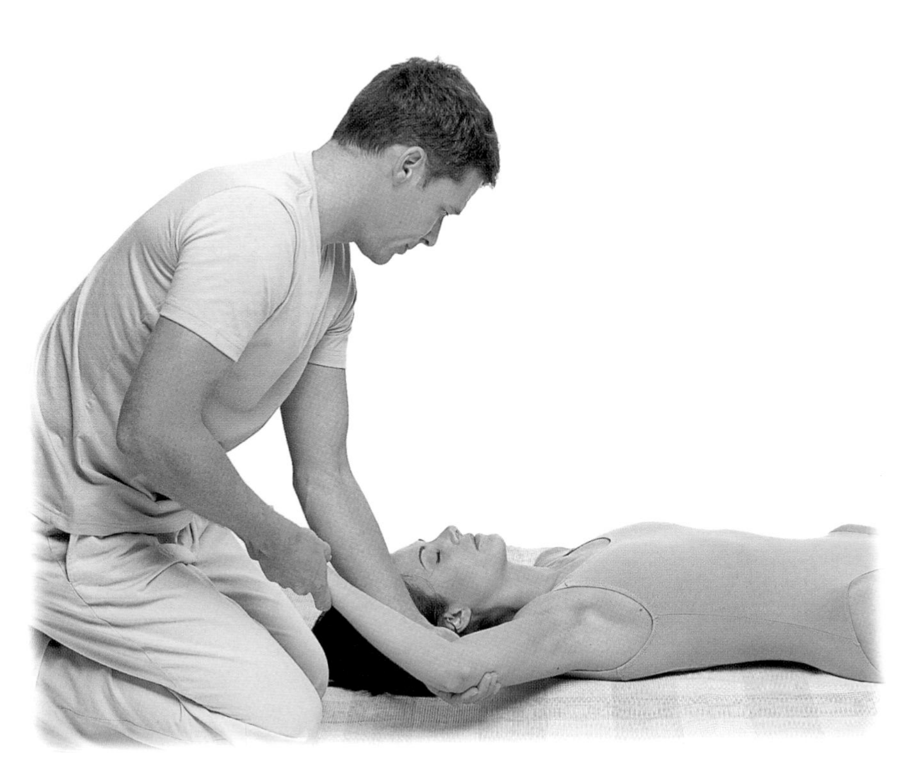

Les adeptes de la méthode Heller partagent l'ambition, avec d'autres thérapies agissant dans le même domaine, de rééquilibrer et réaligner le corps en alternant la manipulation des articulations et les massages.

Les méthodes Heller, Trager et Feldenkrais

Ces thérapies sont particulièrement efficaces pour les problèmes musculosquelettiques, les sciatiques et les douleurs associées à une lésion des nerfs, ainsi que les maux de tête, la migraine, le stress et l'asthme. Ces thérapies conjuguent manipulation et mouvements.

L'approche de Heller et celle de Trager ont vu le jour au XXe siècle aux États-Unis et elles visent toutes les deux à rééduquer le corps en encourageant l'inconscient à réajuster les mauvais alignements du système musculosquelettique.

On considère que l'approche de Trager est particulièrement efficace pour le contrôle de la douleur. Elle comprend toute une série d'exercices mentaux que l'on peut pratiquer à la maison.

On décrit sa méthode comme « une intégration fonctionnelle » et « la conscience par le mouvement ». Elle a été inventée par un ingénieur russe, Moshe Feldenkrais, qui a émigré en Angleterre en 1940.

La méthode Rosen

Cette technique à base de manipulations douces est une des nombreuses méthodes nées sur la côte ouest de États-Unis dans la deuxième moitié du XXe siècle, dans le sillage de techniques comme le Rolfing.

La méthode Rosen conjugue le mouvement et les théories psychothérapeutiques de l'interaction du corps et de l'esprit avec des exercices de respiration et des techniques de relaxation. Cependant, cette méthode ne possède pas de structure formelle et on apprend aux thérapeutes à suivre leur intuition et à faire des expériences plutôt qu'à suivre les cours d'une seule méthode dûment répertoriée.

Acupuncture

Les anciens Chinois ont développé la théorie selon laquelle le corps et ses fonctions pouvaient être traités par l'insertion de très fines aiguilles – les gens les sentent à peine quand on les pose – à des points situés le long des méridiens.

Les Chinois pensent que l'énergie du corps ou ki circule le long de lignes d'énergie ou méridiens. Il y a 12 méridiens principaux, associés à des organes spécifiques, comme le méridien des poumons ou celui de la vésicule biliaire, et les 365 points principaux sont situés le long de ces méridiens. Des aiguilles plantées à ces points précis sont censées stimuler le flux d'énergie. Cette technique est née il y a plus de 4 000 ans, mais les premiers ouvrages sur ce sujet sont apparus aux alentours de 475 avant J.-C. Le médecin chinois commence par les quatre temps de l'examen : observation, interrogatoire, auscultation et palpation (pouls chinois). Puis il évalue les substances vitales ou humorales (le ki, les liquides organiques et le sang) qui peuvent être en excès, en insuffisance, en « amas », « contaminées », etc.

Les médecins et les physiothérapeutes qui font appel à l'acupuncture pour soulager la douleur sont de plus en plus nombreux. On s'en sert aussi pour traiter les dépendances de tous ordres. L'acupuncture est également utilisée dans certains hôpitaux occidentaux comme une alternative à l'anesthésie.
La plupart des médecins orthodoxes refusent les théories qui s'attachent à l'acupuncture, mais comme les résultats et les recherches ont prouvé son efficacité, ils ont adopté une forme de thérapie plus clinique connue sous le nom d'acupuncture occidentale. Ils préfèrent le plus souvent utiliser l'électro-acupuncture qui transmet un faible courant électrique par le biais des aiguilles pour obtenir un meilleur résultat, surtout sur les points de l'oreille, dont on pense qu'ils appartiennent aux mêmes méridiens que le corps (thérapie auriculaire).

LES AIGUILLES D'ACUPUNCTURE

On trouve des aiguilles d'acupuncture de tailles et de formes distinctes, pour des objectifs différents. Elles mesurent de 7 mm à 50 mm. Pour l'acupuncture auriculaire, on utilise des aiguilles qui ressemblent à des boutons-pression. Mais on peut aussi se servir d'aiguilles ordinaires. On utilise parfois des aiguilles particulières pour inciser ou « percuter » certaines zones de la surface cutanée ou alors des points des méridiens. Les informations archéologiques indiquent que les premiers praticiens chinois utilisaient des aiguille d'os, de bambou et même des pierres pointues. Aujourd'hui, elles sont souvent en tungstène ou en acier. Les plus perfectionnées sont plaquées or ou argent. Pour la moxabustion, on utilise une aiguille avec une poignée de cuivre torsadée qui permet de conduire la chaleur dégagée par le moxa (bâton d'armoise chauffé jusqu'à l'incandescence) là où l'aiguille a été piquée.
En Orient, les aiguilles sont souvent réutilisées mais en Occident, les praticiens utilisent des aiguilles jetables pour éviter de transmettre des infections comme le sida.

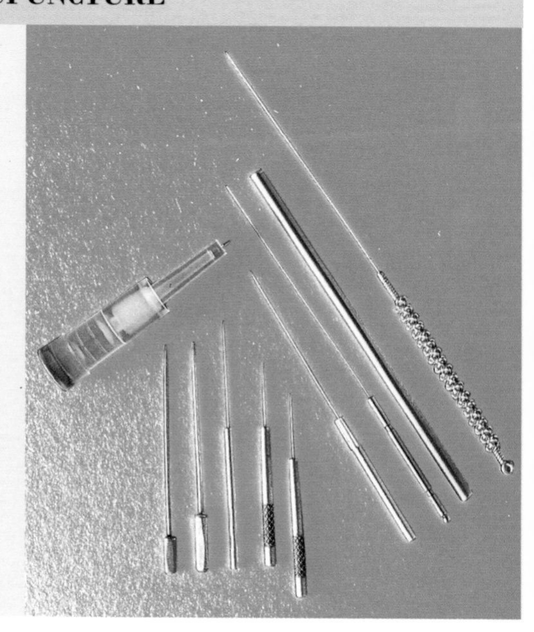

LA MÉDECINE TRADITIONNELLE CHINOISE

L'acupuncture, l'acupuncture auriculaire, la moxabustion, les ventouses et la phytothérapie chinoise font partie de la médecine chinoise traditionnelle, un système très ancien et largement utilisé pour diagnostiquer une maladie et la traiter. Les praticiens occidentaux de cette médecine ont tendance à se concentrer uniquement sur l'acupuncture et la moxabustion.

Le nombre de plantes utilisées dans la médecine chinoise est très important et ces herbes sont souvent très puissantes. C'est pour cette raison qu'en Occident, les praticiens de cette médecine sont souvent chinois, car prescrire ces plantes exige une longue expérience et de bonnes connaissances théoriques. Quand on prend des plantes chinoises, il faut toujours respecter la posologie qui vous a été indiquée.

Pour en savoir plus

Digitopuncture 38
Médecine traditionnelle chinoise et eczéma 97

Comment fonctionne l'acupuncture

À l'heure actuelle, voilà la théorie qui remporte le plus de suffrages : l'acupuncture interfère avec les messages de douleur envoyés au cerveau, soit en leurrant le cerveau un peu de la même façon que les TENS (voir page 83) soit en entraînant la production d'endorphines, qui inhibent la transmission de la douleur (voir page 15). L'effet peut aussi s'expliquer par une augmentation de l'ACTH (hormone adrenocorticotropique) de la glande pituitaire du cerveau. Cette hormone contrôle la production d'hormones stéroïdes des reins et on l'utilise pour soigner l'asthme et la polyarthrite rhumatoïde.

La moxabustion et les ventouses

La moxabustion et les ventouses sont deux variantes de l'acupuncture. Dans la moxabustion, une chaleur douce est apportée à un point d'énergie en utilisant de l'armoise séchée ou moxa, car on pense que cela chauffe et attire l'énergie, la rendant ainsi plus disponible. Le moxa est soit attaché à une aiguille de façon à ce que la chaleur soit conduite jusqu'au point d'énergie, soit roulé en petits cônes enveloppés d'un revêtement protecteur qui brûle lentement au-dessus du point. Pour les ventouses, on utilise de petits pots, souvent en verre, pour stimuler et attirer l'énergie, un peu de la même façon qu'avec la moxabustion. Une bougie est allumée dans un pot, puis on l'enlève pour créer un vide. Le pot se colle à la peau et aspire le point. Pour les inflammations locales et la congestion, on utilise souvent les ventouses et les aiguilles.

Le concept oriental traditionnel des méridiens signifie que des aiguilles placées sur le visage peuvent soulager des symptômes aussi variés que la sinusite, les douleurs d'estomac et le mal de dos. On peut aussi utiliser la chaleur grâce à la moxabustion.

Homéopathie

Cette thérapeutique qui couvre un large domaine est basée sur la théorie suivante : les symptômes d'une maladie appartiennent au système de défense du corps. Les médicaments homéopathiques qui fonctionnent par dosage infinitésimaux sont prescrits pour stimuler le développement des symptômes et encourager le corps à surmonter la maladie.

Les remèdes homéopathiques n'ont pas d'effets secondaires indésirables et on peut les utiliser comme de simples médicaments que l'on se prescrit soi-même pour soigner un certain nombre d'affections.

Il y a environ deux siècles qu'un médecin allemand, Samuel Hahnemann, a mis au point le système homéopathique. Il était déçu par la médecine rudimentaire et souvent brutale de son époque et s'était livré à des expérimentations (sur lui-même essentiellement) pour évaluer l'efficacité de certains remèdes et comprendre leurs principes de fonctionnement. Il découvrit que des doses infinitésimales de ce qui provoque une maladie peut aussi la guérir. Cela donna naissance au principe que « le même soigne le même ». Il s'agit du principe de base des traitements homéopathiques. Les remèdes homéopathiques consistent en de très faibles quantités d'une substance spécifique, la plupart du temps tirée de plantes et de minéraux, et occasionnellement d'insectes et d'animaux, diluée dans l'eau et/ou l'alcool et agitée énergiquement. Ce processus est connu sous le nom de dynamisation. Cette dilution et cette dynamisation sont pratiquées à plusieurs reprises. Contrairement à la médecine conventionnelle où plus la concentration d'un médicament est forte plus il est efficace, les homéopathes pensent que plus sa dilution est grande, et plus il est puissant, d'où le terme de « potentialisation » pour le décrire. Les remèdes homéopathiques sont souvent donnés sous forme de petites pastilles rondes contenant un incluant. Les homéopathes, tout comme la plupart des thérapeutes des médecines naturelles, voient les symptômes de la maladie comme une manifestation de problèmes plus profonds. La pratique débute par un examen méticuleux des patients pour apprécier ce qui ne va pas sur le plan physique mais aussi émotionnel et mental. Voilà pourquoi la plupart des homéopathes ne sont pas partisans d'une automédication, même si les remèdes homéopathiques sont disponibles dans pratiquement toutes les pharmacies et les boutiques diététiques. L'homéopathie ne fournit aucune explication recevable par les scientifiques quant aux modalités de son fonçtionnement, mais les expérimentations cliniques montrent qu'elle fonctionne pour certaines maladies, et un nombre croissant de médecins se spécialisent dans cette discipline. Certaines études ont démontré des résultats positifs avec les animaux. Les partisans de l'homéopathie estiment que ces résultats sont significatifs car contrairement aux humains qui répondent à ce que l'on appelle l'« effet placebo » (le patient croit que le traitement est efficace et il le devient), les animaux ne connaissent pas ce mode de fonctionnement. Quant aux détracteurs, ils avancent que le point de vue des observateurs peut être faussé.

Il est assez courant de se sentir plus mal après un premier traitement homéopathique. On dit que c'est parce que le remède fait sortir les symptômes, mais il semblerait également que l'homéopathie fonctionne mieux pour certaines personnes que pour d'autres. Parmi les maladies qui répondent bien au traitement homéopathique, on trouve l'asthme et les problèmes dermatologiques comme l'eczéma.

La plupart des homéopathes disent qu'un diagnostic global n'est pas possible en homéopathie. Ils sont aussi d'avis que l'efficacité de nombreux remèdes homéopathiques est souvent menacée par des remèdes allopathiques ou d'autres thérapies.

LES REMÈDES HOMÉOPATHIQUES ET LEUR UTILISATION

Aconite	Choc, grippe et rhume, toux, maux d'oreilles, de gorge, de dents, stress
Apis Mel	Piqûres, cystite, urétrite, rhume des foins et autres réactions allergiques, urticaire, arthrite, conjonctivite
Arnica	Choc, blessure, bleus, entorses, furoncles, crampes, douleurs musculaires, brûlures, piqûres, douleurs dentaires et oculaires, fatigue, arthrite, goutte, eczéma
Arsenicum Alb	Bronchite, rhume des foins, diarrhée, empoisonnement par la nourriture, vomissements, nausées, fatigue, indigestion, ulcères de la bouche, urticaire, psoriasis, zona, insomnie
Belladonna	Refroidissements, maux de gorge, d'oreilles, de tête, toux, céphalées, fièvre, acné, furoncles, douleurs menstruelles, coup de soleil
Bryonia	Constipation, refroidissements et grippe, toux, maux de tête, céphalées, indigestion, nausées, arthrite, maux de gorge, entorses, douleurs articulaires, seins douloureux
Cantharis	Cystite, urétrite non spécifique, brûlures, brûlures par liquide bouillant, piqûres, cloques, ulcères de la bouche, coup de soleil, diarrhée qui brûle
Chamomilla	Douleurs dentaires suite à des soins ou à une extraction, bébés qui percent leurs dents, insomnie
Euphrasia	Refroidissements et grippe, maux de tête, rhume des foins, douleurs ou fatigue oculaires, conjonctivite, constipation
Gelsemium	Refroidissements et grippe, céphalées, maux de tête, de gorge, douleurs articulaires, rhume des foins, fatigue
Hypericum	Blessures par accident, coupures et éraflures, douleurs neurogènes, indigestion, nausées, diarrhée, dépression
Ignatia	Maux de tête violents, céphalées, dépression, choc, toux
Natrum Mur	Chagrin, dépression, refroidissements et grippe, bronchite, boutons de fièvre, eczéma, rhume des foins, maux de tête, céphalées, syndrome prémenstruel, règles douloureuses, urticaire
Nux Vomica	Constipation, maux d'estomac, colite, mal de tête dû à une gueule de bois, indigestion, maux de gorge, nausées, mal des transports, vomissements, dépression, cystite, insomnie
Pulsatilla	Sinusite, grippe et refroidissements, toux, maux d'oreille, de tête, d'estomac, règles douloureuses, syndrome prémenstruel, dépression, cystite, indigestion, arthrite, conjonctivite
Rhus Tox	Ampoules, eczéma, urticaire, arthrite, entorses, douleurs musculaires, crampes, douleurs dues à l'herpès (zona, boutons de fièvre), maux de gorge
Ruta Grav	Entorses et élongations, blessures au cours de l'entraînement sportif, douleurs musculaires, douleurs dues à l'arthrite, sciatique, maux de tête et oculaires
Silica	Infection de la peau, furoncles, grippe et rhumes à répétition, sinusite, constipation, maux de tête, céphalées, fractures
Sulphur	Infections locales, indigestion, constipation, diarrhée, eczéma, maux de tête, bronchite, conjonctivite, douleurs articulaires et musculaires, crampes, mal aux reins
Urtica	Brûlures, brûlures dues à un liquide bouillant, piqûres d'abeilles, cystite, douleurs neurogènes, douleurs dues à l'arthrite, réactions cutanées d'origine allergique

Note : ces remèdes correspondent à ceux qui sont le plus communément utilisés pour les affections répertoriées ici mais la plupart des homéopathes affirment que pour une efficacité maximale, il est indispensable de consulter un praticien expérimenté.

Techniques de guérison

Quantité de gens croient qu'on peut guérir grâce au toucher et à l'imposition des mains, et même à la concentration mentale de certaines personnes qui canalisent des facultés particulières. Au cours des siècles on a rapporté des cas de « guérison par la foi » ou de « guérison spirituelle », bien que les guérisseurs préfèrent l'appeler simplement guérison puisque personne ne sait exactement comment cela fonctionne.

De nombreux guérisseurs pensent qu'ils aident les gens à guérir en leur transmettant une force vitale.

Ce type de thérapie est la simplicité même, elle est la plus sûre et la plus naturelle de toutes les thérapies. Il existe plus de preuves en faveur des effets thérapeutiques de la guérison par l'imposition des mains que pour n'importe quelle autre forme de thérapie naturelle, à part celle de l'hypnose.

Ce type de guérison peut très bien être connecté à l'hypnose dans le sens où la relation du guérisseur au patient est très importante. Le guérisseur peut être une personne avec des pouvoirs spirituels ou mentaux particuliers (de nombreux chefs religieux sont considérés comme responsables de guérisons par la foi) et le patient doit normalement croire dans ce pouvoir pour que le traitement soit efficace. Comme le traitement n'implique pas de manipulation du corps ou de prise de médicaments d'aucune sorte, les patients qui souffrent de divers maux peuvent très bien bénéficier des compétences des guérisseurs. Mais, comme ce sont les qualités personnelles du guérisseur qui apportent la guérison, il vous faudra peut-être en essayer plusieurs avant de trouver celui qui « marche » pour vous.

Les guérisseurs n'ont pas tous la même approche du patient. Certains se fient à leur intuition, à leur toucher, et « sentiront » ce qui ne va pas. D'autres vous poseront des questions sur ce dont vous souffrez et sur votre mode de vie.

Les médecins conventionnels ne reconnaissent pas l'efficacité de ce genre de thérapie mais l'interaction du corps et de l'esprit est encore bien plus étendue qu'on ne le soupçonnait. Quels que soient les mécanismes qui président à son efficacité, ce type de traitement fonctionne pour bien des gens et peut parfois aboutir à des résultats impressionnants. On sait que ceux qui estiment avoir été bien soignés par leur médecin se remettent plus vite. Peut-être cela appartient-il au même mécanisme.

LE TOUCHER THÉRAPEUTIQUE

Dans les années 1970 Dolores Krieger, une Américaine qui enseignait dans une école d'infirmières, a développé un talent pour un toucher thérapeutique ou « TT », une version particulière de l'imposition des mains. Le TT est basé sur la croyance qu'il y a un authentique transfert d'énergie curatif de la personne qui touche à la personne qui est touchée. Aujourd'hui, de nombreuses infirmières l'utilisent dans les cliniques et les hôpitaux – surtout aux États-Unis où quelqu'un qui se proclame guérisseur et affirme qu'il peut guérir par des moyens psychiques ou surnaturels se situe dans l'illégalité.

LE REIKI

On doit cette méthode à un prêtre japonais, le Dr Mikao Usui, qui l'a mise au point au début du XXe siècle ; la guérison par le reiki a pris un essor formidable au cours des dernières années. Le reiki (prononcez raï-ki) signifie « force de vie universelle » en japonais et on affirme qu'elle est une redécouverte des techniques de guérison des bouddhistes tibétains travaillant sur le transfert des énergies de guérison d'une personne à une autre.
Il existe maintenant des centres de reiki en Amérique du Nord et du Sud, en Europe et en Asie australe ainsi qu'au Japon. Il existe plus de 250 000 praticiens de par le monde.

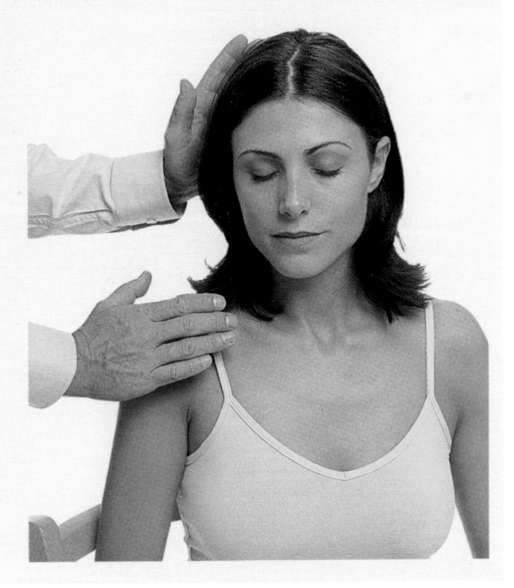

Pour en savoir plus

Guérison de l'esprit et du corps 13
Force de guérison naturelle 25

CAS CLINIQUE

Carol, une commerçante dirigeant une boutique, a été soignée par imposition des mains en 1996 pour des problèmes oculaires et nerveux qui accompagnent la sclérose en plaques.
« Je souffrais et je ressentais des fourmillements qui montaient et descendaient le long de ma colonne vertébrale. Mes jambes étaient engourdies, ma vision de l'œil droit était brouillée. Cela faisait 18 mois que je voyais des médecins et des spécialistes mais après toutes sortes d'examens, ils s'en tinrent au diagnostic de la sclérose en plaques et ils m'expliquèrent comment me procurer une chaise roulante et des couches pour l'incontinence.
Un jour que je me sentais vraiment très mal, Wendy est entrée dans mon magasin et m'a proposé de m'aider. Tout d'abord, je dois dire qu'elle ne m'inspirait aucune confiance. Je pensais qu'elle était un peu dérangée, mais elle m'affirma que je n'aurais rien à faire et qu'elle s'occuperait de moi à distance. Je ne la prenais pas très au sérieux et ce jour-là je ne ressentis rien de spécial. Mais le lendemain, mon état s'améliora. Même chose pour le jour suivant. J'étais stupéfaite. J'avais moins mal au dos, je voyais mieux et je ne cessais de faire des progrès. Après cela, je lui rendis régulièrement visite.
Quand je retournai voir la neurologue qui s'occupait de moi, elle n'en croyait pas ses yeux.
Je marchais et je sautais comme un cabri. Je vois toujours Wendy, et même s'il m'arrive d'avoir des journées difficiles quand mes yeux me causent des problèmes et que mon dos me fait mal, je me sens toujours mieux après lui avoir rendu visite. Ce qui est formidable c'est de savoir qu'elle est toujours là quand j'en ai besoin, et qu'elle n'hésitera jamais à m'aider. »

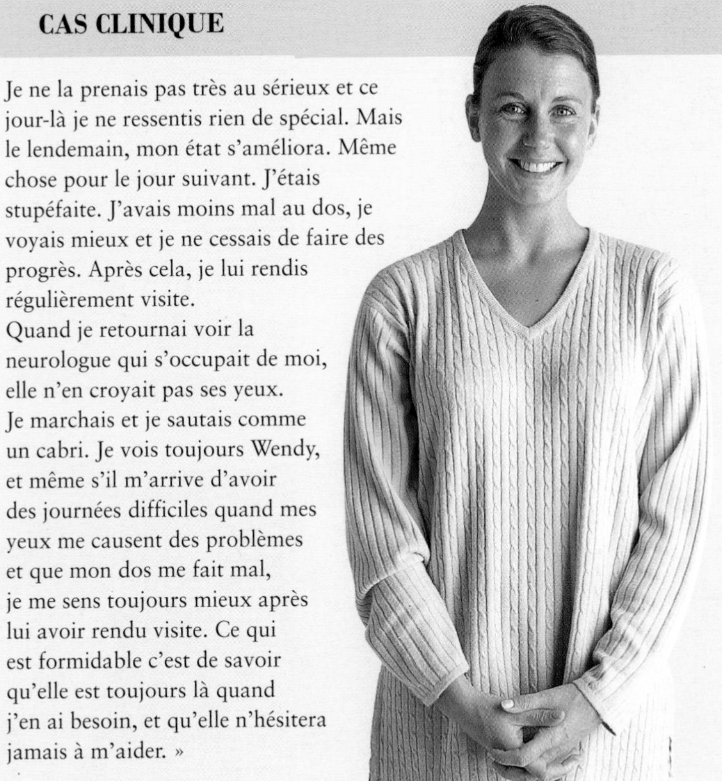

Réflexologie

On dit que la réflexologie est l'appellation moderne d'une très ancienne thérapie. On pourrait la décrire comme des massages des pieds et des mains, mais les thérapeutes affirment que c'est beaucoup plus compliqué que cela.

La réflexologie est liée à la digitopuncture et à l'acupuncture, elle est donc classée dans les thérapies par l'énergie plutôt que dans les thérapies physiques. Cependant, cette classification est mise en doute par de nombreux réflexologues qui estiment que leur travail participe des mêmes principes que les autres thérapies physiques.
La Chartered Society of Physiotherapists, qui regroupe les physiothérapeutes, partage ce point de vue puisqu'en 1993, elle a officiellement reconnu la réflexologie comme appartenant à la physiothérapie.

Les origines de la réflexologie

La réflexologie se base sur le concept chinois selon lequel les méridiens, qui sont des lignes d'énergie parcourant le corps, relient les organes majeurs à des points réflexes spécifiques que, dans le cas de la réflexologie, l'on retrouverait sur la plante des pieds. D'après les réflexologues, la plante de chaque pied peut être ramenée à une carte avec des zones correspondant à différents organes du corps. En mettant les points réflexes sous pression, on peut opérer des changements dans l'état des organes.

Une séance de réflexologie

La pression des doigts et du pouce est appliquée un peu de la même façon qu'avec la digitopuncture. Si on ne ressent aucune douleur, l'organe est en bonne santé, mais si la zone est sensible, il y a un problème dans la partie du corps correspondante et on accentue la pression. Cela peut être fort désagréable, mais les thérapeutes disent qu'en travaillant

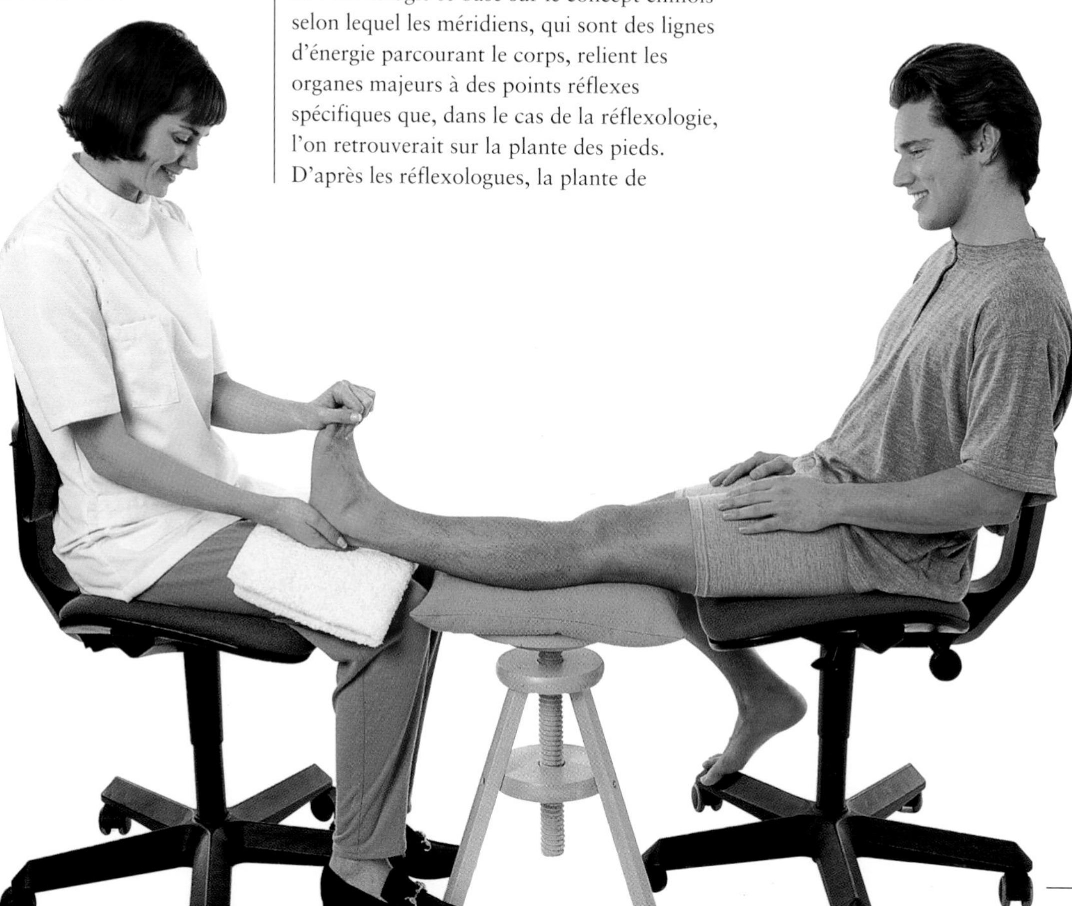

Un traitement par la réflexologie amène une grande détente. Le patient et le thérapeute sont tous les deux assis.

Pour en savoir plus
Que peut-on attendre d'un thérapeute ? 28
Digitopuncture 38

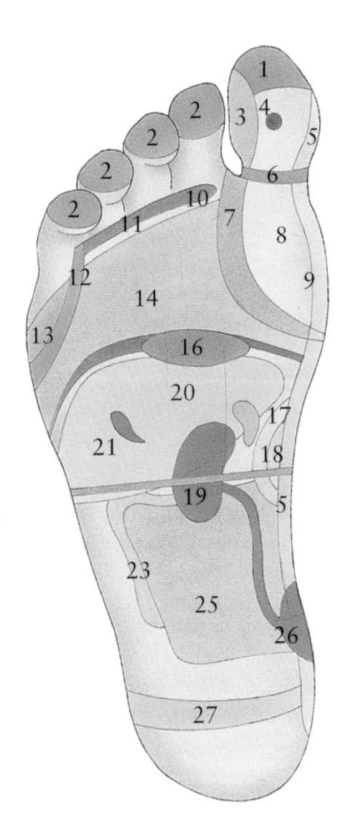

PIED DROIT

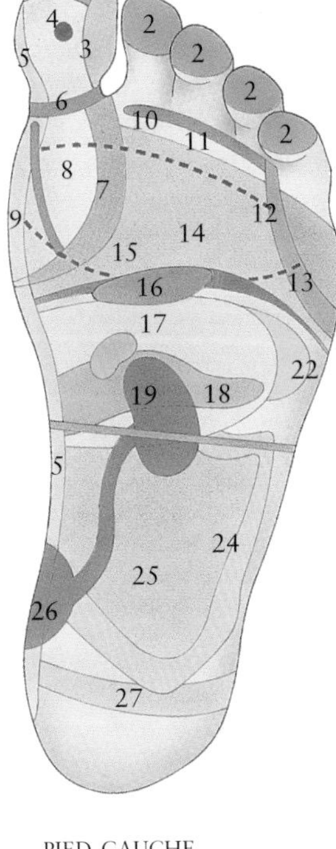

PIED GAUCHE

Les points de réflexologie sur les pieds

1	Cerveau	14	Poumons
2	Sinus	15	Cœur
3	Côté latéral du cou	16	Plexus solaire
4	Glande pituitaire	17	Estomac
5	Colonne vertébrale	18	Pancréas
6	Cou	19	Reins
7	Parathyroïde	20	Foie
8	Thyroïde	21	Vésicule biliaire
9	Trachée	22	Rate
10	Yeux	23	Côlon ascendant
11	Trompe d'Eustache	24	Côlon descendant
12	Oreille	25	Intestin grêle
13	Épaule	26	Vessie
		27	Nerf sciatique

sur le point pendant un certain temps, la douleur diminue et on ressent une réponse à l'endroit de l'organe atteint. Par exemple, un mal de tête peut être soulagé en appuyant énergiquement sur la base du gros orteil, ce qui en réflexologie correspond à la nuque, et une poitrine congestionnée peut être soulagée en pressant sur la partie antérieure de la plante du pied qui correspond aux poumons. La réflexologie n'a pas la prétention de guérir une inflammation ou une infection, mais les thérapeutes affirment que le traitement peut accélérer la guérison et prévenir une rechute. La plupart des patients affirment que la thérapie a un effet relaxant et que le massage améliore la circulation et stimule la plupart des fonctions corporelles, même si la stimulation individuelle des organes n'est pas prouvée. La majorité des patients constatent qu'après le traitement ils ont envie de se reposer ou de dormir, ce qui est sans doute dû à la libération d'hormones comme les endorphines et les enképhalines.

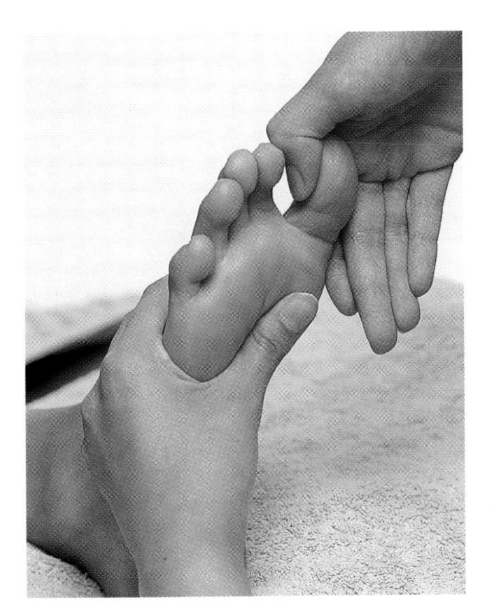

En réflexologie la base du gros orteil correspond à la nuque et la partie antérieure de la plante du pied aux poumons. Masser et exercer des pressions sur ces zones apaisent les douleurs de la nuque et du dos.

Psychothérapies

Parler de ses problèmes à un auditeur professionnel et expérimenté peut souvent aider à comprendre les causes de la douleur mentale ou émotionnelle et permet d'exprimer des sentiments que vous avez peut-être refoulés. Les psychanalystes et les psychologues travaillent avec leurs patients à trouver une solution.

On peut refouler une douleur mentale ou émotionnelle remontant à l'enfance, à moins qu'elle ne soit le résultat d'un traumatisme récent, comme un deuil ou un problème relationnel. La psychothérapie et les entretiens donnent au patient la liberté d'explorer et d'exprimer dans la plus grande confidentialité des émotions et des pensées qu'auparavant il ne souhaitait pas formuler. Dans la plupart des pays occidentaux, il est de plus en plus courant de trouver des psychothérapeutes travaillant en association avec des chirurgiens et des médecins dans des hôpitaux, des cliniques et des centres de santé.

Les entretiens

Les entretiens peuvent être un excellent moyen d'aider les gens à lutter contre des périodes de stress et de tensions émotionnelles, peut-être provoquées par un échec relationnel, des schémas répétitifs ou des problèmes sexuels. De nombreux thérapeutes se spécialisent dans l'un ou l'autre de ces domaines et vous recevront en tête à tête, seul ou avec un partenaire ou d'autres membres de votre famille.

La psychothérapie

Tout comme pour les entretiens, la psychothérapie est une méthode qui permet aux gens de parler de leurs problèmes émotionnels et mentaux grâce à un soutien constant du thérapeute qui leur donne les moyens de les affronter. Cependant, la psychothérapie va plus loin en s'attaquant aux causes sous-jacentes et souvent cachées de la détresse émotionnelle. Elle tente d'amener le patient à comprendre et à affronter ses problèmes psychologiques. Cela peut se faire soit sur une base individuelle, soit au cœur d'un groupe. La psychothérapie est née de la psychanalyse, quand les patients et les praticiens ont adopté une attitude plus critique à l'égard de la science analytique fondée par Sigmund Freud. Il existe maintenant plusieurs écoles et chacune prône une approche différente. Cela va de la thérapie longue et complexe (l'analyse) à la thérapie très pragmatique (la guérison par le rire). À chacun de choisir ce qui lui convient en fonction de son tempérament et du type de problème qu'il rencontre. Certains psychothérapeutes restent assis en vous écoutant, d'autres travaillent plus activement à créer des situations se rapportant au travail ou aux relations, encouragent la libération d'émotions remontant à l'enfance, ou vous conseillent de suivre un cours de désensibilisation

Dans les formes les plus classiques de la psychothérapie le patient peut explorer ses souvenirs d'enfance et parvenir ainsi à éclairer d'un jour nouveau les problèmes qu'il rencontre.

graduelle pour une phobie spécifique.
Les thérapeutes – et cela inclut un nombre croissant de médecins – qui se spécialisent dans l'une ou l'autre de ces approches sont également assez compétents en ce qui concerne les autres types d'analyse et s'ils ne peuvent aider la personne qui les consulte, ils l'adresseront au thérapeute qui convient.

L'hypnose

Il existe un certain nombre de troubles que l'hypnose peut traiter : par exemple les dépendances ou les peurs irraisonnées, qui sont très spécifiques ; mais elle permet aussi de remonter à un traumatisme que le patient ne peut pas se rappeler consciemment. Des désordres qui ont une cause psychosomatique, comme des problèmes intestinaux ou dermatologiques, trouvent parfois un soulagement grâce à l'hypnose.
L'hypnose amène le patient à se plonger dans un état de relaxation profonde. La nature de cet état demeure assez mystérieuse, mais avant qu'on ait inventé les anesthésiants, certains chirurgiens induisaient un état de transe chez les patients afin de pouvoir les opérer, donc le pouvoir de la suggestion s'enracine très profondément dans l'inconscient et il est très efficace. Le patient est alors en mesure de se connecter à la raison cachée de ses difficultés, ou d'imaginer des moyens de les combattre plus facilement. Une fois que la cause est connue – cela peut être un événement spécifique comme un traumatisme au cours de l'enfance ou une culpabilité profondément enracinée au sujet d'un événement précis –, on amène le patient à l'affronter consciemment en suivant une psychothérapie ou en se soumettant à une série d'entretiens. Voilà pourquoi certains hypnotiseurs sont également des psychothérapeutes qualifiés.
L'hypnose est aussi une façon de se détendre à un niveau plus profond. Il existe aujourd'hui des cassettes enregistrées qui utilisent une forme d'hypnose pour favoriser la relaxation, bien que certains thérapeutes ne soient pas très favorables à cette méthode.

AVERTISSEMENT

Il est impossible d'hypnotiser quelqu'un dans le but de l'amener à accomplir un acte contre sa volonté alors qu'il se trouve plongé dans une transe. Cependant, il est important de vérifier les références de votre thérapeute avant d'accepter ses services. Demandez à votre médecin de vous donner des noms d'hypnothérapeutes qualifiés ou vérifiez que votre praticien est affilié à un organisme officiellement reconnu et demandez qu'on vous envoie de la documentation.

Pour en savoir plus

Auto-hypnose 46
Douleurs psychiques 91

Un grand nombre de personnes trouvent un soulagement à leur anxiété et à leur détresse grâce aux thérapies de groupe.

Médecins spécialistes

Votre médecin peut vous adresser à un spécialiste si les traitements qu'il vous a prescrits ne donnent aucun résultat, si des examens complémentaires s'avèrent nécessaires après que l'on vous a fait des radios et des analyses de sang, ou si vos symptômes ne se rapportent pas à une maladie immédiatement identifiable.

Dans le tableau suivant, M indique une spécialité médicale, D une spécialité dentaire.

Un spécialiste, ou un chirurgien consultant, est un médecin hautement qualifié et qui possède une expérience irremplaçable. Il a une connaissance approfondie de certaines maladies. Un spécialiste réexaminera avec vous votre itinéraire médical, notera vos antécédents et ouvrira un dossier. Il demandera peut-être de nouveaux

LES SPÉCIALISTES ET LES DOMAINES QU'ILS COUVRENT

Orthophonistes	Traitant les problèmes de surdité, ils font un diagnostic sur le type de problèmes auditifs dont vous souffrez. Ils travaillent en tandem avec les spécialistes de l'oreille, du nez et de la gorge (oto-rhino-laryngologistes).
Cardiologues (M)	Les cardiologues posent un diagnostic et s'occupent de la gestion des problèmes cardiaques. Ils ne pratiquent pas d'opération.
Pédicures (1)	Les pédicures traitent les pieds. Un bon pédicure analyse la façon dont vous marchez qui peut expliquer la cause de vos douleurs.
Dermatologues (M)	Ils posent un diagnostic et traitent un large éventail d'affections cutanées.
Diététiciens et nutritionnistes	Un mauvais régime alimentaire peut occasionner des troubles et des douleurs. Les personnes qui souffrent de désordres digestifs métaboliques et liés à une mauvaise nutrition sont souvent adressés à des diététiciens et des nutritionnistes.
Endocrinologues (M)	Spécialisés dans le métabolisme et le système endocrinien, qui libère des hormones dans le sang.
Gastro-entérologues (M)	Ces médecins sont spécialisés dans les désordres de l'appareil digestif et les glandes qui y sont associées, comme le foie et le pancréas.
Urologues	Traitent les conséquences physiques des maladies sexuellement transmissibles, ainsi que les troubles urinaires.
Gériatres (M)	S'occupent de soigner les personnes âgées et de les suivre. Le traitement de la douleur peut faire partie de leur travail.
Gynécologues (M)	Ils diagnostiquent et traitent les troubles de l'appareil génital féminin – qui peuvent provoquer des douleurs sévères.

examens : analyses, radios ou scanners. Il existe de nombreux examens spécialisés que l'on peut vous prescrire pour découvrir la cause de votre problème. Le spécialiste discutera avec vous du traitement le plus approprié à votre cas et il se mettra en relation avec votre médecin généraliste afin que vous puissiez également en parler avec lui. N'oubliez pas que vous avez le droit de tout savoir sur votre traitement, de consulter votre dossier et de refuser ce qui ne vous convient pas.

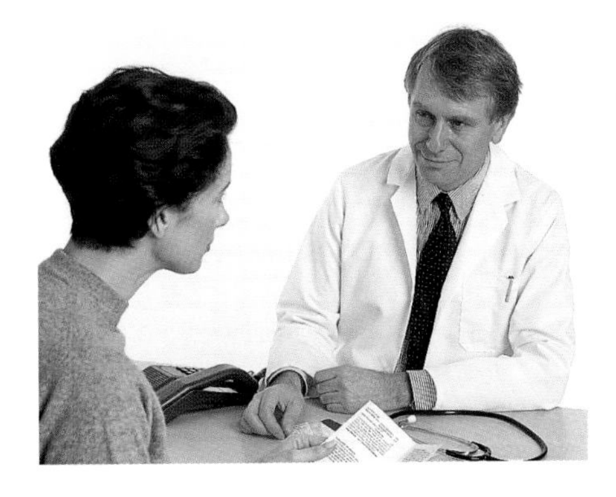

Pour en savoir plus

Système nerveux 16
Système musculosquelettique 18
Appareil digestif 20

LES SPÉCIALISTES ET LES DOMAINES QU'ILS COUVRENT

NEUROLOGUES (M)	Les problèmes liés au système nerveux, ce qui comprend le cerveau, sont diagnostiqués et traités par les neurologues.
CANCÉROLOGUES (M)	L'oncologie (ou cancérologie) est réservée au diagnostic du cancer. Les cancérologues sont des spécialistes du traitement et de la gestion du cancer.
ORTHODONTISTES (D)	Les orthodontistes peuvent vous apporter beaucoup si la cause de votre douleur est liée à la façon dont vous « mordez » et faites travailler vos mâchoires. Cela peut engendrer des douleurs de la tête, de la nuque ou des épaules.
ORTHOPÉDISTES	Ils diagnostiquent et traitent les problèmes en relation avec le squelette et l'appareil locomoteur.
PROTHÉSISTES	Ils s'occupent des prothèses ou des supports mécaniques comme les corsets, les membres artificiels, les chaussures rehaussées.
SPÉCIALISTES DE LA DOULEUR (M)	Ce sont des spécialistes qui viennent d'horizons divers et qui proposent une approche multidisciplinaire du soulagement de la douleur (évaluation et traitement).
PODOLOGUES	La podologie est l'art d'équilibrer la façon dont vos pieds entrent en contact avec le sol en utilisant des semelles que l'on glisse dans les chaussures.
PSYCHOLOGUES ET PSYCHIATRES (M)	Ces spécialistes diagnostiquent et traitent les problèmes psychiques qui peuvent être la cause de la douleur ou son résultat.
RHUMATOLOGUES (M)	Les rhumatologues diagnostiquent et traitent les personnes qui souffrent de désordres inflammatoires comme la polyarthrite rhumatoïde et la spondylite ankylosante.
CHIRURGIENS (M)	Les chirurgiens pratiquent des interventions ou opérations. Certains se spécialisent dans l'appareil génital et urinaire, l'orthopédie, l'appareil digestif, etc.

Thérapie par les médicaments

Les médicaments pour la douleur comprennent ceux que vous achetez sans ordonnance dans votre pharmacie de quartier (automédication) et ceux que seul un médecin peut vous prescrire. Les remèdes que l'on achète de sa propre initiative sont en général moins puissants et donc potentiellement moins dangereux que ceux prescrits par votre médecin.

LES DIFFÉRENTES CATÉGORIES DE MÉDICAMENTS POUR LA DOULEUR

ANALGÉSIQUES	Les analgésiques prennent en charge la douleur en réduisant la réponse à la douleur dans le cerveau. Ils comprennent des médicaments aussi courants que l'aspirine, le paracétamol et des médicaments fonctionnant sur le même principe que la morphine, comme la codéine qui est plus faible. Ils ne sont pas sans effets secondaires quand on les prend sur de trop longues périodes.
ANTI-INFLAMMATOIRES NON STÉROÏDIENS (AINS)	Ils ont des effets anti-inflammatoires et aussi analgésiques. L'aspirine, l'ibuprofène, le diclofénac, l'indométacine, l'acide méfénamique, le naproxène et le piroxicam en font partie. Ils peuvent provoquer des ulcères, exacerber l'asthme. Leur effet analgésique est dû en partie à leur action anti-inflammatoire. Des crèmes ou des gels sont également disponibles et ils sont aussi efficaces que les comprimés.
MYORELAXANTS	Ce sont des produits qui ont un effet relaxant sur les muscles. Les posologies pour traiter l'anxiété ou détendre les muscles sont les mêmes. Ce type de médicaments provoque des accoutumances rapides, on les utilise donc sur des périodes très brèves. Un des exemples les plus connus est celui du diazépam. Même à faible dose, les tranquillisants sont un sédatif du cerveau, et ils peuvent provoquer une perte de concentration et des trous de mémoire.
ANTIDÉPRESSEURS	Les antidépresseurs tricycliques (amitriptyline, imipramine, désipramine, etc.) prescrits en petites doses sont insuffisants pour avoir des effets sur la dépression mais peuvent se révéler aussi efficaces que les analgésiques. Ils induisent un état de somnolence et on les prescrit le soir. Ils aident à s'endormir et assèchent la bouche. Comme tous les médicaments qui affectent le cerveau, ils peuvent avoir des effets secondaires désagréables.
ANTI-INFLAMMATOIRES STÉROÏDIENS OU CORTICOSTÉROÏDES	Ils sont efficaces pour soulager la douleur provoquée par une inflammation, ils réduisent aussi l'œdème là où les nerfs sont comprimés. En injection, ils ont un effet analgésique local prolongé. Ils peuvent provoquer des ulcères à l'estomac, le syndrome de Cushing (une maladie hormonale très sérieuse) et de l'ostéoporose.

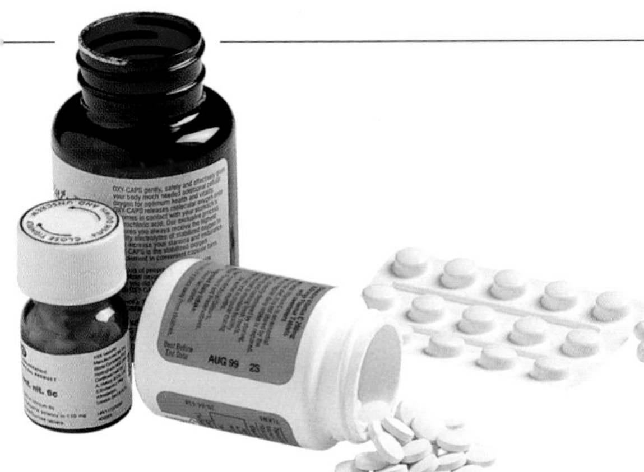

La thérapeutique médicamenteuse est un des traitements de base de la médecine conventionnelle. Ces remèdes peuvent parfois provoquer des effets secondaires.

LES TRAITEMENTS PAR INJECTIONS

INFILTRATIONS INTRA-ARTICULAIRES	La plupart du temps elles contiennent un AINS et un anesthésique local. Elles offrent un répit qui peut aller de quelques heures à un mois (dans 15 % des cas), par exemple pour les arthrites sévères. On les utilise aussi pour préciser un diagnostic.
INJECTIONS D'ANTI-INFLAMMATOIRES STÉROÏDIENS	Elles sont injectées en intra-articulaire (voir ci-dessus) pour les entorses ou les luxations des muscles. Elles sont parfois associées à un spray refroidissant et à des exercices de stretching s'il y a des « points gachettes » dans le muscle. AVERTISSEMENT : des injections répétées de corticostéroïdes affaiblissent les os, les ligaments et les attaches des muscles autour du point d'injection.
INJECTIONS SCLÉROSANTES	Ce sont des injections destinées à « scléroser » ou durcir et resserrer les ligaments qui sont devenus hyper-relâchés. Les injections contiennent une solution irritante qui provoque la formation d'un tissu fibreux autour du point d'injection. Les injections sont hebdomadaires et durent environ 15 minutes. On les fait sous anesthésie légère mais elles sont douloureuses et les effets ne se font pas sentir avant deux mois. Le bénéfice à long terme n'est pas garanti, mais certaines personnes ont été par ce moyen soulagées de leurs douleurs pendant des années. Peut-être parce que les nerfs au voisinage de l'injection sont alors partiellement détruits.
INJECTIONS ÉPIDURALES	On pratique des injections de corticostéroïdes et d'anesthésiques locaux dans le canal rachidien pour calmer la douleur due à la compression d'un nerf, généralement à cause d'une hernie discale. Les corticostéroïdes peuvent réduire l'œdème autour du disque, réduisant ainsi la pression sur le nerf. L'injection vous permet de « jouer la montre » et de laisser le temps au corps de réduire le disque endommagé, ce qui permet éventuellement de se passer des autres traitements. Cependant, si les lésions des nerfs amènent des problèmes moteurs ou urinaires, la chirurgie peut s'avérer nécessaire. La plupart des problèmes de disques ne sont pas accompagnés de hernies et les lésions se cicatrisent avec le temps.
CHIMIONUCLÉOLYSE	Une enzyme obtenue à partir de la papaye, la papaïne, est injectée dans le nucléus des disques protubérants afin de les dissoudre. Cela réduit définitivement une hernie discale mais cela peut aussi provoquer de sévères effondrements discaux, ce qui accentue la pression sur les articulations voisines. Cette technique n'est pas utilisée pour les protubérances sévères avec des particules de disque flottant alentour. Parfois, le médicament peut s'infiltrer dans des zones sensibles avoisinantes, provoquant un endolorissement.

Kinésithérapie

Une variété de problèmes musculosquelettiques peut être soulagée par la physiothérapie, qui est normalement la seule thérapie manuelle (où les mains travaillent directement sur le corps) que propose la médecine conventionnelle. Votre premier rendez-vous s'apparentera à une consultation de votre médecin de famille.

Un kinésithérapeute vous examinera avec soin avant de décider du traitement qui vous conviendra le mieux.

Votre médecin peut vous recommander la kinésithérapie pour vous rééduquer à la suite d'une fracture, d'une élongation ou d'une entorse, ou pour soulager des dorsalgies et des douleurs articulaires. La plupart des hôpitaux ont un service de kinésithérapie, mais les kinésithérapeutes travaillent aussi dans des centres de santé. Ils offrent différents traitements et ils se spécialisent souvent dans un domaine ou dans un autre. Ils vous guideront au cours d'une série de rendez-vous.

La manipulation

Le traitement par la kinésithérapie implique souvent l'« articulation » et la manipulation. Généralement on commence par l'« articulation », une technique qui en faisant bouger les articulations d'une façon très contrôlée permet de les libérer partiellement et de poser un diagnostic. Les kinésithérapeutes utilisent également une technique du nom de « mobilisation de Maitlands » qui consiste en une série de pressions de la main pour allonger les muscles et les ligaments et faire bouger les articulations. Cela assouplit les contractures, les adhérences, les capsules articulaires endommagées, etc., cela améliore aussi les échanges de liquides à l'intérieur et à l'extérieur des articulations.

Les massages

Les kinésithérapeutes utilisent les massages et les exercices, car ils partagent la philosophie de nombreux thérapeutes complémentaires utilisant la manipulation : le corps se corrigera de lui-même si on lui prescrit les exercices qui conviennent. Ces exercices sont multiples et certains ressemblent aux postures du yoga.

L'hydrothérapie

La thérapie par l'eau ou hydrothérapie est utilisée depuis des années par les kinésithérapeutes et ses qualités pour traiter la douleur ne sont plus à démontrer. La plupart du temps, l'hydrothérapie implique de faire des exercices dans une piscine d'eau chaude sous la surveillance d'un thérapeute. Il est souvent dans la piscine avec vous pour mieux vous corriger. Contrairement à l'hydrothérapie des naturopathes qui utilisent toute une variété de techniques parfois assez sophistiquées, l'hydrothérapie en kinésithérapie profite simplement de la plus grande densité de l'eau. Comme le corps est plus léger dans l'eau, la pression sur les articulations et les muscles douloureux est moindre, et cela rend les exercices plus faciles à exécuter. Cela veut également dire que les patients souffrent moins d'un exercice mal exécuté.

Les tractions

La traction, dont le sens littéral est « tirer », s'exerce manuellement ou avec l'assistance de machines d'aspect parfois rébarbatif auxquelles les patients sont attachés. Le but de la traction est d'étirer les tissus pour soulager la pression qui s'exerce sur les disques dans les problèmes de dos. La traction mécanique est aussi utilisée dans les hôpitaux pour les gens qui souffrent le martyre à cause de pressions qui s'exercent sur les nerfs, mais cette méthode n'est pas très populaire (les patients sont attachés sur de longues périodes et ne sont généralement pas autorisés à aller aux toilettes) et elle est controversée. Certains experts de la douleur affirment qu'un repos prolongé avec tractions provoque plus de problèmes qu'il n'en résout, et que les bénéfices sont de courte durée. Il est cependant prouvé que cela aide certaines personnes. L'utilisation de procédés électroniques pour soulager la douleur a aussi un rôle important à jouer (voir l'encadré ci-dessous).

Pour en savoir plus

Théorie de la porte de la douleur 15
Massages 56
Hydrothérapie 63

LES NEURO-STIMULATIONS POUR SOULAGER LA DOULEUR

TENS

La neuro-stimulation électrique transcutanée des nerfs (TENS) utilise un procédé qui envoie une impulsion électrique partant d'une batterie électrique pour aboutir aux nerfs grâce à des électrodes attachées à la surface de la peau, soit à l'endroit où se situe la douleur ou à proximité, soit sur les nerfs qui innervent cette zone. Cela fonctionne sur le principe du contrôle de la porte de la douleur. Une des théories suppose que ce courant inhibe certaines cellules de la moelle épinière en les rendant moins sensibles aux signaux de la douleur et en bloquant leur transmission au cerveau ; une autre théorie est d'avis que les impulsions électriques stimulent la production d'endorphines pour bloquer la transmission de la douleur.

Cette stimulation est utile pour certains types de douleurs. Elle amène un soulagement pour 30 à 50 % des patients souffrant de douleurs chroniques. Des développements récents ont proposé des TENS qui sont maintenant disponibles sur le marché pour un usage à domicile. On peut aussi les louer.

Une version plus sophistiquée répond au nom de Giga-TENS. Il paraîtrait que ce type de stimulation obtiendrait des résultats plus nets en envoyant un milliardième de watt à 52-78 GHz (1 milliard de cycles par seconde). Décrite comme une « acupuncture solaire » par le neurochirurgien qui a lancé ce procédé, le docteur Norman Shealy (qui affirma qu'il s'agit potentiellement de l'outil de guérison le plus puissant jamais découvert), Giga-TENS est controversé et on n'est donc pas prêt de le trouver sur le marché pour le moment.

ÉLECTROTHÉRAPIE INTERFÉRENTIELLE

De faibles courants électriques opposés « interfèrent » l'un avec l'autre. Appliquée à des zones douloureuses grâce à des ventouses ou des éponges humides, la thérapie produit une sensation de chatouillement qui peut apporter un soulagement de la douleur à court terme.

ÉLECTROMAGNÉTOTHÉRAPIE À ONDES COURTES

Elle utilise des vagues électromagnétiques pour accélérer la guérison ; on l'appelle également « impulsion d'énergie électromagnétique ». Elle est efficace pour les fractures qui sont longues à guérir et pour traiter l'altération des tissus mous.

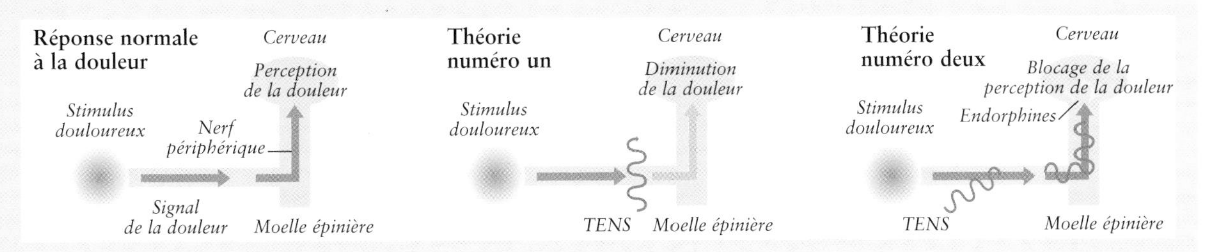

Techniques d'imagerie médicale

La médecine conventionnelle offre une variété de moyens pour produire des images des pathologies dont vous souffrez afin d'établir un diagnostic. On vous les prescrira si la douleur est aiguë, chronique ou récurrente. L'imagerie médicale demande un équipement coûteux et elle est donc pratiquée à l'hôpital ou dans un centre médical.

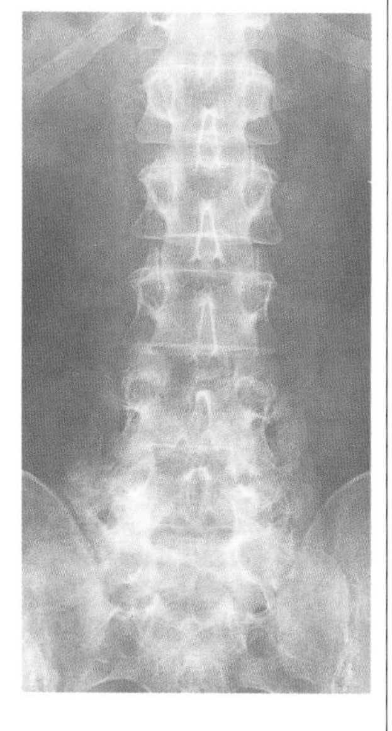

Les rayons X sont toujours très utiles, ils donnent une vision de la structure des os, mais aujourd'hui, des techniques plus sophistiquées permettent d'obtenir une image des nerfs et des tissus mous. Les rayons X sont bon marché, contrairement aux scanners.

Les examens médicaux vont des analyses de sang aux radios en passant par les techniques plus sophistiquées des scanners. Il existe un large éventail d'analyses de sang mais leur but est convergent : il s'agit d'analyser le contenu chimique du sang pour y chercher des signes de dysfonctionnements ou de maladies.

La radiographie

On peut prendre un cliché en utilisant des rayons à ondes courtes appelées rayons X. Les rayons X sont absorbés par les os et certains tissus du corps qui apparaissent en sombre sur le cliché. Les clichés apportent des informations sur les os et les dents, et repèrent les calculs et les cancers. À cause des radiations, il faut cependant user des rayons X à bon escient.

Le scanner

La tomographie informatisée utilise une faible quantité de rayons X (une seconde pour le cerveau) associée à un procédé de balayage électronique tournant qui enregistre les différentes épaisseurs des tissus et les transmet sur un film pour y être analysées. Contrairement aux rayons X qui pénètrent dans tout le corps et offrent donc une vision d'ensemble qui n'est pas toujours claire, un scanner est très spécifique et donne une image bien définie d'une mince couche de tissu.

L'échographie

C'est une méthode rapide et sans douleur qui permet de pénétrer dans le corps. Elle capte l'« écho » renvoyé par différents tissus solides et convertit leurs ondes sonores en une image que l'on peut analyser. Comme le scanner, l'échographie est un outil précieux pour poser un diagnostic sur des tissus où une chirurgie exploratoire serait une entreprise risquée, mais il ne sert à rien pour le cerveau où les os du crâne obscurcissent les tissus.

L'IMAGERIE PAR RÉSONANCE MAGNÉTIQUE

L'imagerie par résonance magnétique (IRM) fonctionne de la même façon qu'un scanner à rayons X mais elle utilise des électroaimants très puissants et des ondes radio au lieu de rayons X. C'est un des examens les plus précis pour les dommages du système nerveux, des articulations, des tissus mous et la détection de dysfonctionnements et de blessures à la colonne vertébrale.

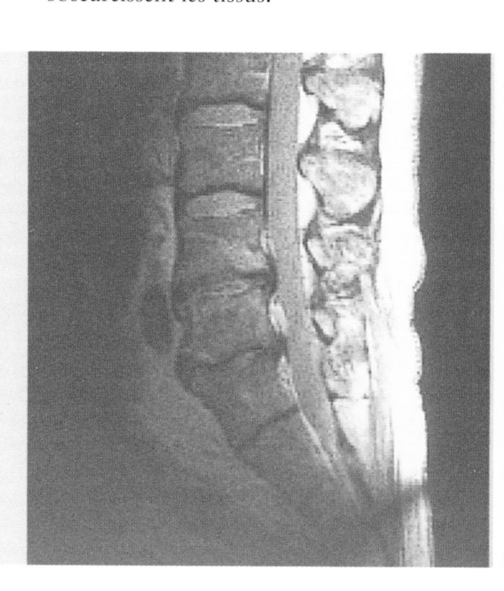

La myélographie

On utilise la myélographie quand on envisage une intervention chirurgicale sur la colonne vertébrale pour de graves problèmes musculosquelettiques. On injecte dans le canal rachidien un produit de contraste qui va diffuser jusqu'au liquide céphalorachidien qui entoure la moelle et la racine des nerfs. Le liquide met en évidence certaines zones et permet au chirurgien de repérer les nerfs endommagés. Les substances utilisées, surtout les plus anciennes à base d'huile, ne sont pas totalement sans danger.

L'électromyogramme

Examen consistant à enregistrer l'activité électrique d'un muscle par l'insertion d'une électrode sous forme d'une ou plusieurs aiguilles enfoncées dans le muscle à travers la peau. Par exemple, si vous souffrez du dos pour des problèmes de disques, on testera les muscles de la jambe, du mollet ou du pied, qui sont les plus souvent touchés par une affection de ce genre. Si la réponse d'un muscle est faible, cela indique que les terminaisons nerveuses entre la moelle épinière et le muscle dans la colonne vertébrale posent un problème.

L'endoscopie

C'est une exploration visuelle des organes internes au moyen d'un long tube optique, fin, flexible et muni d'un système d'éclairage appelé endoscope. Le spécialiste voit les organes directement grâce à une lentille ou indirectement sur un écran de contrôle.

L'électrocardiographie (ECG)

Des électrodes disposées sur la peau enregistrent l'activité électrique spontanée du cœur, ce qui permet de déterminer précisément la durée et l'amplitude des accidents électrocardiographiques. Le tracé électrocardiographique porte le nom d'électrocardiogramme. De 25 à 50 % des tests donnent un résultat « faux négatif », ne montrant aucune anomalie alors qu'il y en a une, ou alors, au contraire, un « faux positif ». L'interprétation des résultats est donc délicate.

La radiologie interventionnelle

Technique d'intervention thérapeutique contrôlée visuellement au moyen d'un appareillage d'imagerie médicale. Elle permet au spécialiste d'aller directement et avec une grande précision à l'organe affecté. Elle est adaptée au diagnostic et au traitement de certaines hernies discales, ainsi qu'à l'ablation d'un disque ou d'une tumeur.

Pour en savoir plus

Système musculosquelettique 18
Chirurgie 86
Douleurs du dos 136

Tandis que le patient est soumis au détecteur rotatif d'un scanner, une image d'une section de son cerveau apparaît sur un écran d'ordinateur.

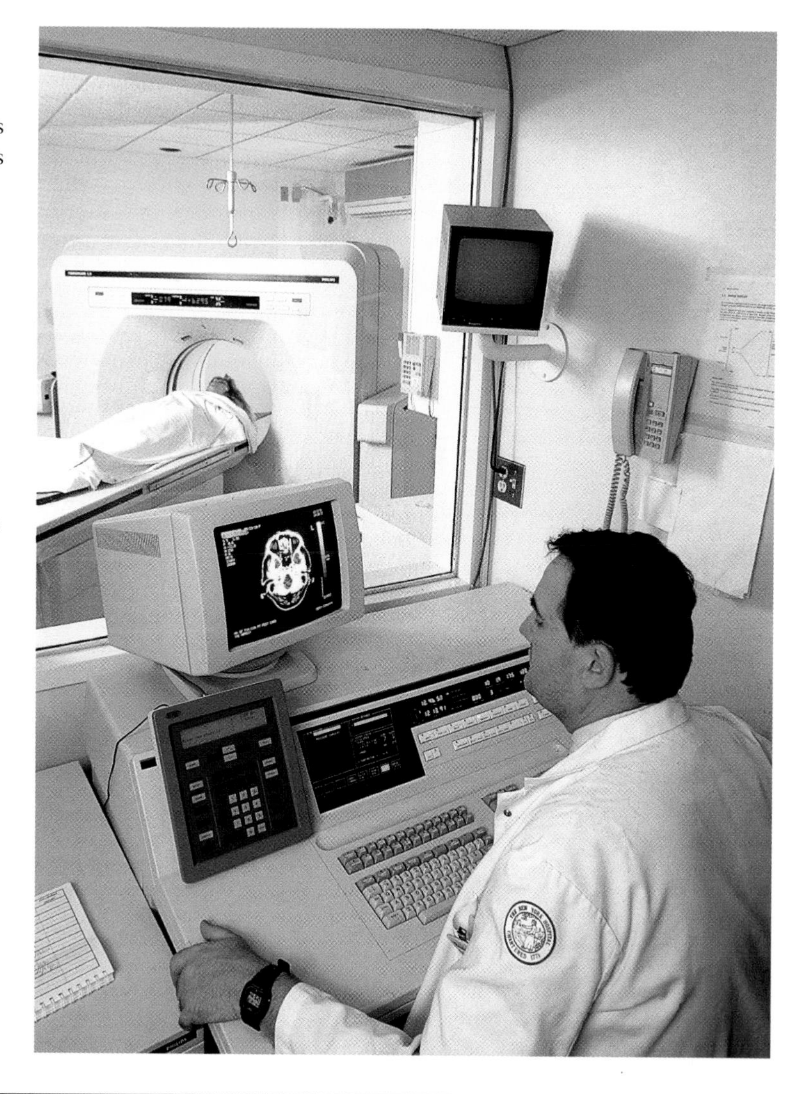

Chirurgie

Si la douleur dont vous souffrez est provoquée par un organe qui fonctionne mal ou si elle est le résultat d'un accident, il vous faudra peut-être avoir recours à la chirurgie. Bien des opérations relèvent maintenant de la simple routine et la microchirurgie en minimise les risques et les traumatismes.

Si votre médecin estime qu'une opération est nécessaire, il vous adressera au chirurgien spécialisé pour votre cas.
Les neurochirurgiens opèrent le crâne et la colonne vertébrale : ils sont donc responsables des opérations du cerveau ou des disques de la colonne vertébrale.
Les chirurgiens orthopédistes sont chargés des membres et du squelette : ils s'occuperont des fractures, des difformités, du remplacement des articulations. Un chirurgien spécialisé en gastro-entérologie retirera les calculs de l'appareil digestif.
La technologie moderne signifie des opérations plus complexes et plus sûres, qui ont beaucoup évolué au cours de ces dernières années. On pratique maintenant des opérations « en aveugle » par de minuscules incisions de la peau, en utilisant un microscope binoculaire et un écran de retransmission qui permettent au chirurgien de guider ses instruments (voir l'encadré à droite sur la « chirurgie boutonnière »).
Cependant, la douleur du patient va rarement s'évanouir comme par enchantement après une opération. Une rééducation sera peut-être nécessaire et il faut le temps aux tissus de cicatriser pour récupérer le plein usage de l'organe atteint ou de la zone touchée, surtout si le dysfonctionnement remontait à loin.

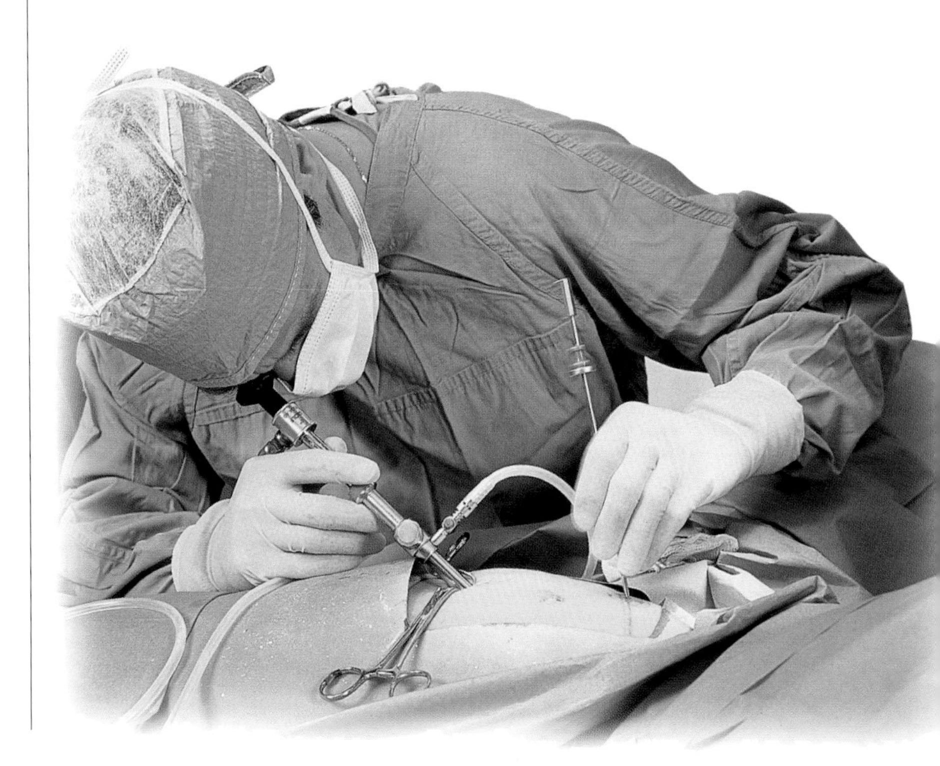

Un chirurgien regarde à l'intérieur du corps avec un endoscope, ce qui lui évite de pratiquer de grandes incisions.

Mesurer les risques

La chirurgie est généralement considérée comme le dernier recours pour les douleurs de toutes sortes – y compris le dos.
Les résultats sont incertains et c'est un traitement qui peut comporter des risques : réaction à l'anesthésie, infections, thrombose ou embolie, hémorragie pouvant nécessiter une transfusion sanguine. D'autre part, pour les opérations concernant la colonne vertébrale, il y a toujours le risque de léser un nerf ou d'endommager la moelle épinière, ce qui peut dans certains cas mener à la paralysie (une opération sur cinq mille…).

Statistiquement, la mort secondaire à une opération est rare. Si on prend la colonne vertébrale, il y a environ un risque sur trois cents de mourir pendant une opération – généralement indiquée en raison d'une grave lésion à la moelle épinière ou d'un caillot de sang dans les poumons.
Si vous craignez une intervention chirurgicale, il faut en parler avec votre médecin et votre chirurgien. Vous devez prendre votre décision en connaissance de cause, refuser les pressions, peser longuement le pour et le contre.
Les bons médecins vous soutiendront dans une telle approche.

Pour en savoir plus

Physiothérapie 82
Techniques d'imagerie médicale 84

LA « MICROCHIRURGIE BOUTONNIÈRE »

Il s'agit d'une technique relativement récente qui permet des interventions a minima et peu invasives. On pratique de petites incisions et par la suite, on se remet beaucoup plus rapidement : il arrive que l'on puisse rentrer chez soi après deux ou trois jours d'hospitalisation seulement.
Et il ne vous en restera qu'une cicatrice quasiment invisible.
Le chirurgien utilise un instrument que l'on appelle un endoscope. Cet endoscope est parfois fixé à une caméra vidéo miniature qui transmet l'image sur un écran. Sinon, le chirurgien regarde directement par le biais d'un binoculaire.
L'endoscope, ce tube muni d'un système optique, peut contenir de petits instruments chirurgicaux comme des écarteurs ou un bistouri.
Le chirurgien pratique des incisions d'environ 10 millimètres de longueur pour l'endoscope contenant les instruments.
Ce qui lui permet de se repérer et de les amener à l'endroit précis où il doit intervenir.
Parfois, il utilise le laser au lieu d'un bistouri pour inciser les tissus. De nombreux instruments chirurgicaux ont été miniaturisés et adaptés afin d'être utilisés par la chirurgie endoscopique.
Le nom des endoscopes change selon l'endroit du corps où ils seront utilisés. On parle d'une endoscopie articulaire pour les articulations et d'un endoscope abdominal pour la cavité abdominale.

3

SOULAGER LA DOULEUR

Il y a bien des façons de soulager la douleur, de la médecine conventionnelle aux thérapies complémentaires. Ce chapitre examine certaines des causes les plus connues de la douleur. Elles sont divisées selon les différentes parties du corps et comprennent les douleurs articulaires, musculaires, vasculaires, dermatologiques et psychologiques, entre autres. Ici, on se focalise sur les thérapies complémentaires comme la phytothérapie, les massages, les thérapies nutritionnelle et diététique, le yoga, le tai chi et la naturopathie. Bien que certains traitements alternatifs comme l'acupuncture ne soient pratiqués que par des thérapeutes qualifiés, les autres permettent aux patients de se soigner eux-mêmes après un entretien avec un thérapeute alternatif, comme un homéopathe, ou après la lecture de certains documents, comme pour la phytothérapie.

Traitements pour la douleur émotionnelle

Le concept que la douleur est tout aussi émotionnelle que physique est étranger à la plupart des gens, mais ceux qui en ont fait l'expérience en ont vérifié l'exactitude. Un traumatisme émotionnel peut provoquer la dépression et l'anxiété, et dans certains cas il mène même à la douleur physique.

La détresse psychologique est le résultat des traumatismes émotionnels. On pleure la perte d'un proche, on se sent rejeté et on tombe dans la dépression. Dans des cas extrêmes cela peut mener à la douleur physique, car les zones du cerveau qui traitent la douleur émotionnelle et celles qui traitent la douleur physique sont les mêmes.

Les thérapies nutritionnelle et diététique

Les déficiences en vitamines et en minéraux peuvent exacerber certains types de dépression à cause des déséquilibres chimiques dans le corps qui peuvent affecter le niveau hormonal – et les hormones jouent un rôle essentiel dans l'humeur de chacun. Pour vérifier si vous êtes

JUSQU'À QUEL POINT ÊTES-VOUS DÉPRIMÉ ?

Si vous traversez une période difficile mais ne savez pas exactement pourquoi vous vous sentez malheureux ou si vous ignorez jusqu'à quel point il faut vous inquiéter, essayez de répondre au questionnaire suivant. L'expérience montre que plus les gens sont conscients des motifs qui provoquent une dépression ou une douleur émotionnelle, plus ils ont des chances de la surmonter. Ce questionnaire, conçu par un médecin, vous aidera à mieux cerner votre état d'esprit. Si vous découvrez que vous êtes déprimé, il ne faut pas tarder à vous en occuper. Vous devez répondre aux dix questions suivantes en évaluant vous-même le degré de gravité de vos symptômes.

	Aucun	Léger	Modéré	Sévère	Très sévère
État dépressif	0	1	2	3	4
Sentiment de culpabilité	0	1	2	3	4
Tendances suicidaires	0	1	2	3	4
Problèmes de concentration et de mémoire	0	1	2	3	4
Lassitude	0	1	2	3	4
Sommeil perturbé	0	1	2	3	4
Perte du désir sexuel	0	1	2	3	4
Perte de l'appétit	0	1	2	3	4
Angoisses	0	1	2	3	4
Symptômes provoqués par l'angoisse	0	1	2	3	4

Il vous suffit d'additionner les chiffres que vous aurez totalisés (le maximum est de 40). Un score de 10 vous définit comme « normal » : votre état d'esprit n'est pas très différent de celui de la majeure partie des gens. Pour être classé dans la catégorie des déprimés, vous devez, pour la première question (« état dépressif »), aller jusqu'à 2. Si vous dépassez dix pour le total, il vous faut consulter les traitements pages 90-95. Si vous dépassez 30, il vous faut consulter un médecin ou un spécialiste de la dépression.

Pour en savoir plus
Visualisation 50
Thérapie par les arts créatifs 54
Médecine par les plantes 60

concerné, il vous faudra trouver un spécialiste qui vous fera passer des examens.
Manger sainement et prendre des suppléments alimentaires contenant des vitamines et des micronutriments peut s'avérer très bénéfique. Ces suppléments doivent contenir de la vitamine A, des vitamines B, C et E. Quant aux minéraux, le zinc, le calcium, le sélénium, le magnésium et le potassium, ils sont essentiels, de même que les acides aminés. Pour la vitamine A et le potassium, il est recommandé de suivre un avis médical.

La phytothérapie

On dit que le millepertuis, la valériane, le romarin, la lavande et la citronnelle sont efficaces contre la dépression, surtout la dépression légère due à l'insomnie, l'anxiété et la tension. On trouve facilement le millepertuis maintenant que la recherche a prouvé son efficacité – mais il est nécessaire d'en prendre pendant un mois aux doses prescrites pour obtenir les meilleurs résultats.

La visualisation

Grâce à une visualisation positive, on peut mettre à contribution le pouvoir de l'esprit pour aider le corps. Afin de soulager la dépression, on se concentre sur la détresse que l'on ressent afin de la faire évoluer. Fixez votre attention sur l'image que vous avez choisie afin que votre esprit parvienne à contrôler la douleur, et non l'inverse. Pensez à une image positive qui contienne aussi la solution à votre problème. Visualisez-la régulièrement. Dans le meilleur des cas, vous verrez que votre esprit éliminera la douleur.

La thérapie par les arts créatifs

Cette thérapie encourage l'expression émotionnelle de façon non verbale. Ceux qui sont incapables de se soulager par la parole, peut-être parce qu'une trop grande conscience d'eux-mêmes les empêche de se laisser aller, trouveront cette thérapie très bénéfique.

LES APPROCHES DE TRAITEMENTS POUR LA DOULEUR ÉMOTIONNELLE

Les thérapies efficaces pour la douleur émotionnelle comprennent des approches physique et psychologique, ainsi que des thérapies dites énergétiques. L'automédication est possible si la cause de la souffrance est évidente et que le patient désire se soigner. Savoir ou soupçonner ce que dissimule la souffrance est important car si la cause demeure inconnue, un traitement efficace est difficile, sinon impossible.
L'aide des autres est nécessaire si la souffrance n'est pas identifiable, si elle est tellement intense que le patient ne désire pas ou ne peut pas se soigner, si un appui extérieur est nécessaire pour que le traitement soit efficace. Les thérapies qui fonctionnent le mieux pour soulager la douleur émotionnelle ont été répertoriées dans le tableau suivant :

AUTOMÉDICATION	**Physique :** exercices, massages, aromathérapie, réflexologie **Psychologique :** méditation, visualisation, auto-hypnose, biofeedback **Thérapie par l'énergie :** les remèdes floraux du Dr Bach
AUTOMÉDICATION AVEC AIDE EXTÉRIEURE	**Physique :** thérapies nutritionnelle et diététique, phytothérapie, thérapies par le mouvement (yoga, tai chi, technique Alexander), par la couleur et la lumière, par l'eau **Psychologique :** arts créatifs (musique, danse, art dramatique) **Thérapie par l'énergie :** homéopathie
TRAITEMENT AVEC UN PRATICIEN	**Physique :** ostéopathie crânienne **Psychologique :** entretiens, psychothérapie, hypnose **Thérapie par l'énergie :** acupuncture

Traitements pour la douleur émotionnelle

Le massage des pieds est idéal pour soulager les tensions qui peuvent contribuer à la souffrance psychique.

La méditation

La méditation aide à calmer un esprit perturbé mais elle peut aussi permettre à la personne qui médite de voir le monde de façon plus lointaine, moins personnelle (voir pp. 48-49). Quand vous ressentez une angoisse, il est facile de croire que le malheur vous a choisi. Pourquoi moi ? Au cours de la méditation, les étudiants apprennent à se concentrer sur l'universel, ce qui peut être un grand soulagement pour ceux qui intériorisent leurs sentiments ou trouvent qu'ils sont incapables de penser à autre chose qu'à leurs problèmes émotionnels.

La guérison

Pour comprendre qu'il y a une force de guérison en dehors de vous, il vous faut un « guide » ou un guérisseur. Trouver quelqu'un qui a le don d'aider les autres est plus facile dans certains pays que dans d'autres (voir pp. 72-73). Les recommandations personnelles sont généralement la meilleure manière de trouver un guérisseur authentique, puisqu'aucune institution ne les regroupe.

Les exercices

Toutes les formes d'exercice – surtout s'ils sont distrayants et énergétiques – sont d'un grand secours pour les douleurs émotionnelles et mentales en général. Courir, marcher, grimper, nager et faire du vélo sont d'excellentes manière d'utiliser l'exercice pour qu'il vous aide à surmonter votre douleur psychique, car le sport empêche l'esprit et les émotions de vous submerger. De plus, l'exercice physique est excellent pour les poumons et le cœur, ce qui est essentiel pour la santé, et il déclenche la libération d'endorphines, appelées hormones du plaisir, qui réduisent la douleur physique et psychique. Pratiquer une activité physique

LES HUILES ESSENTIELLES ET LA DÉPRESSION

INDICATIONS	HUILES ESSENTIELLES
Sédative et antidépressive	Bois de santal, ylang ylang
Dépression modérée, sentiment de ne pas être dans son assiette	Lavande, sauge
Dépression accompagnée d'agitation et d'irritabilité	Camomille, sauge, lavande
Dépression accompagnée d'anxiété et d'insomnie	Néroli, rose
Douleur émotionnelle accompagnée de colère	Camomille, ylang ylang, patchouli
Douleur émotionnelle profonde	Néroli, rose
Pour améliorer l'humeur sans provoquer de sédation	Bergamote, géranium, mélisse, rose
Dépression accompagnée de manque de confiance en soi et de peur	Jasmin, oliban, rose
Permet de lutter contre la dépression en général	Bergamote, oliban

Avertissement : *certaines huiles essentielles sont déconseillées en période de grossesse. Vérifiez auprès de votre médecin.*

Pour en savoir plus

Aromathérapie 36
Yoga 40
Réflexologie 74

Nager et pratiquer l'aquagym sont des activités très bénéfiques, car votre corps est plus léger dans l'eau et les tensions moins douloureuses. L'exercice peut amener un sentiment de bien-être qui se prolonge longtemps après que votre séance est terminée.

aux premiers signes de dépression peut très bien l'arrêter net – sans compter que cela renforce le corps contre les maladies que la dépression peut déclencher ou aggraver.

L'aromathérapie

Presque toutes les huiles essentielles utilisées dans l'aromathérapie jouent un rôle utile dans le traitement de la douleur psychique, qu'elles soient utilisées pour des massages, inhalées ou vaporisées avec un brûle-parfum. L'éventail est large mais les huiles les plus utilisées sont répertoriées dans le tableau ci-contre. Demandez des conseils dans une pharmacie ou une boutique qui en vend (on en trouve facilement et on vous fournit parfois des échantillons pour que vous puissiez les essayer avant d'acheter). Dans un même temps, prenez l'avis d'un aromathérapeute qualifié. Pour un massage, mélangez deux ou trois gouttes de l'essence choisie (il peut y en avoir plusieurs) à 20 ml d'un excipient neutre comme l'huile de pépins de raisins ou d'amandes douces.

Les massages

Comme l'exercice, le massage est un merveilleux relaxant qui soulage les souffrances psychiques, surtout s'il est pratiqué avec des huiles essentielles. Il existe des techniques de massage reconnues et représentées par des thérapeutes professionnels (voir pp. 56-57), mais il vous est toujours possible d'improviser un massage chez vous. Des massages et des pétrissages précis et harmonieux, des mouvements qui plaisent à votre partenaire, vont vous détendre et vous distraire de vos souffrances psychiques.

La réflexologie

Masser vos pieds et les manipuler est une excellente façon de vous détendre qui profite à l'esprit et au corps et favorise les émotions positives. La réflexologie est basée sur le principe que tout le corps se retrouve dans les pieds. Les différentes zones des pieds sont reliées à différentes parties du corps et à des organes précis – la base du gros orteil correspond au cerveau et à la tête. Pressez fermement avec les pouces et attardez-vous sur les parties douloureuses jusqu'à ce que la douleur cède. Pour perfectionner votre technique, consultez un spécialiste en réflexologie.

Les thérapies corporelles

Des techniques comme le Rolfing, la méthode de Heller ou celle de Trager peuvent se révéler utiles, mais elles sont enseignées et pratiquées par des professionnels (voir pp. 66-67).

Traitements pour la douleur émotionnelle

Ceux qui préconisent la thérapie par la couleur pensent que la lumière absorbée par le corps modifie ses échanges chimiques. En baignant le corps dans une lumière colorée, un thérapeute peut rééquilibrer les troubles physiques et émotionnels.

Les thérapies par le mouvement

Les techniques orientales du yoga et du tai chi, qui impliquent les mouvements physiques avec une respiration contrôlée et une concentration mentale, présentent de nombreux avantages pour ceux qui souffrent de problèmes psychiques et émotionnels. L'éventail des mouvements est très large (on en montre quelques-uns pp. 42-45). Au début, il vaut mieux les pratiquer sous l'autorité d'un praticien expérimenté. La technique Alexander, développée en Occident, travaille à améliorer la position du corps, ce qui peut vous aider à vous sentir plus à l'aise.

La lumière et la thérapie par les couleurs

La lumière et les couleurs sont connues pour avoir un effet sur les états psychiques, émotionnels et physiques. La privation de lumière joue sur les niveaux de mélatonine et de sérotonine, les hormones de l'humeur, qui provoquent le syndrome dépressif de l'hiver, connu sous le nom de désordre affectif saisonnier. Le traitement du désordre affectif saisonnier exige que vous échangiez l'éclairage de votre lieu d'habitation pour un éclairage à spectre complet qui imite la lumière naturelle, ou que vous vous rendiez dans un centre spécialisé. Des recherches ont démontré que la couleur bleue calme, le rose apaise, le vert équilibre, et le rouge réchauffe ou excite. Vous pouvez en faire l'expérience en portant une couleur que vous vous exercerez à sentir : le bleu pour vous calmer, ou le vert pour vous équilibrer sur le plan émotionnel. Si vous désirez vous entourer des couleurs qui vous seront bénéfiques, mieux vaut demander l'avis d'un thérapeute spécialisé dans ce domaine.

L'homéopathie

Il y a des centaines de remèdes homéopathiques, pour tous les types de souffrance psychologique qui sont d'ailleurs liés à des douleurs physiques. Une évaluation pertinente de votre profil homéopathique exige la consultation d'un professionnel (voir pp. 70-71). L'automédication sera plus facile une fois que vous saurez à quoi vous en tenir. Cependant, il vous est toujours possible de traiter des malaises psychiques temporaires en choisissant des remèdes parmi ceux proposés dans les pharmacies.

Les remèdes floraux du Dr Bach

Le médecin anglais Edward Bach, qui travaillait au début du XXe siècle, croyait que les causes de la maladie étaient des états émotionnels négatifs comme le chagrin, la peur ou l'irritation. Il découvrit 38 remèdes floraux qui aident à lutter contre ces états. On peut prendre les remèdes floraux du Dr Bach sans consulter de spécialiste. Ce sont des extraits de fleurs très dilués et on en prend deux ou trois gouttes à la fois. Chaque remède symbolise un état émotionnel et vous pouvez en combiner jusqu'à six ou sept. Pour sélectionner le remède qui convient, définissez-vous en fonction du tableau ci-contre. Par exemple, si vous manquez de confiance en vous, choisissez le mélèze. Puis étudiez l'état particulier dans lequel vous vous trouvez en ce moment précis. Si par exemple vous venez d'emménager dans une nouvelle ville et que vous vous sentez inquiet et troublé, vous pouvez ajouter le chèvrefeuille et le noyer. Ne vous inquiétez pas si votre choix est erroné – l'effet sera alors nul.

LES REMÈDES FLORAUX DU DR BACH

FLEURS	CARACTÉRISTIQUES ÉMOTIONNELLES	FLEURS	CARACTÉRISTIQUES ÉMOTIONNELLES
Aigremoine	Cache son anxiété, agité, fuit les affrontements	Muscade	Peur du monde physique, timidité, nervosité
Tremble	Appréhension inexpliquée, peur des rêves, fatigué et irritable	Moutarde	Dépression violente sans raison apparente, affliction récurrente
Hêtre	Critique, insatisfait, intolérant, culpabilisant	Chêne	Persévérant, obstiné, fort, ne se plaignant jamais
Centaurée	Timide, désireux de plaire, soumis	Olivier	Épuisement physique ou mental
Plumbago	Manque de confiance en soi, facilement déconcentré	Pin sylvestre	Culpabilité, auto-accusation
Prunus	Désespoir, peurs obsessionnelles	Marronnier rouge	Se fait du souci pour les autres, imagine le pire
Bourgeon de marronnier	Incapable de tirer les leçons de l'expérience	Hélianthème	Crises de panique, terreur
Chicorée	Possessif, en demande d'attention	Eau de roche	Abnégation, répression, perfectionnisme
Clématite	Rêveur, distrait, somnolent	Alène	Indécis, instable, on ne peut pas compter sur lui
Pomme sauvage	Dégoût de soi-même, sentiment de faute, tendance à exagérer les petits problèmes	Ornithogale	Chagrin, choc, détresse, traumatismes présents ou passés
Orme	Impression parfois de ne pas être à la hauteur, accablé par les responsabilités	Châtaignier	Désespoir, angoisse intense
Gentiane	Facilement découragé, submergé par le doute, désespoir, esprit négatif	Verveine	Autoritaire, querelleur, fervent, fanatique
Ajonc	Désespoir, résignation	Vigne	Arrogant, dominateur, ambitieux
Bruyère	Centré sur soi, exigeant une attention constante	Noyer	Inquiet, traversant une période de transition
Houx	Colère, jalousie, haine, désir de vengeance	Violette d'eau	Distant, indépendant, réservé
Chèvrefeuille	Nostalgie, vit de souvenirs, voudrait retrouver son pays	Marronnier blanc	Préoccupations, soucis, conflit interne
Charme	Fatigue, lassitude	Fol avoine	Ambition frustrée, dérive
Impatiente	Irritable, impatient, horreur des contraintes	Églantier	Résignation, perte d'intérêt, incapable de faire un effort
Mélèze	Manque de confiance en soi, névrose d'échec, désespoir	Saule	Amertume, ressentiment, s'apitoie sur lui-même, manque d'humour

Douleurs cutanées

Les problèmes qui touchent la peau comptent l'eczéma et le psoriasis, déclenchés par divers facteurs dont le stress, ainsi que les vésicules et les irritations provoquées par l'exposition à la chaleur.

Un cataplasme de feuilles de choux peut soulager les symptômes de l'eczéma.

L'eczéma

L'eczéma est une maladie de la peau largement répandue. Il survient parce qu'on a bu, touché ou mangé quelque chose qui provoque une réaction du corps. On le décrit souvent comme une réaction allergique, même si l'eczéma n'est pas toujours d'origine allergique. Les symptômes sont des démangeaisons intenses, une peau rouge craquelée, irritée et parfois douloureuse.

Il y a plus d'une douzaine d'eczémas différents, mais le plus commun est l'eczéma atopique que l'on trouve essentiellement chez le nourrisson (« atopique » signifie qu'il survient chez les personnes prédisposées). Il existe toutes sortes de substances pouvant déclencher l'eczéma, mais les plus courantes sont les détergents, les teintures, les plantes, certaines boissons et certains aliments, les fourrures et les plumes, ainsi que les acariens que l'on trouve à la maison dans la poussière, sur les matelas, etc.

L'eczéma est fréquemment lié à l'asthme, et ces deux maladies sont elles-mêmes souvent associées au rhume des foins (qui peut survenir parce qu'on a respiré du pollen ou de la poussière). La détresse psychique peut aussi déclencher l'asthme et l'eczéma (mais pas le rhume des foins).

La tendance à l'eczéma dure toute une vie. On n'a pas trouvé de remède miracle, mais il existe un large éventail d'approches naturelles qui aident à contrôler cette maladie souvent déprimante.

LE TRAITEMENT DE L'ECZÉMA AIGU

La naturopathie

- Pour l'eczéma atopique, frotter de l'huile contenant de l'acide gammalinoléique (GLA), un acide gras essentiel. L'huile d'onagre, que l'on trouve en pharmacie ou dans les magasins diététiques, est celle qui en contient le plus. N'utilisez pas de crème pour la peau contenant de la lanoline.
- Baignez la zone affectée dans de l'eau chaude où vous aurez fait dissoudre deux cuillères à café de bicarbonate de soude.
- Faites un cataplasme de feuilles de choux frais. Lavez, réchauffez et écrasez les feuilles avant de les étaler sur la zone affectée en les faisant tenir avec une bande Velpeau. Changez le cataplasme matin et soir.
- Passez une lotion calmante à base d'huile d'arachides.
- Passez des huiles essentielles de fenouil, camomille, géranium, bois de santal, hysope, genièvre, rose ou lavande (12 gouttes dans une huile excipient de 50 ml). Si la zone affectée est sèche, utilisez de l'huile de calendula comme excipient.

Si l'eczéma est humide, utilisez un excipient neutre, comme l'huile de pépins de raisins. Appliquez matin et soir. Sont également bénéfiques : l'huile d'amandes douces et l'huile essentielle de millepertuis.

- Buvez des tisanes de calendula (souci), mouron blanc, feuilles de noyer, ortie, camomille, et différentes baies (surtout les myrtilles, les framboises et les ronces-framboises).
- Le persil, les racines de pissenlit, le trèfle rouge et l'hydrastis sont également recommandés. Mélangez-les avec du miel et mangez-les en tartine. La tisane d'hydrastis peut aussi apporter un soulagement en application : mélangez l'herbe séchée avec de l'eau chaude et laissez refroidir.

L'homéopathie

Les remèdes homéopathiques graphites, Petroleum, Rhus tox et Sulphur aideraient à soulager les symptômes, mais l'automédication n'est pas recommandée pour l'eczéma, surtout l'eczéma atopique.

LES TRAITEMENTS DE L'ECZÉMA CHRONIQUE

Les thérapies diététique et nutritionnelle

Identifier puis éliminer les allergènes (substances qui provoquent une réaction allergique) sont les étapes les plus importantes pour le traitement à long terme de l'eczéma. Parfois, les allergènes sont faciles à identifier – il s'agit par exemple d'une réaction aux poils d'animaux. Sinon, il faut en passer par des tests pour identifier le coupable, ou bien adopter un régime où on diminue les produits laitiers, les œufs, les graisses animales, le sucre et le sel. Évitez la nourriture industrielle et celle qui contient des additifs et des conservateurs. Mangez davantage de légumes, d'huiles végétales comme l'huile de carthame, et des poissons gras comme le thon, le maquereau et le hareng. À chaque fois que c'est possible, mangez des aliments biologiques. Ont également de bons résultats les suppléments réguliers d'acide gammalinoléique. La source la plus connue en est l'huile d'onagre mais l'huile de bourrache et celle de graines de cassis en contiennent également de hauts niveaux. On les trouve dans les pharmacies et les boutiques diététiques. Les doses vont jusqu'à six capsules par jour et il faut parfois attendre trois mois avant d'en mesurer les bénéfices. D'autres suppléments alimentaires qui ont une bonne réputation pour parvenir à contrôler l'eczéma à long terme (trois mois ou plus) sont le bêtacarotène (le précurseur de la vitamine A), les vitamines B, C et E, et parmi les minéraux, le zinc, le sélénium et le magnésium.

Pour en savoir plus

Médecine par les plantes	60
Acupuncture	68
Homéopathie	70

Les plantes chinoises en infusion ont remporté certains succès pour soulager l'eczéma des enfants, mais il faut absolument consulter un herboriste qualifié avant de leur donner ces préparations. Certaines sont toxiques pour le foie ou les reins.

LA PHYTOTHÉRAPIE CHINOISE

On a fait beaucoup de publicité en 1993 pour une « cure miracle » pour l'eczéma atopique, quand la combinaison de 10 herbes chinoises utilisée par un herboriste chinois à Londres remporta un grand succès pour des cas difficiles. Un laboratoire anglais étudia ce mélange et le commercialisa sous le nom de Zemaphyte après des expérimentations couronnées de succès. D'autres herboristes chinois affirment obtenir des résultats comparables avec d'autres plantes choisies parmi les 4 000 plantes utilisées dans la médecine traditionnelle chinoise. Certaines de ces plantes sont très puissantes et on les connaît encore mal. Vous devez donc choisir un praticien qualifié.

Douleurs cutanées

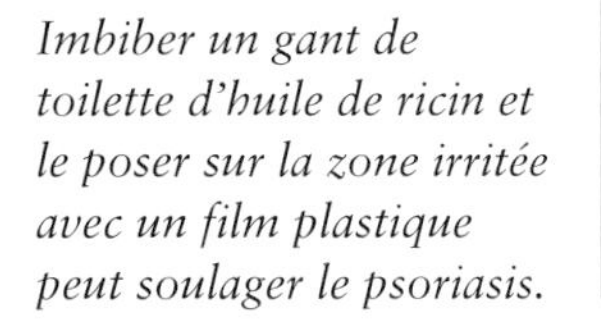

Imbiber un gant de toilette d'huile de ricin et le poser sur la zone irritée avec un film plastique peut soulager le psoriasis.

Le psoriasis

Il est dû à une reproduction trop rapide des cellules de la peau. C'est une maladie chronique qui peut apparaître sur n'importe quelle partie du corps, bien qu'on la trouve le plus souvent sur la tête, la région lombaire, les genoux et les coudes. Elle est caractérisée par l'éruption de minuscules plaques rouges recouvertes de plaques blanchâtres.

On ne connaît pas la cause du psoriasis mais l'hérédité semble jouer un rôle.

Ces lésions tendent à évoluer sur le mode chronique avec des crises et des rémissions. Les attaques sont souvent déclenchées par le stress et la maladie.

Le psoriasis n'est ni infectieux ni contagieux et la douleur que l'on ressent est plus psychique que physique – bien que certaines formes sévères entraînent un craquèlement douloureux de la peau et, dans de très rares cas, un type d'arthrite qui touche les jambes, les mains et la colonne vertébrale.

Le traitement du psoriasis

La naturopathie

Les rayons du soleil contiennent des rayons ultraviolets A et B, et l'exposition à ces rayons s'est avérée bénéfique pour le psoriasis. Cependant, à l'exception d'endroits inhabituels comme la mer Morte (où l'atmosphère contient une vapeur qui filtre les rayons du soleil), il ne faut pas s'exposer trop longtemps, car les bénéfices de cette exposition seront détruits par les dangers qu'elle représente.

Les naturopathes recommandent un jeûne complet ou à base de jus. Jeûner 48 heures (mais pas plus) est facilement réalisable à condition de boire de l'eau ou des jus de légumes et de fruits fraîchement pressés. Si vous ne buvez que de l'eau, ne faites pas d'exercice et reposez-vous. Pour un jeûne à base de jus, les carottes, le céleri, la betterave, le concombre et/ou le raisin sont recommandés. Vous pouvez en boire

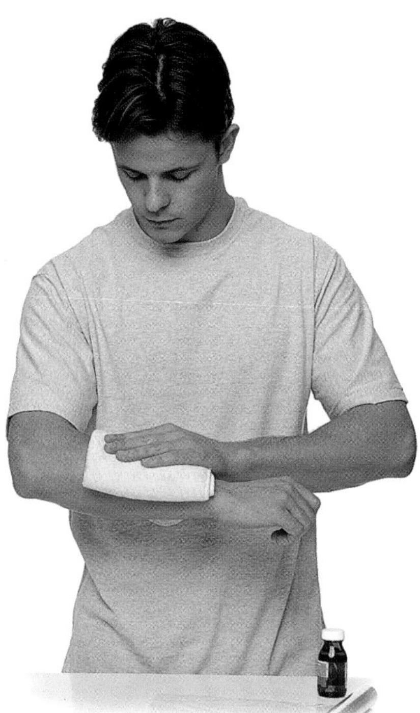

autant que vous voudrez. Vous pouvez combiner ce régime avec un sport ou des exercices modérés.
Pour parfaire le nettoyage intestinal, prenez du sulfate de magnésium ou de l'huile de ricin dans du jus d'orange deux jours avant de commencer le jeûne et le matin même du premier jour. Certains naturopathes recommandent les compresses d'huile de ricin et les bains, pratiqués comme suit :

- Compresse : mettez une bonne quantité d'huile de ricin sur un gant. Appliquez-le sur la zone affectée et recouvrez-le d'un film de plastique. Placez dessus une petite couverture chauffante, que vous mettez à chaleur modérée puis forte si vous le tolérez. Laissez de 1 heure à 1 heure et demie, puis enlevez le gant et nettoyez la peau avec 1 litre d'eau chaude additionnée de deux cuillerées à café de bicarbonate de soude. Recommencez quatre fois par jour.
- Bain : remplissez la baignoire d'eau chaude, ajoutez la moitié d'une tasse d'huile de ricin sous les robinets qui coulent. Restez de 20 à 30 minutes dans ce bain en vous frottant bien le corps, puis lavez-vous avec du shampooing (la baignoire sera très glissante, attention quand vous vous lèverez).

Les thérapies nutritionnelle et diététique

Mangez sainement, n'oubliez pas les fruits frais, les légumes et les salades, réduisez au maximum les graisses animales.
Les poissons gras comme le maquereau, le saumon, les sardines et le hareng sont recommandés. L'ecbalium est un vieux remède pour le psoriasis, de même que l'avocat et la choucroute.
Prendre quotidiennement une cuillerée à soupe d'huile d'olive première pression à froid, d'huile de lin ou de canola.
Le mieux est d'alterner avec des capsules contenant des acides gras essentiels (AGE) : l'acide gammalinoléique (GLA) et l'acide linoléique (l'huile de bourrache et l'huile d'onagre) ; l'acide eicosapentaénoique (EPA) et l'acide docosahexaénoique (DHA) (huile de saumon).

D'autres suppléments peuvent aider au cours d'une crise : la vitamine A (10 000 iu trois fois par jour), un complexe vitaminique B (100 mg deux fois par jour au cours des repas), la vitamine D (400 iu par jour), la spiruline (une algue riche en minéraux), du zinc (15-20mg par jour), ainsi que du silicium, du calcium, du phosphore, du soufre et du fer.

La phytothérapie

Un type de berbéris (*mahonia aquifolium*) a récemment été utilisé avec succès pour traiter le psoriasis, mais le pissenlit et la bardane avec les fleurs de trèfle rouge sont également efficaces pour purifier le sang. On recommande également l'ortie qui a le même effet. Autres plantes utiles : l'échinacée pour le système immunitaire, la parelle (faites bouillir 2 ou 3 feuilles par litre d'eau et buvez), l'ail et la salsepareille.

L'homéopathie

Sulphur 6 CH (pour les plaques rouges et sèches qui démangent), Petroleum 6 CH (peau rugueuse et craquelée) et Graphites 6 CH (pour les plaques suintantes) aident à soulager les crises de psoriasis. Prendre 3-4 granulés chaque jour pendant 14 jours.

L'aromathérapie

Essayer les huiles essentielles de bergamote et de lavande ajoutées à l'eau d'un bain ou dissoutes dans un excipient frotté sur la peau.

La réflexologie

Masser les zones correspondant au foie, aux reins et aux poumons, au plexus solaire et au diaphragme.

Les thérapies corps / esprit

Pour prévenir le psoriasis, il est important de réduire le stress et d'utiliser des techniques de relaxation. Des approches comme la méditation, l'auto-hypnose, la visualisation et le biofeedback peuvent être d'un grand secours.

Pour en savoir plus

Thérapie nutritionnelle 33
Médecine par les plantes 60
Homéopathie 70

Les naturopathes recommandent de boire des jus de légumes pour soulager le psoriasis.

Douleurs cutanées

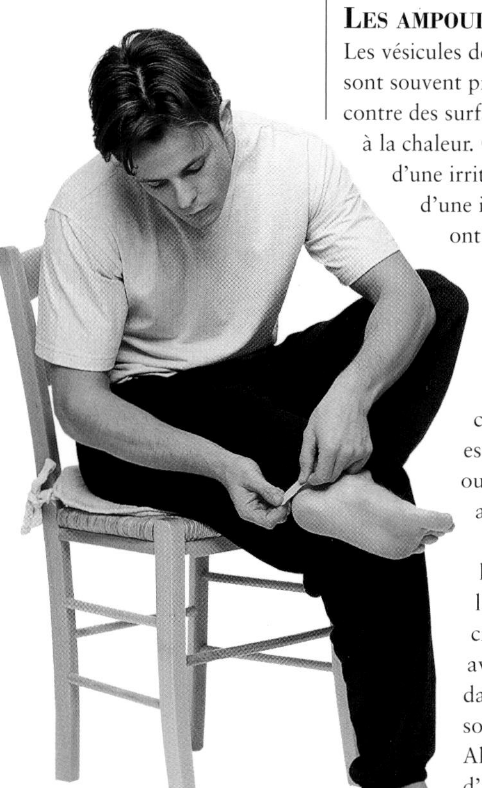

Prévenir l'infection d'une ampoule en y appliquant une huile essentielle antiseptique avant de la recouvrir avec un pansement stérile.

Pour le pied d'athlète et autres infections fongiques, essayer l'application directe de vinaigre de cidre ou – dans les cas sévères – d'eau oxygénée (à droite).

Les ampoules

Les vésicules de la peau remplies de liquide sont souvent provoquées par le frottement contre des surfaces dures ou par l'exposition à la chaleur. C'est aussi le résultat d'une irritation, d'une blessure ou d'une inflammation. Les ampoules ont tendance à s'infecter si elles éclatent ou si la peau est percée.

La phytothérapie

Les antiseptiques naturels contenus dans les huiles essentielles de lavande, de théier ou de camomille peuvent être appliqués sur une ampoule percée afin de prévenir l'infection et favoriser la cicatrisation. (Si vous devez crever une ampoule, faites-le avec une aiguille stérilisée dans une flamme ou une solution antiseptique.) Alternez avec une application d'un mélange d'hypericum et de calendula ou frottez avec un gel d'aloe vera. Ajouter de l'ail à votre régime peut aussi procurer un soulagement.

L'homéopathie

Prenez Rhus tox 6 CH toutes les quatre heures pendant une journée, ou alors Kali mur.

L'érythème

Une réaction allergique au soleil ou à la chaleur peut provoquer une éruption. Des taches rouges apparaissent à la surface de la peau. Plus la peau est délicate, plus la personne est sujette à ce genre de problème – les enfants et les femmes semblent donc plus fragiles de ce côté-là.
Les symptômes, bien qu'intenses, sont généralement de courte durée et disparaissent quand on évite la cause de l'irritation.

La phytothérapie

Trouvez un endroit frais et appliquez une teinture de calendula (souci) ou de lavande sur la zone affectée. Du coton hydrophile imbibé d'une lotion à la camomille ou à la joubarbe rafraîchira et adoucira la zone affectée. Poser des tranches de concombre sur l'éruption est également calmant. Une infusion de jus de citron vert ou de menthe poivrée est également recommandée.

L'aromathérapie

Appliquer un mélange d'une goutte d'huile essentielle de santal et de 4 gouttes de lavande dans 30 ml d'huile de calendula.

L'homéopathie

Prenez Urtica 6 CH, Rhus tox 6 CH ou Apis 6 CH tous les quarts d'heure pendant une heure si nécessaire.

La teigne

Il s'agit d'une infection fongique de la peau. On la trouve le plus souvent sur le pied (comme le pied d'athlète) mais elle peut aussi affecter l'entrejambe et toute autre partie du corps humide et chaude (des conditions qui encouragent la multiplication des champignons). Les symptômes les plus courants sont une démangeaison intense mais on peut ressentir une douleur localisée si l'atteinte est sérieuse, surtout entre les orteils si la peau est craquelée et à vif.
Il faut garder les zones affectées propres et sèches, ce qui est encore le meilleur traitement et suppose une hygiène pointilleuse. Pour le pied d'athlète, il faut laisser les pieds le plus souvent à l'air et ne porter que des chaussettes en coton, jamais en nylon.

La phytothérapie
Parmi les traitements possibles il y a la propolis ou la crème au calendula avec de la vitamine C en poudre. Tremper un coton dans du miel mélangé à du vinaigre de cidre et le laisser toute la nuit sur la zone affectée est une autre alternative.
Un bain de pieds quotidien de racines d'hydrastis ou une mixture de 30 g de trèfle rouge, de sauge, de calendula et d'aigremoine mélangés à deux cuillères à café de vinaigre de cidre est particulièrement efficace pour le pied d'athlète. Faire tremper les pieds pendant une demi-heure, bien sécher et saupoudrer d'arrow-root ou de racines d'hydrastis en poudre.
Pour les affections sévères, nettoyez avec un coton trempé dans l'eau oxygénée et faites suivre par un des traitements déjà indiqués.

L'aromathérapie
De l'huile essentielle de théier appliquée à la zone affectée est conseillée. Pour le pied d'athlète, ajoutez 2 gouttes d'huile essentielle de lavande, de théier et de tagette dans un bol d'eau chaude et laissez tremper les pieds pendant 10 minutes tous les soirs.
Vous pouvez aussi appliquer la nuit une compresse avec les mêmes huiles sur la zone affectée, et la laisser en place jusqu'au matin en la fixant à l'aide d'une bande ou d'une chaussette. Puis vous nettoierez vos pieds et les sécherez, et vous y appliquerez une nouvelle compresse en ajoutant une cuillerée à soupe d'huile de calendula aux huiles essentielles. Laissez en place toute la journée.

LES FURONCLES
Inflammation de la peau due à une infection par un staphylocoque doré qui produit un genre de folliculite. L'ensemble du follicule pileux est alors nécrosé et rempli de pus. Les furoncles apparaissent généralement sur le visage et le cou, mais on peut aussi les trouver ailleurs. Ils guérissent rarement avant que le pus ne soit drainé. Les furoncles accompagnés de fièvre et de fatigue sont drainés et soignés par antibiotiques.

La naturopathie
Appliquer un cataplasme chaud de pâte d'orme rouge, de kaolin ou de sulfate de magnésium pendant quelques jours pour faire mûrir le furoncle. Quand il a éclaté, appliquer de l'huile essentielle de théier qui est antiseptique.
On peut aussi appliquer un cataplasme de pain émietté dans du lait bouilli ou de l'eau : envelopper le tout dans une gaze pour que cela s'égoutte et appliquer pendant que c'est encore chaud. Recommencez toutes les 4 heures. Mélanger deux cuillerées à soupe de sel d'Epsom dans une tasse d'eau chaude est aussi assez efficace.
Si le furoncle persiste, prenez de l'échinacée, du gratteron et de la parelle en infusion (une cuillerée à café de chaque) et buvez trois fois par jour.

Pour en savoir plus

Phytothérapie	60
Naturopathie	62
Homéopathie	70

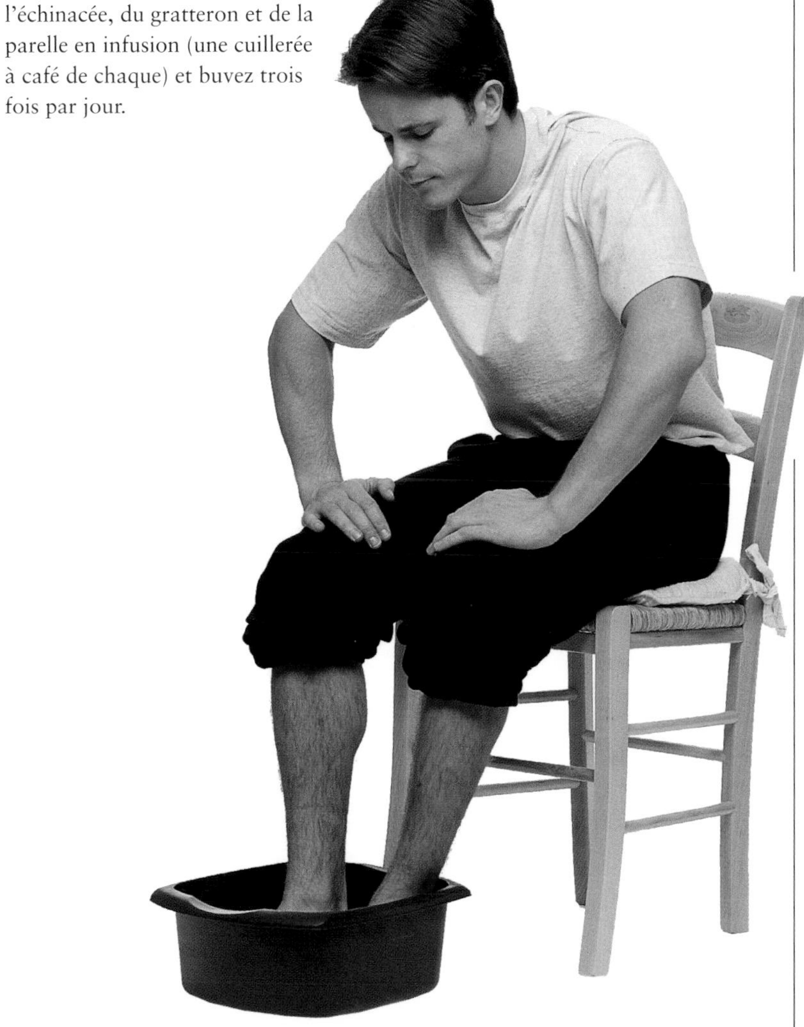

Un bain de pieds aux plantes soulage les symptômes provoqués par le pied de l'athlète.

Maux de tête

Tout le monde ou presque a souffert de la tête, ce qui recouvre des états temporaires comme les maux de tête, le mal de dent et le mal de gorge ou des états plus débilitants comme la migraine et les acouphènes. Un certain nombre de thérapies complémentaires peuvent se révéler utiles.

Les naturopathes recommandent la chaleur près de l'oreille sous forme d'une bouillotte chaude. Cela accélère la circulation du sang et peut aider à soulager la douleur.

LES MAUX D'OREILLES

La douleur dans l'oreille vient d'un bruit violent, de courants d'air froids ou, plus sérieusement, d'une infection.

L'infection de l'oreille moyenne (ou otite) est une affection sérieuse qui peut se traduire par une perforation du tympan. Si vous avez de la fièvre ou des écoulements, adressez-vous à un médecin. On vous prescrira peut-être des antibiotiques. Il ne faut rien introduire dans une oreille qui a des écoulements.

La naturopathie

Si la douleur est récurrente, réduisez votre consommation de produits laitiers, buvez de 6 à 8 verres d'eau par jour et couvrez-vous les oreilles quand vous sortez.
Un supplément de vitamine C, de zinc et d'ail est recommandé.

La phytothérapie

Mettez 2 ou 3 gouttes d'huile de ricin ou d'amandes douces tiédie dans l'oreille que vous bouchez avec un coton. Alternative : gouttes d'huile essentielle d'ail, de millepertuis ou de molène. Sinon, mettez deux gouttes de teinture de cotylédon, de camomille, d'achillée, d'hysope ou de lobélie dans l'oreille que vous bouchez avec un coton. Vous pouvez aussi essayer un oignon chaud ou un cataplasme de moutarde placé derrière l'oreille jusqu'à ce que la douleur se calme.
Si c'est une infection qui est la cause de la douleur, utilisez toutes les 2 heures de la teinture d'échinacée : 30 gouttes pour un adulte, 15 pour un enfant.

L'homéopathie

Pour un écoulement d'oreille prenez Hepar sulph 3CH ; si des douleurs succèdent à l'infection, Silicea 12 CH ; pour les premiers stades d'une infection ou pour des maux d'oreille récurrents, Ferrum phos 3 CH/6 CH ou Aconite 3 CH ; si le visage est rouge, Belladonna 3 CH. Pour l'irritabilité et l'agitation, prendre Camomilla 3 CH, et si ces symptômes suivent la rougeole ou la coqueluche, Pulsatilla 3 CH.

AVERTISSEMENT

Si vous souffrez de maux de tête persistants, consultez votre médecin. Cela peut signaler des affections qui réclament une attention médicale immédiate :

- *Cancer*
- *Hémorragie*
- *Contusion*
- *Méningite*
- *Poliomyélite*
- *Attaque*

Remède des Indiens d'Amérique du Nord : chandelles à oreilles qui débouchent l'oreille et aident à soulager l'acouphène.

L'ACOUPHÈNE

Bourdonnement, sifflement, grésillement... l'acouphène produit un bruit de fond constant dans l'oreille. Il est plus déprimant que douloureux.

Un acouphène persistant pose un problème de diagnostic. Il peut être dû à des affections de l'oreille interne ou des nerfs reliés à l'oreille. Autres causes possibles : dépression, stress, anxiété, infection, pression sanguine trop élevée, effets secondaires de médicaments ou congestion due à la cire.

La naturopathie

Des inhalations de plantes qui servent également à dégager les sinus peuvent apporter un soulagement (voir La sinusite, p. 104).

La phytothérapie

Les « cierges » sont des tubes contenant des plantes que l'on met dans l'oreille et qui brûlent lentement jusqu'à elle. La chaleur créé un vide qui attire la cire et les impuretés dans le tube. La fumée des plantes qui brûlent aiderait à la guérison. Cela prend 10 minutes par oreille. La technique est simple et indolore mais il vaut mieux que quelqu'un vous assiste. Le gingko biloba est également recommandé. On le prend en gélules ou en teinture avec de la cimicifuga. L'effet n'est pas immédiat.

La digitopuncture

Localisez le point « V.B.3 », au bord supérieur de l'arcade zygomatique, à un travers de doigt du pavillon de l'oreille. Appuyez quelques secondes et relâchez. Vous pouvez aussi utiliser le point « G.I.4 » en pinçant la main à l'endroit situé entre le pouce et l'index.

L'homéopathie

Pour la douleur avec vertiges et bourdonnements, demandez un avis médical afin d'éliminer les problèmes sérieux, puis prenez de l'Acide salicylique 6 CH ; s'il y a des sifflements et des grésillements, Cinchona 6 CH. Ou si vous préférez, Carbon sulph et Kali iod. Mais mieux vaut consulter un homéopathe.

Le yoga

Des exercices du cou et de la tête peuvent aider à améliorer la circulation du sang dans les oreilles.

Les thérapies de relaxation

Des techniques comme la méditation et le biofeedback peuvent se révéler efficaces.

Pour en savoir plus

Tourner lentement la tête en essayant de toucher vos épaules avec vos oreilles est un exercice de yoga qui aide à soulager le symptôme de l'acouphène.

Maux de tête

Appuyer sur les points de digitopuncture localisés sur les sinus peut aider à soulager les symptômes de la sinusite.

La sinusite

La sinusite est une inflammation et une infection des sinus qui provoque un rhume. Une grippe ou un refroidissement peut déclencher une sinusite aiguë qui mènera à une infection bactérienne. Une sinusite chronique peut être aussi douloureuse qu'une forte migraine – et aussi difficile à faire passer.

La naturopathie

Des inhalation d'eucalyptus, d'huile essentielle de pin et de menthol (qui est plus puissant) soulagent les symptômes, de même que les gargarismes. Pour dégager les voies nasales, utiliser une cuillerée à café de sel dans de l'eau chaude. Des suppléments de vitamines C, B, et de zinc sont recommandés.

La digitopuncture

Appuyer sur les points indiqués sur la photo de gauche soulage les symptômes. Vous pouvez également essayer le point « G.I. 4 » en pinçant la main à l'endroit situé entre le pouce et l'index.

Le massage et l'aromathérapie

En alternance avec la digitopuncture, massez le nez, les yeux, les pommettes et les tempes avec un mélange d'huiles essentielles de menthe (9 gouttes), d'eucalyptus (6 gouttes) et de lavande (10 gouttes) dans 25 gouttes d'huile excipient.

La phytothérapie

Une tisane d'échinacée, de solidage, d'hydrastis et de feuilles de guimauve est efficace quand on en boit toutes les deux heures. L'ail, le raifort (cru ou en gélules) et l'échinacée (en teinture ou en gélules) sont également recommandés.

La thérapie diététique

Évitez les crises en supprimant les produits laitiers, les bananes, les cacahuètes, le café, l'alcool et les nourritures épicées. Essayez de déterminer s'il y a une cause allergique au rhume.

La thérapie de praticien

- Acupuncture

Le rhume des foins

Il s'agit d'une rhinite saisonnière due à une allergie à l'environnement : le pollen, la poussière, les semences. Le résultat est une inflammation des muqueuses nasales qui provoquent des éternuements, le nez qui coule, des yeux qui pleurent et une gorge enflammée.

La naturopathie

Rincez les voies nasales avec un peu de sel dans de l'eau tiède et prendre un supplément alimentaire avec de la vitamine C et des flavonoïdes, qui sont des antihistaminiques naturels, et un complexe vitaminique B.

La phytothérapie

Buvez deux ou trois fois par jour une tasse de tisane de fleurs de sureau (2 mesures), d'éphédra, d'euphraise et d'hydrastis (une mesure de chaque).
Un mois avant la saison du rhume des foins (du printemps au début de l'été), prenez de 2,5 à 5 ml de teinture de réglisse dans de l'eau chaude, deux fois par jour.

La digitopuncture

Pincez la main à l'endroit situé entre le pouce et l'index.

L'homéopathie

Pour soulager les éternuements et les yeux qui brûlent, essayez Arsenicum album 6 CH, Sabadilla 6 CH, et Allium cepa 6 CH.

La fatigue oculaire

Lire, travailler devant un écran d'ordinateur et regarder la télévision ralentissent le clignement des yeux. Cela amène un assèchement de la cornée. La fatigue se produit si la vision est faible et les yeux « pleurent » sous l'effet d'une tension excessive.

Le massage et l'aromathérapie

Masser le cou et les épaules avec des huiles essentielles de lavande ou de néroli diluées dans de l'huile d'amandes douces ou de pépins de raisin.

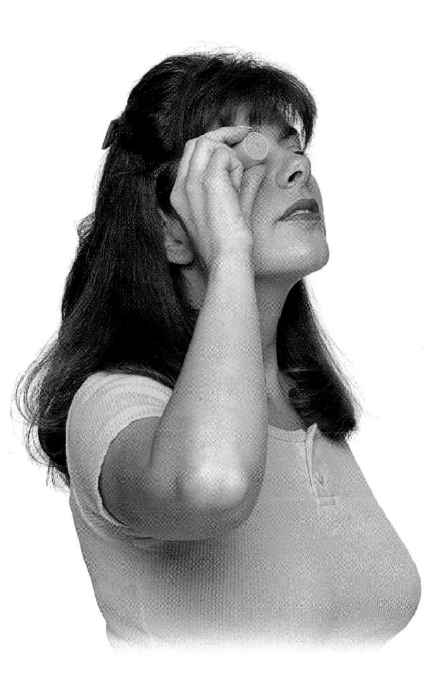

Baigner les yeux avec une infusion d'euphraise est un remède efficace pour soulager les yeux fatigués.

La phytothérapie

Utiliser une œillère pour baigner les yeux avec une infusion d'euphraise, ou tremper un coton dans le liquide l'appliquer sur les yeux pendant vingt minutes toutes les heures jusqu'à ce que cela aille mieux. Autres plantes bénéfiques : mouron blanc et souci. Le concombre peut aussi procurer un certain soulagement ainsi que la pomme de terre crue. Pour une grave fatigue oculaire, appliquez de la pomme de terre râpée sur l'œil. Couvrez avec une gaze et gardez une heure ou deux.

L'homéopathie

Essayez Arnica 6 CH pour des muscles fatigués ; Natrum mur 6 CH si les yeux vous font mal ; Ruta grav 6 CH s'ils vous brûlent ou s'ils sont fatigués après la lecture.

La conjonctivite

Inflammation de la membrane à l'intérieur de l'œil, la conjonctive. Elles se manifeste par une rougeur de l'œil. La gêne provient de démangeaisons. Une conjonctivite allergique se traduit par un larmoiement, et une conjonctivite infectieuse par des sécrétions purulentes. Il faut consulter un médecin.

La phytothérapie

Rincez l'œil plusieurs fois par jour avec une cuillerée à café de racines d'hydrastis en poudre mélangée à une cuillerée de sel et 250 mg de vitamine C, le tout additionné d'un litre d'eau. Laissez reposer cette préparation avant de l'utiliser.

L'homéopathie

Baignez l'œil trois fois par jour avec une préparation d'1 volume de teinture d'euphraise mélangé à 10 volumes d'eau et prenez 5 granulés de Ferrum Phos 6 CH dissous dans de l'eau chaude quatre fois par jour. Les autres remèdes à 6 CH recommandés sont Belladonna pour les premiers stades de l'inflammation ; Aconitum pour les gonflements et les démangeaisons ; Apis mel, pour les yeux brûlants et sensibles ; Euphrasia pour les paupières collées ; Mercurius corr pour les yeux qui démangent et qui suppurent ; Pulsatilla nigricans pour les yeux brûlants et larmoyants. Si les symptômes persistent, consultez un homéopathe qualifié.

Pour en savoir plus

Aromathérapie 36
Digitopuncture 38
Homéopathie 70

LES EXERCICES POUR LA VUE

Cligner rapidement des yeux, puis les dissimuler derrière les paumes des mains. Auparavant, frottez-vous les mains pour générer de la chaleur avant de les placer sur les yeux tout en respirant profondément. Restez ainsi pendant quelques minutes. Certaines personnes sont soulagées quand elles fixent attentivement la flamme d'une bougie.

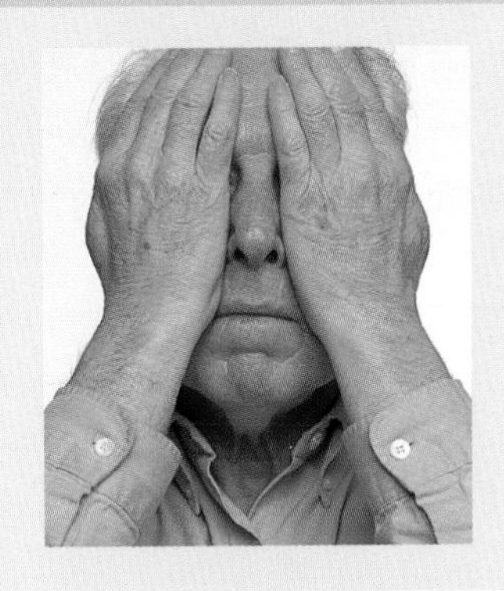

Maux de tête

Se rincer la bouche avec de la teinture d'hypericum diluée aide à lutter contre la douleur à la suite d'une extraction dentaire.

Les abcès dentaires

Un abcès est un petit furoncle rempli de pus et situé près de la racine d'une dent. Un dentiste drainera le pus pour soulager la douleur ou ôtera la dent. Il prescrira des antibiotiques pour contrôler l'infection. Il faut prendre garde à ce que le pus ne passe pas dans le sang, car de là il pourrait être transporté jusqu'à d'autres tissus.

En attendant d'aller à votre rendez-vous, essayez les remèdes suivants pour soulager la douleur – qui peut être violente.

La naturopathie

Une vessie remplie de glaçons maintenue sur la zone enflammée peut vous soulager. Des légumes surgelés enveloppés dans un linge propre feront tout aussi bien l'affaire.

L'homéopathie

Commencez avec Belladonna 200 CH toutes les heures, suivi de Silicea quand l'abcès a crevé. Hepar sulph 30 CH ou 200 CH est recommandé pour des douleurs moins aiguës. Là encore, une fois que l'abcès a crevé, vous utiliserez Silicea. Hypericum 30 CH ou de la teinture d'Hypericum diluée dans de l'eau tiède et utilisée en bains de bouche vous soulageront après une extraction dentaire.

La phytothérapie

En rentrant de chez le dentiste, rincez-vous la bouche avec une solution de teinture de calendula diluée dans le même volume d'eau.

Ne prenez pas de calendula si vous êtes enceinte ou si vous nourrissez un bébé au sein, à moins qu'un herboriste qualifié ne vous l'ait expressément recommandé.

Les douleurs du visage et des mâchoires

Les maux de dents entraînent parfois des névralgies et une inflammation des cavités nasales et des sinus. Une douleur aux mâchoires peut aussi résulter d'un problème émotionnel ou psychologique. Les grincements de dents et les mâchoires serrées provoquent des douleurs, des problèmes dentaires, des difficultés à mordre.

La façon dont vous vous tenez peut aussi provoquer une douleur aux mâchoires. Par exemple le port de tête, une avancée de la mâchoire quand vous êtes debout ou assis. L'articulation de la mâchoire et les ligaments qui s'y rattachent souffrent. Ce type de douleur est connue sous le nom de tension de l'ATM (articulation temporo-mandibulaire). La tension de l'ATM peut répondre au repos et aux analgésiques, mais il se peut que la tension des muscles de la mâchoires entraîne une souffrance – ou même un blocage – à chaque fois que vous ouvrez ou fermez la bouche. La mâchoire peut aussi « cliquer » ou craquer, entraînant des maux de têtes.

La naturopathie

Une bouillotte peut servir de compresse chaude pour les douleurs faciales qui viennent d'une inflammation des cavités nasales et des sinus. Pour les douleurs faciales provoquées par une rage de dents, essayer une compresse froide avec un paquet de petits pois surgelés (voir aussi Maux de dents, p. 111).

Pour les douleurs de l'ATM, alternez les compresses chaudes et froides en utilisant les techniques indiquées. Mais si le problème est chronique, vous devrez être traité par un spécialiste, par exemple un ostéopathe, un chiropracteur (voir pp. 64-67), ou un adepte de la technique Alexander (voir p. 66).

Pour les douleurs faciales causées par une inflammation nasale, voir les remèdes suggérés pour la sinusite (p. 104).

Pour en savoir plus

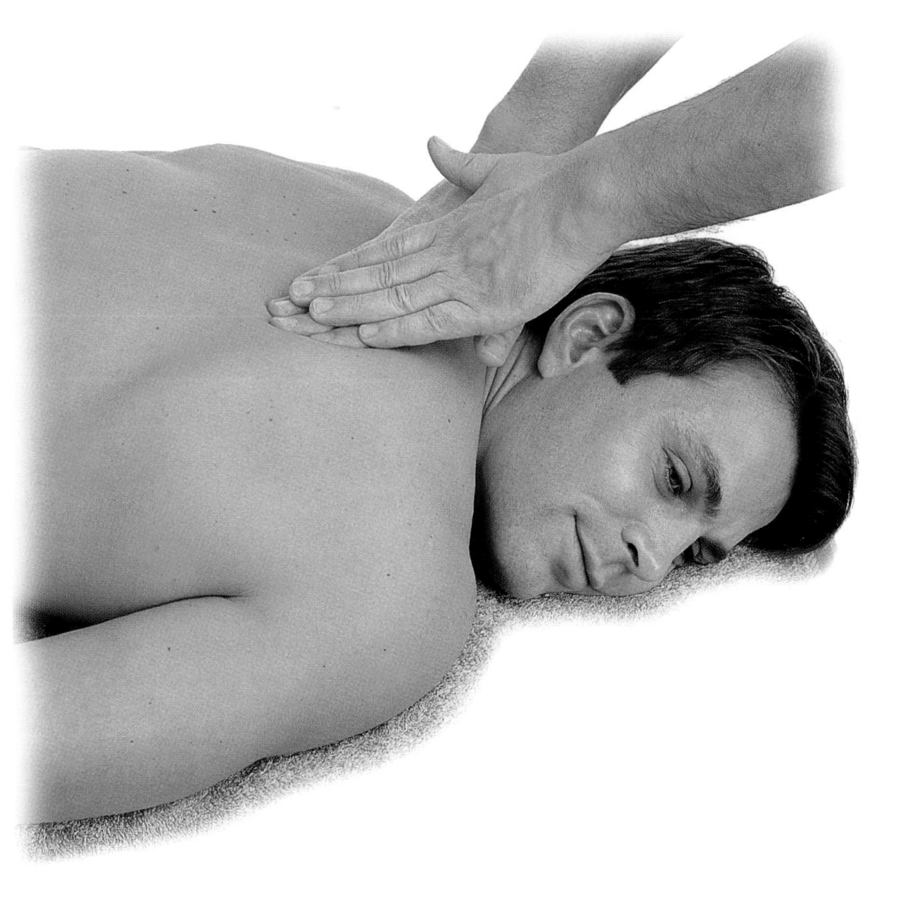

Les massages détendent les muscles et vous aident à vous relaxer, ce qui influera sur les douleurs de la mâchoire provoquées par les tensions et les mauvaises positions. Une technique de base pour des massages n'est pas difficile à apprendre et peut vous apporter de grands bénéfices physiques et psychologiques.

Les thérapies par la relaxation

Comme la tension est l'un des facteurs majeurs des douleurs de la face et des mâchoires, les thérapies qui aident à détendre les muscles et les articulations du visage sont efficaces. Les plus salutaires sont la méditation (voir pp. 48-49), le biofeedback (voir p. 47), le training autogène (voir p. 51), le yoga (voir pp. 40-42) et les massages (voir pp. 56-57) avec une huile essentielle relaxante ou plusieurs (voir pp. 36-37). L'huile de lavande est excellente pour les douleurs musculaires et le stress ; le romarin pour les tensions.

Les thérapies de praticiens

- Ostéopathie crânienne
- Acupuncture

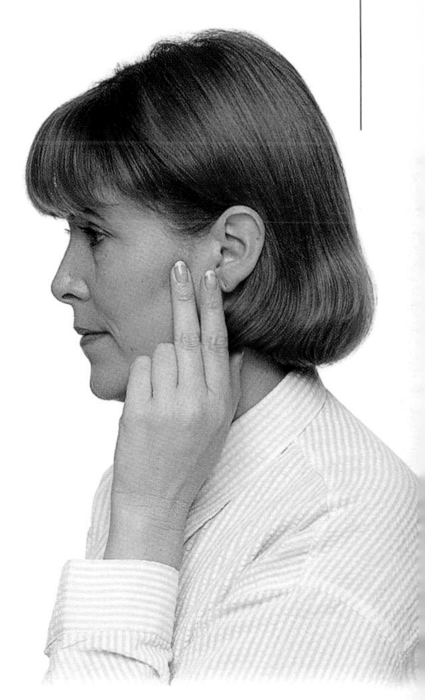

Le méridien de l'estomac, un des 12 méridiens du corps, compte 45 points de digitopuncture. Celui qui soulage l'ATM est « estomac 7 », situé dans la dépression qui se forme sous l'arcade zygomatique. Pressez ce point pendant une minute environ.

Maux de tête

LE MAL DE GORGE

Connu également sous le nom de pharyngite, le mal de gorge est provoqué par une inflammation du pharynx, la zone en arrière de la bouche, et une inflammation des amygdales et du larynx où résonne la voix. Une laryngite entraîne une voix rauque et parfois une extinction de voix. Si ces symptômes ne trouvent pas d'explication évidente, par exemple avoir trop crié ou trop chanté, un mal de gorge est le début d'une infection virale ou microbienne accompagnant généralement une grippe ou un refroidissement. Il faut agir vite pour éviter que l'infection ne s'aggrave.

La thérapie nutritionnelle

Prenez de la vitamine C avec des flavonoïdes, du zinc, des vitamines A et E et des huiles de poisson pour faire remonter les défenses immunitaires.

La phytothérapie

Quand on a mal à la gorge, des gargarismes amènent un soulagement immédiat. Diluez du sel de mer dans de l'eau chaude ou du vinaigre de cidre avec du miel et du citron. Vous pouvez aussi utiliser de la sauge, du thym, de la propolis, de l'échinacée ou du cresson des Indes. Mâcher un bâton de réglisse ou sucer des pastilles à l'orme rouge soulage.

L'ail, cru ou en cachets, et l'extrait d'échinacée renforcent les défenses immunitaires. Des infusions de guimauve, plantain, fleurs de sureau et cataire soulagent les symptômes et accélèrent la guérison.

L'homéopathie

Belladonna 30 CH, Hepar sulph, Mercurius, Arsenicum ou Apis mel (6 CH) pour l'inflammation et la douleur. Pour les difficultés à avaler, Lachesis, Lycopodium ou Phytolacca (6 CH).

L'ANGINE

Il s'agit de l'inflammation des amygdales, parfois causée par un virus, mais la plupart du temps par une infection, généralement un streptocoque. Les symptômes sont une gorge irritée, rouge, enflée, de la fièvre, des maux de tête, des ganglions enflés et parfois une toux sèche.

Des infections récurrentes endommagent les tissus qui portent des traces de cicatrices. Il arrive aussi qu'il se forme un abcès autour des amygdales. La personne est menacée d'étouffement et il faut immédiatement faire appel à un médecin.

La naturopathie

Il est recommandé de se reposer et de boire beaucoup, surtout des jus de fruits dilués et des bouillons chauds. Les aliments solides ne sont pas nécessaires au cours des premières 48 heures.

La phytothérapie

Se gargariser avec une infusion d'une cuillerée à café de gingembre en poudre, qui va encourager la transpiration.

Une teinture d'hydrastis pulvérisée sur les amygdales favorisera une guérison rapide. Boire des racines de réglisse en poudre dissoutes dans de l'eau chaude soulagera la toux. Vous pouvez aussi vous gargariser avec une infusion de 30 g de sauge fraîche que vous avalerez, ou avec une tasse d'eau chaude mélangée à quelques gouttes d'extrait de pépins de pamplemousses.

L'homéopathie

Pour les amygdales douloureuses et infectées qui entraînent une difficulté à avaler, essayer Merc sol 30 CH. Pour la douleur et la fièvre avec mauvaise haleine, Mercurius 30 CH. Pour une brusque fièvre, avec un cou raide, rouge et enflé, Beladonna 30 CH.

Prenez un granulé toutes les heures pendant 12 heures, suivi d'une dose trois fois par jour pendant 2 jours. Cependant, dans les cas d'amygdalites récurrentes consultez un homéopathe, surtout pour les enfants.

Note : les antibiotiques sont indiqués en cas d'affection bactérienne (mais pas virale), surtout chez les enfants. Pour remplacer les bactéries saines détruites par les antibiotiques, prendre de l'acidophilus ou du bifidophilus avec des yaourts afin de restaurer la flore intestinale.

Pour en savoir plus
Thérapie nutritionnelle 33
Médecine par les plantes 60
Naturopathie 62

LES GRIPPES ET LES REFROIDISSEMENTS

Ils déclenchent toutes sortes de symptômes désagréables.
Pour les refroidissements, ceux-ci sont essentiellement limités à la tête, surtout aux oreilles, au nez et à la gorge. Avec ou sans traitement, ils disparaissent au bout d'une semaine environ.
La grippe affecte tout le corps, surtout les articulations, la poitrine et les poumons. La grippe est une des maladies virales les plus élusives, elle est plus sérieuse qu'un refroidissement et exige le repos, du moins dans les stades préliminaires.
Les naturopathes insistent pour qu'on ne supprime pas les symptômes de ces maladies, surtout si les patients ont de la température.
Les symptômes peuvent être traités comme il est indiqué ailleurs dans le livre, en complément des approches suivantes qui accélèrent aussi la guérison.

NATUROPATHIE
Reposez-vous, restez au chaud et buvez beaucoup (de 6 à 8 verres par jour), surtout si vous avez de la fièvre et que vous transpirez. Mélangez du miel, du citron ou du vinaigre de cidre à de l'eau chaude et buvez régulièrement. Inhalez des huiles Olbas (contenant du menthol, des huiles essentielles d'eucalyptus, de baies de genièvre, de clous de girofle, de wintergreen, de cajeput et de menthe), elles aident à désencombrer les voies nasales et à mieux respirer. Vaporisez les essences sur un mouchoir ou ajoutez-les à de l'eau chaude pour des inhalations.

THÉRAPIE NUTRITIONNELLE
Prenez de la vitamine C avec des flavonoïdes (de 6 à 10 g par jour), du zinc (de 15 à 20 mg par jour), des vitamines B (avec du fer et d'autres vitamines) et de l'huile de foie de morue (EPA). Si vous avez faim (bien qu'un manque d'appétit soit normal et accélère la guérison), mangez des fruits, des amandes, des graines, des céréales complètes et des légumes frais.

PHYTOTHÉRAPIE
L'échinacée, l'ail, le gingembre et le citron aident à lutter contre l'infection (prenez l'échinacée en teinture ou en gélules. Buvez une infusion d'un mélange d'achillée, fleurs de sureau et menthe poivrée trois fois par jour au moins. Ajoutez de l'eupatoire si vous avez de la fièvre.

Maux de tête

Les aphtes

Les aphtes proviennent d'une combinaison de facteurs, dont le stress, une déficience du système immunitaire, un mauvais régime alimentaire et des déficiences nutritionnelles. Le virus qui déclenche les aphtes (voir ci-dessous) peut parfois causer des ulcérations, tout comme on peut se mordre la joue ou porter des appareils dentaires mal adaptés.

Voyez votre dentiste ou votre médecin si les aphtes ne disparaissent pas au bout de deux semaines.

La phytothérapie

Frottez un gel à l'aloe vera sur les aphtes. Un gargarisme de souci, myrrhe et thym est également recommandé. Ainsi que mélanger des huiles essentielles de clous de girofle et de théier avec de la glycérine pour en enduire les aphtes.

La thérapie nutritionnelle

Prendre des vitamines et des minéraux, dont les vitamines B et C et le zinc pour guérir ou prévenir les ulcères.

La thérapie de praticiens

- Homéopathie (la prescription d'un homéopathe qualifié est indispensable).

Frotter un glaçon sur un bouton de fièvre est un remède simple qui calme l'irritation. Un peu d'eau de Cologne est également recommandé.

L'herpès cutané ou les boutons de fièvre

Le virus de l'herpès simplex 1 est la cause de cloques très contagieuses. Après la contagion initiale, le virus reste en sommeil jusqu'à ce que le corps le ranime pour cause de fièvre, stress, coup de soleil, grippe, rhume ou baisse des défenses immunitaires. Chez ceux qui ont de la chance, l'herpès ne revient pas après la première crise. D'autres en souffrent régulièrement. Une variation du même virus (herpès simplex 2) est la cause de l'herpès génital.

Si vous avez un bouton de fièvre, il faut éviter les contacts physiques avec les autres – surtout les baisers – pendant que le bouton est humide. L'utilisation du même oreiller ou des mêmes serviettes peut s'avérer contaminant. Pour éviter la transmission du virus, lavez-vous immédiatement si vous touchez la zone affectée ou si quelqu'un qui en souffre vous a touché. Faites bien attention à ne pas contaminer vos yeux.

Voyez immédiatement un médecin si vous avez des boutons près des yeux – ils sont très douloureux et peuvent vous causer des problèmes oculaires s'ils ne sont pas très rapidement traités.

La naturopathie

Dans les premiers stades, qui sont les plus douloureux, un glaçon passé de temps en temps sur le bouton soulage la douleur. Le jus de citron dilué dans l'eau peut soulager en application. Vous pouvez aussi passer de la crème ou de l'huile à la vitamine E.

Les thérapies diététique et nutritionnelle

Manger des fruits et des légumes frais, des yaourts naturels et des fibres.

Évitez le sucre, les nourritures raffinées et l'alcool.

Prenez des suppléments pour activer votre système immunitaire, surtout des vitamines A, E, B et C avec des flavonoïdes. Prenez aussi du zinc, du sélénium, du calcium, du magnésium, de la lysine et de l'acidophilus.

La phytothérapie

Les racines de réglisse ont des qualités antivirales dont on dit qu'elles sont efficaces contre le virus de l'herpès.

Les gingivites

Elles sont souvent le résultat de la plaque dentaire qui s'accumule à la base des dents, causant des inflammations et des gingivites. De mauvaises dents et une mauvaise hygiène les favorisent ; il faut se laver souvent les dents et utiliser un fil dentaire.

Les gencives saignent et sont douloureuses. Dans les cas extrêmes, les dents deviennent instables ou tombent.

La naturopathie

Frotter régulièrement les gencives avec du jus de citron, du sel ou du bicarbonate de soude avant de vous rincer la bouche. Même chose avec un élixir (voir ci-dessous).

La phytothérapie

Les huiles essentielles de thé, lavande, géranium ou thym sont appliquées sur les gencives pour soulager la douleur. Utilisez un élixir avec des teintures de souci, myrrhe et indigo sauvage ou millepertuis dans de l'eau tiède. Un dentifrice contenant de l'aloe vera peut aussi vous soulager.

L'homéopathie

Rhus tox, Hepar Sulph ou Nat mur. Commencez avec des doses de 30 CH ou 6 CH toutes les 4 heures pendant 2 jours, puis matin et soir pendant 3 jours. Si les gencives saignent beaucoup, prenez un granulé de Phosphorus 30 CH toutes les 10 minutes puis toutes les heures.

Les douleurs dentaires

Les maux de dents sont très douloureux et il faut consulter un dentiste pour vérifier que les racines ou la gencive ne sont pas infectées ou blessées. Les remèdes qui suivent vous apporteront un soulagement temporaire.

La phytothérapie

Mettez de l'huile essentielle de clous de girofle, qui est naturellement anesthésiante, de cannelle ou de menthe sur un coton, ou alors de l'alcool, pour le passer sur la zone sensible. Vous pouvez aussi mâcher des clous de girofle. L'écorce de saule blanc et la reine-des-prés en infusion sont elles aussi des anesthésiants naturels, mais il vaut mieux les prendre en gélules.

La naturopathie

Un glaçon posé sur la zone sensible peut vous soulager.

Pour les gingivites, passer de l'huile essentielle de thym directement sur la zone affectée.

L'homéopathie

Essayer Conitum 3 CH pour les élancements et/ou les douleurs brûlantes ; Camomille 3 CH ou 6 CH pour les douleurs nerveuses, surtout chez les enfants ; Pulsatilla 6 CH ou Calcarea phos 6 CH pour les douleurs avec larmes. Si vous saignez beaucoup, prenez un granulé de Phosphorus 30 CH toutes les 10 minutes, puis toutes les heures, aussi longtemps que nécessaire.

Les appareils à soulager la douleur

Les TENS et les appareils à intrasons (voir p. 83) peuvent soulager une rage de dents. Le traitement dure de 45 à 60 minutes.

La thérapie de praticiens

- Acupuncture

Pour en savoir plus

Un coton avec de l'huile essentielle de clous de girofle placé sur la dent est une manière efficace de soulager la douleur.

Maux de tête

La céphalée

La céphalée est la douleur la plus répandue. Il s'agit souvent d'une douleur « différée ». Il vient d'une tension des muscles et des tissus de la tête, du cou et des épaules, ou alors des contrariétés de la vie quotidienne et des efforts qu'elle implique. Il est aussi dû à un excès d'alcool qui entraîne un dysfonctionnement du foie ou de la vésicule biliaire.
Ces types de maux de tête sont assez faciles à traiter. Ceux qui sont provoqués par des infections, des inflammations ou des réactions allergiques exigent des traitements plus complexes.
Pour les maux de tête fréquents et prolongés, il faut consulter un médecin.

La naturopathie

La naturopathie utilise l'hydrothérapie pour traiter les symptômes immédiats des maux de tête dus à la tension. Les techniques de relaxation s'attaquent à la racine du mal. Pour un soulagement immédiat, tremper une compresse ou un gant dans de l'eau froide, l'essorer et s'asseoir confortablement. Placer la compresse sur le front et les yeux et se reposer le plus longtemps possible. Recommencer l'opération aussi souvent qu'il faudra pour rafraîchir le front et apaiser le mal de tête.

L'aromathérapie

Pour les céphalées provoquées par un refroidissement, la grippe ou des problèmes respiratoires comme la sinusite ou la bronchite, des inhalations d'essences sont assez efficaces. Verser quelques gouttes d'une huile essentielle d'eucalyptus, de genièvre, de menthe, de wintergreen ou de cajeput dans un bol d'eau bouillante. Isolez-vous au-dessus du bol au moyen d'une serviette et respirez la vapeur pendant cinq minutes.
Vous pouvez aussi prendre un bain chaud auquel vous aurez ajouté des essences de mélisse, de romarin ou de marjolaine.

La digitopuncture

En utilisant les deux mains, exercer une pression avec les doigts sur un point situé au milieu du front. Maintenez la pression cinq secondes. Vous pouvez également pincer la main à l'endroit situé entre le pouce et l'index (à déconseiller pendant la grossesse).
Pour relâcher la tension du mal de tête, pressez avec le majeur dans les dépressions à la base du crâne de chaque côté du cou. Appuyez fermement pendant une minute.

LES REMÈDES HOMÉOPATHIQUES POUR LES MAUX DE TÊTE

Les remèdes homéopathiques sont utiles comme traitements de première urgence, mais mieux vaut consulter un homéopathe, surtout quand il s'agit de maux de tête chroniques. Si vous êtes enceinte, ne prenez rien sans vous renseigner auprès d'un thérapeute.

CAUSES DU MAL DE TÊTE	REMÈDE	DOSAGE
Repas trop copieux, ballonnements	Pulsatilla	6 CH, un granulé toutes les heures jusqu'à amélioration
Indigestion, constipation	Nux vomica	6 CH, un le soir et un le matin
Peur, excitation émotionnelle	Gelsemium ou Ignatia	6 CH, un toutes les heures jusqu'à amélioration
Exposition à la chaleur, coup de soleil	Belladonna	6 CH, un toutes les heures jusqu'à amélioration
Blessure ou chute	Arnica	6 CH, un toutes les heures jusqu'à amélioration

Les thérapies de relaxation
Détendez tout votre corps et observez les changements survenus afin de prévenir et calmer les maux de tête causés par des tensions. Une profonde respiration aide à calmer l'esprit et à apaiser les maux de tête dus à des tensions (voir p. 47).

Les massages
Asseyez-vous dans une position confortable (l'idéal est un bain chaud) et massez-vous la nuque, les épaules et les tempes. Alternez un massage détendu et des pressions des doigts sur les endroits douloureux de la nuque et des tempes. C'est encore plus efficace si vous vous passez une crème sur les mains à laquelle vous aurez ajouté 3 ou 4 gouttes d'essence de lavande, de basilic ou de camomille. Vous masser les tempes avec du menthol ou de l'huile essentielle de menthe (que l'on peut aussi inhaler) vous soulagera.

La réflexologie
En réflexologie, on dit que les gros orteils sont reliés à la tête. Il vous faut donc exercer des pressions sur la base, les côtés et le bout des gros orteils des deux pieds. Concentrez-vous sur les zones douloureuses jusqu'à ce que l'endolorissement disparaisse. Faites la mêmes chose là où l'orteil se rattache au pied, la zone qui correspond au cou. Si vous souffrez de maux de tête récurrents, mieux vaut consulter un réflexologue.

La phytothérapie
La reine-des-prés et l'écorce de saule contiennent des analgésiques naturels, efficaces contre les maux de tête – et qui ont permis l'invention de l'aspirine. Autres plantes utiles pour combattre les maux de tête : la valériane, la camomille, la passiflore, le gingembre, la lavande et le romarin. On les prend en infusion avec 2 ou 3 cuillerées à café d'une plante pour une tasse. Laissez infuser quelques minutes avant de boire.

Le toucher thérapeutique
Demandez à un ami ou à un partenaire de se mettre derrière vous et de vous « caresser » de chaque côté de la tête en tenant les mains à 2,5 cm de vos cheveux.
Il faut que votre partenaire désire très fort que votre mal de tête s'en aille tandis qu'il pratique l'imposition des mains.
Une séance dure environ un quart d'heure mais elle peut se prolonger plus longtemps.

Les thérapies de praticiens
- Technique Alexander
- Ostéopathie crânienne

Pour en savoir plus

Aromathérapie	*36*
Relaxation	*46*
Homéopathie	*70*

Maux de tête

La migraine

Souvent insupportable, au point de constituer un véritable handicap, elle affecte une moitié de la tête. Elle est parfois accompagnée de symptômes alarmants comme une perception altérée, l'impression que la tête est prise dans un étau, piquée par des épingles et des aiguilles, une insensibilité des membres, des nausées, des vomissements totalement invalidants. Les symptômes vont et viennent, peuvent durer plusieurs heures, parfois même des jours. Chaque migraineux a une expérience particulière de ce mal et les crises se suivent sans se ressembler. Les migraines sont donc difficiles à traiter.
Des douleurs fréquentes et prolongées dans la tête devraient toujours être rapportées à un médecin.

La phytothérapie

La matricaire est efficace pour la prévention des crises, surtout pour les migraines soulagées par la chaleur. Si vous avez régulièrement des crises, une feuille fraîche quotidienne est recommandée, mais elle ne servira à rien une fois que la crise s'est déclenchée. Mais vous pouvez aussi prendre de la matricaire en gélules de 125 mg toutes les 4 heures.

Les thérapies diététique et nutritionnelle

Les carottes, le céleri, la betterave, le concombre, les épinards et le persil sont bénéfiques. En jus, ils sont encore plus efficaces.
Des suppléments de vitamines C, B (surtout B 3) et de magnésium sont censés prévenir les crises et soulager les symptômes. Prenez des suppléments de bonne qualité et consultez un spécialiste pour qu'il vous donne les doses les mieux adaptées. La gelée royale serait également efficace.

La digitopuncture

Un certain nombre de points sont efficaces mais tout dépend des symptômes. Pour la plupart, ils sont situés dans le dos, sur les épaules et la nuque. Mieux vaut demander à un tiers de vous aider. Appliquer des pressions constantes de 10 secondes. Répéter aussi longtemps que vous le supportez ou jusqu'à ce que la migraine diminue. Cependant, il ne faut pas trop stimuler ces points car cela peut momentanément aggraver les symptômes.

La réflexologie.

Comme pour le mal de tête (voir p. 113).

La matricaire est une plante qui est utilisée depuis des siècles pour soulager la migraine et les maux de tête.

LES AURAS DE LA MIGRAINE

Les migraines, qui ont été comparées à un orage électrique dans la tête, ont des causes diverses. Les plus courantes sont le stress, les lumières stroboscopiques, le bruit, les règles (les femmes souffrent davantage de migraines que les hommes), et la consommation d'aliments ou de boissons déclencheurs comme le chocolat, le fromage, les oranges, le café et le vin rouge.
Les migraines avec aura sont accompagnées d'hallucinations provoquées par des perturbations chimiques dans le cerveau. Elles sont visuelles – étoiles, points scintillants ou colorés, zigzags, amputation du champ visuel – mais d'autres sens peuvent subir des altérations : l'ouïe (on entend de la musique), le goût, l'odeur et le toucher peuvent être affectés, de même que la parole et la mémoire. Cela occasionne parfois des troubles si sévères que les patients sont très désorientés.
***Avertissement :** des douleurs fréquentes et prolongées dans la tête doivent faire consulter un neurologue.*

ÉMETTRE DES ONDES

Certains thérapeutes se servent d'un émetteur dont les performances ont pourtant été contestées. Il s'agit d'un appareil mis au point en Angleterre dans les années 1980 et qui utilise les ondes électromagnétiques de basse fréquence. Il aurait un taux de réussite de 80 % pour réduire l'incidence de la céphalée. Cependant, aucun contrôle officiel n'a été effectué.
Ce procédé, inventé par un ingénieur en électronique souffrant de céphalées, Steven Walpole, envoie des impulsions électromagnétiques très faibles toutes les x secondes afin de corriger les déficiences des ondes cérébrales des patients qui provoqueraient la céphalée. Par exemple, corriger un dysfonctionnement des ondes thêta du cerveau, impliquées dans le contrôle de la douleur, réduirait la douleur.
Cet appareil est suffisamment petit pour qu'on le porte comme une montre ou un pendentif.
Commercialisé en Europe, en Amérique du Nord, en Afrique du Sud et en Australie sous le nom de Trimed et Empulse, cet appareil soulagerait d'autres douleurs comme les lombalgies, l'arthrite, la sciatique et les réactions allergiques...

Pour en savoir plus

Yoga	*40*
Tai chi	*43*
Méditation	*48*

Les massages et l'aromathérapie

Masser la tête, le cou, les épaules, le dos, les pieds et les mains peut parfois apporter une soulagement. Cependant, certaines personnes n'aiment pas qu'on les touche pendant une crise.
Les massages doivent être apaisants plutôt que vigoureux. Ils doivent apporter un soulagement et ne doivent jamais être désagréables. Quant à l'aromathérapie, utilisez les mêmes essences que pour le mal de tête (voir p. 112).

Les thérapies par la relaxation

La méditation, le tai chi et le yoga aident la prévention à long terme de la migraine, car ils encouragent le corps à se détendre et à se « rééquilibrer ».

L'homéopathie

Pour les crises aiguës, prendre une dose à 6 CH de Nat mur, Lycopodium, Nux vomica, Silicea ou Spigelia. Cependant, l'automédication n'est pas vraiment recommandée pour les migraines car un traitement efficace dépend des circonstances et des symptômes.

L'auto-hypnose

Réchauffer ses doigts en utilisant son pouvoir mental a des effets bénéfiques sur certaines personnes qui souffrent de migraines chroniques. La technique, qui est un genre d'auto-hypnose, implique de se concentrer jusqu'à ce que la température des doigts atteigne 35,6°. Cela marcherait pour 85 % des gens.

Les thérapies de praticiens

- Acupuncture
- Entretiens et psychothérapie
- Hypnose
- Ostéopathie et chiropractie

Boire le jus de légumes tirés de la terre comme les carottes et les betteraves, ainsi que de légumes verts comme les épinards et le céleri, peut soulager une crise de migraine.

Douleurs thoraciques et pulmonaires

À part la toux, qui n'est souvent qu'irritante et passagère, la plupart des douleurs à la poitrine et aux poumons sont prises très au sérieux. La bronchite, la pneumonie, la pleurésie, l'asthme, l'emphysème et la tuberculose doivent être soignés par des praticiens qualifiés, que ce soit pour les médecines conventionnelles ou pour les médecines parallèles.

La bronchite

La bronchite est une inflammation des bronches. Elle est provoquée par des infections virales et bactériennes. Les symptômes en sont la toux, une respiration sifflante ou haletante, une poitrine opprimée, des voies respiratoires encombrées. Ils sont le plus souvent accompagnés de maux de tête et de fièvre. La bronchite chronique est difficile à traiter et réclame des soins et une surveillance médicale constants. Les infections bactériennes doivent être traitées aux antibiotiques, contrairement aux infections virales.

Avertissement : la bronchite est une maladie sérieuse qui demande une attention médicale soutenue.

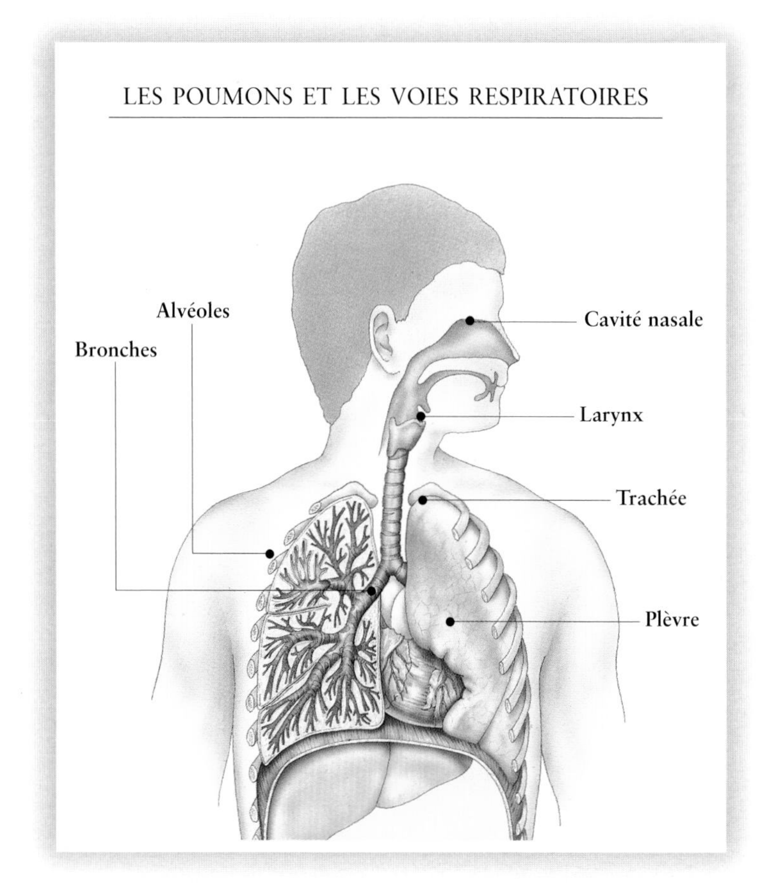

La naturopathie et l'aromathérapie

Au début de l'infection, il faut se reposer dans une pièce bien chauffée. Évitez les irritations provoquées par la fumée et la poussière.
Les inhalations apportent un soulagement rapide – essayez 5 ou 6 gouttes d'huiles essentielles d'eucalyptus, d'hysope, de bois de santal ou de bois de cèdre. D'autres essences soignent l'un ou l'autre des symptômes de la bronchite, il est donc recommandé de consulter un spécialiste.
Une compresse chaude sur la poitrine soulage la sensation d'oppression et la difficulté à respirer.

Les thérapies nutritionnelle et diététique

Évitez les produits laitiers, le sucre et les œufs car ils aident à la formation du mucus. Mangez de la nourriture piquante et épicée pour le libérer.
Essayez un régime de jus de fruits et de légumes pendant les trois premiers jours. Par exemple carottes et radis ; betteraves

et concombres ; carottes et épinards. Buvez beaucoup au cours des premières 48 heures. Prenez des vitamines A, B, E, C avec flavonoïdes, ainsi que du zinc et du sélénium.

La phytothérapie

L'ail frais ou en gélules et l'échinacée aident à prévenir l'infection et à lutter contre elle. Des tisanes d'aulnée, de racines de réglisse et de gingembre réchauffent et augmentent la vélocité du mucus. Prenez-en trois fois par jour. Il y a plus d'une douzaine de plantes qui sont efficaces contre les infections bronchiques, et l'avis d'un herboriste qualifié est nécessaire pour traiter les différents symptômes.

L'homéopathie

Bryonia, Aconite, Sulphur phosphorus, Arsenicum alb et Pulsatilla sont recommandés pour différents symptômes mais une prescription personnalisée est préférable.

La réflexologie

Manipuler les pieds, de la voûte plantaire aux orteils. Concentrez-vous sur les parties douloureuses, et travaillez-les jusqu'à ce que la douleur s'estompe.

La toux

La toux est la façon naturelle dont le corps expulse les substances qui interfèrent avec la respiration. Elle se calme quand ce qui l'a déclenchée (par exemple la poussière ou la fumée) disparaît. Cependant, la toux provoquée par une infection comme la grippe, la laryngite ou la bronchite peut se révéler douloureuse et il faut traiter cette douleur.

Voyez votre médecin si la toux dure plus de deux semaines, s'accompagne de douleurs dans la poitrine, de température élevée et vous amène à cracher du sang.

La naturopathie

Une boisson chaude avec jus de citron, miel et glycérine est un excellent adoucissant pour la gorge. Une compresse chaude de vinaigre de cidre autour de la gorge augmente la vélocité du mucus.

Les thérapies diététique et nutritionnelle

Prenez une gélule d'ail 2 ou 3 fois par jour, ainsi que des vitamines B, C, du bêtacarotène (précurseur de la vitamine A) et du zinc.

La phytothérapie

Le marrube blanc est la meilleure des plantes pour soulager la toux. Les autres sont la molène, la laitue sauvage, l'achillée, l'angélique, l'aulnée, la réglisse et les fleurs de sureau.

Pour les enfants, l'écorce de cerisier sauvage est recommandée. En faire une infusion et en donner une cuillerée à soupe par jour. Les pharmacies et les boutiques diététiques vendent des assortiments des plantes les plus efficaces.

L'aromathérapie

Des inhalations de diverses huiles essentielles comme l'eucalyptus, le cyprès, l'hysope, la bergamote ou la camomille sont bénéfiques, surtout aux premiers stades. Inhalez pendant 10 minutes après avoir versé 3 ou 4 gouttes de l'huile choisie dans un bol d'eau brûlante. Vous pouvez aussi vous masser avec des huiles essentielles diluées. Par exemple l'eucalyptus, le thym, le bois de santal, l'oliban ou la myrrhe.

La digitopuncture

Presser un point dans le dos dans la région du cœur, entre la colonne vertébrale et l'omoplate, soulage les spasmes musculaires provoqués par la toux. Demandez à quelqu'un d'appuyer pendant 5 secondes et répétez si nécessaire.

L'homéopathie

Bryonia, Aconite, Pulsatilla, Rumex et Arsenicum alb.

Pour en savoir plus

Thérapie nutritionnelle	33
Médecine par les plantes	60
Réflexologie	74

Des aliments épicés comme les piments, l'oignon, la moutarde et le radis noir sont d'excellents décongestionnants. Les produits laitiers, au contraire, aident à la formation du mucus et doivent être évités si vous souffrez de maladies respiratoires.

Douleurs thoraciques et pulmonaires

La pneumonie

La pneumonie est une infection des poumons (ou d'un seul) causée par un virus ou une bactérie. Les symptômes sont des douleurs thoraciques, un essoufflement, une toux avec des expectorations colorées, de la fièvre et des frissons. La pneumonie bactérienne est plus grave que la pneumonie virale. La bronchopneumonie est souvent la maladie qui frappera les personnes âgées ou les cancéreux, ou même les malades du sida.

Avertissement : la pneumonie met la vie en danger. Il faut immédiatement la traiter par les antibiotiques. Consultez votre médecin.

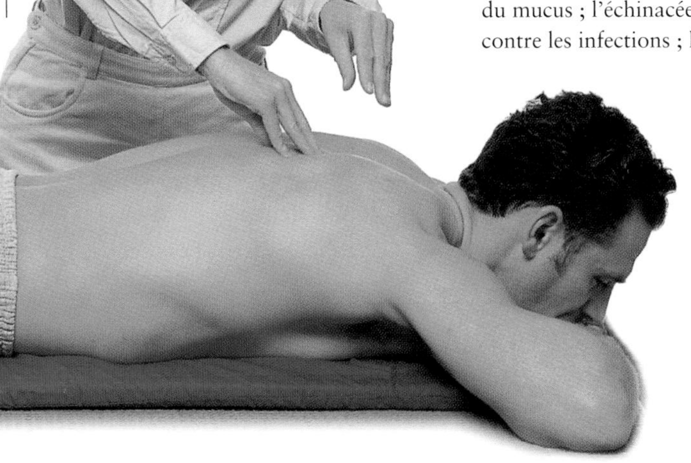

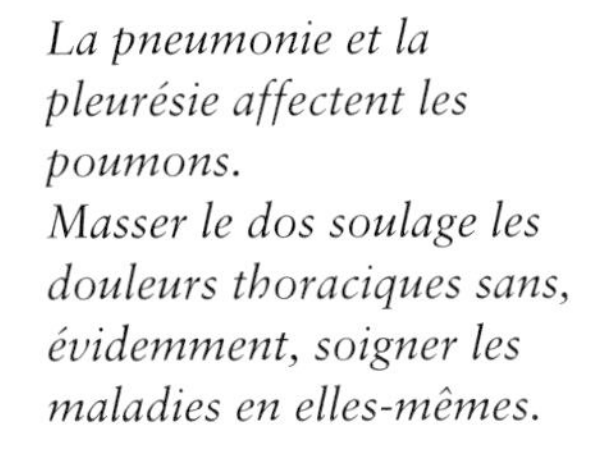

La pneumonie et la pleurésie affectent les poumons. Masser le dos soulage les douleurs thoraciques sans, évidemment, soigner les maladies en elles-mêmes.

La naturopathie

Le repos et diverses méthodes d'hydrothérapie sont recommandés. Par exemple des cataplasmes ou des compresses chaudes sur le dos et la poitrine accompagnées d'une compresse froide sur le front, les pieds trempant dans une bassine d'eau chaude. Ensuite, il faut que quelqu'un vous tape dans le dos, les mains creusées, afin de libérer le mucus des poumons. Chez les personnes dont l'état n'est pas trop grave, finir avec une friction froide.

Les thérapies diététique et nutritionnelle

Mangez des fruits et des légumes frais (y compris de l'ail cru, des piments et du poivre de Cayenne) et évitez les produits laitiers et la nourriture sucrée. Le jus de poire dilué serait décongestionnant, de même que les boissons à base de jus de carottes, d'épinards, de persil et de cumin. Prenez du bêtacarotène (précurseur de la vitamine A), de la vitamine C avec flavonoïdes (de 6 à 10 g) et du zinc. La propolis (pollen d'abeilles), l'acidophilus et le bifidophilus (probiotiques), sont également recommandés.

La phytothérapie

La lobélie et le thym augmentent la vélocité du mucus ; l'échinacée et l'ail luttent contre les infections ; les fleurs de sureau et l'achillée font baisser la fièvre. On les prend en infusion ou en teinture. Autres plantes utiles : l'ipéca, le millepertuis et le genièvre. Demandez une prescription à un herboriste.

Les massages et l'aromathérapie

Masser le dos et la poitrine avec quelques gouttes à parts égales d'huile camphrée, d'essences d'eucalyptus, de pin, de lavande, de citron et de théier le tout dilué dans une huile excipient.

La réflexologie

Comme pour la bronchite (voir p. 117).

Les thérapies de praticiens

- Acupuncture
- Ostéopathie
- Homéopathie

La pleurésie

Inflammation aiguë ou chronique de la plèvre (membrane enveloppant les poumons). Elle est le plus souvent provoquée par une infection virale mais peut être amenée par une pneumonie, une blessure ou une inflammation du cœur et des poumons. Respirer provoque de vives douleurs dans la poitrine et les épaules dues à un épanchement liquidien diffus ou localisé. La pleurésie est souvent accompagnée d'une fièvre élevée.

Avertissement : la pleurésie est parfois la conséquence d'un cancer ou d'une embolie pulmonaire. L'avis médical est essentiel.

La naturopathie

Reposez-vous et buvez beaucoup. Appliquer des compresses chaudes sur le dos et la poitrine soulage et favorise la guérison.

Les thérapies nutritionnelle et diététique

Prendre des soupes chaudes et des bouillons (surtout s'ils contiennent du curcuma, de l'ail et des clous de girofle) et mâcher l'albedo des écorces d'agrumes (la substance blanche et spongieuse) calment les douleurs de la pleurésie. Boire des jus de carottes, de céleri et de persil ; de carottes et d'ananas ; de carottes, de betterave et de concombre. Un toast de pain complet émietté dans de l'eau et réchauffé avec du beurre et du sel soulagerait les douleurs de la pleurésie.
Pour favoriser la guérison, prendre des suppléments de vitamine C (2 ou 3 g), A (50 000 iu), des AGE (huiles de poisson, de bourrache, d'onagre) et de la bromélaïne (enzyme de l'ananas).

La phytothérapie

Mélanger des teintures d'asclépiade tubéreuse, d'échinacée, d'aulnée (à parts égales). Une cuillerée à soupe par jour.
Dans la journée, boire des infusions de molène et d'asclépiade tubéreuse est également recommandé.

Les massages et l'aromathérapie

Masser le dos et la poitrine avec des essences de poivre noir, pin, myrrhe, romarin, angélique, sauge ou théier empêche la formation du liquide.

La réflexologie

Comme pour la bronchite (voir p. 117).

Les thérapies de praticiens

- Acupuncture
- Homéopathie

Pour en savoir plus

Les naturopathes recommandent de boire des jus de légumes pour soulager les symptômes de la pneumonie et de la pleurésie.

Douleurs thoraciques et pulmonaires

Une nourriture riche en magnésium, en bêtacarotène et en antioxydants protège les poumons. Si vous sentez qu'une crise se prépare, buvez des jus de fruits et de légumes frais, comprenant des pamplemousses, du céleri, des épinards et des carottes.

L'ASTHME

Cette affection caractérisée par une gêne respiratoire sifflante est due à la contraction brutale des bronches. Des allergies en sont souvent la cause, bien que l'irritation des tissus internes des bronches puisse également provoquer des crises. L'asthme des enfants prend souvent fin avec l'adolescence, mais l'asthme des adultes est une maladie chronique. Un certain nombre de thérapies soulagent les symptômes et favorisent la guérison.

Avertissement : de graves crises d'asthme mettent la vie en danger. Il faut immédiatement chercher une aide médicale, surtout si le malade a des lèvres bleues et une peau moite et froide.

La naturopathie

Les naturopathes cherchent à identifier la ou les causes de la réaction allergique et à les supprimer. Pour cela, il faut absolument améliorer le fonctionnement du système immunitaire. Repérer les allergènes est une tâche compliquée. Pour les allergènes de la nourriture : jeûner puis réintroduire un par un des aliments dans le régime alimentaire. Les allergènes de l'environnement sont encore plus difficiles à isoler. Des recherches récentes accusent les acariens – que l'on trouve dans les oreillers et les matelas.

Des ionisateurs et des humidificateurs sont bénéfiques. Alterner les bains chauds et froids, frotter les peaux mortes au gant de crin, appliquer des cataplasmes de moutarde ou de boues chaudes peuvent également apporter un soulagement.

Les thérapies diététique et nutritionnelle

Tenir un journal de ce que vous mangez quotidiennement puis jeûner et réintroduire un par un les aliments dans votre régime alimentaire (de préférence avec l'aide d'un diététicien).

Manger sain et éviter les allergènes connus comme les produits laitiers, les additifs alimentaires et les colorants.

Boire des jus de carottes, céleri, épinards et pamplemousse, ou bien de radis, citron, ail, carottes, radis noir, consoude et betteraves. Le vinaigre de cidre avec du miel dans un verre d'eau chaude trois fois par jour est également recommandé.

Les nutritionnistes conseillent des suppléments de propolis (pollen d'abeilles), d'AGE oméga-3 et oméga-6, de vitamines A (ou de bêtacarotène), C, E, et B, de magnésium, calcium, sélénium et manganèse.

La phytothérapie

Un herboriste vous recommandera l'éphédra, le ginseng, l'euphorbe, la camomille, l'aulnée

LES TESTS POUR L'ASTHME ET LES ALLERGIES

Les tests disponibles dont on affirme qu'ils peuvent identifier les allergènes sont les analyses de sang, les tests électriques (Vega et MORA), les tests musculaires (la kinésiologie appliquée) et ceux du rythme cardiaque. Ils ne sont pas basés sur des principes scientifiques reconnus, dépendent du jugement subjectif de celui qui les fait passer, et les experts les considèrent avec méfiance.
On invente sans arrêt de nouveaux tests et tout indique que prochainement, un test fiable pourrait bien être mis sur le marché.

LES DÉCLENCHEURS D'ASTHME RECONNUS

- *La poussière des maisons*
- *Les animaux (poils, peau)*
- *Le pollen et les semences*
- *Le temps (l'air très sec ou très froid)*
- *La pollution de l'air (les gaz de voitures)*
- *Le stress*
- *L'exercice*
- *Les additifs alimentaires*
- *Une infection virale*
- *Les médicaments*

ou le thym pour faciliter la respiration. La molène, la guimauve, le pétasite commun, l'orme rouge et la passiflore adoucissent les membranes et augmentent la vélocité du mucus. On les prend en infusion ou en teinture.

Avertissement : si vous souffrez d'asthme ou de toute autre affection sérieuse, il est important de consulter un herboriste qualifié pour une prescription.

Les massages et l'aromathérapie

L'huile camphrée, les huiles essentielles de bergamote, eucalyptus, lavande, hysope et marjolaine sont recommandées lors d'une crise. Mélangez 2 gouttes de chaque essence dans une huile excipient et massez doucement le dos et la poitrine. Pour augmenter la vélocité du mucus, étendez-vous la tête un peu plus basse que les poumons pendant que l'on vous masse. L'eucalyptus, le genièvre, le wintergreen, la menthe et le romarin conviennent également. Pour les crises d'asthme déclenchées par le stress, les essences de lavande ou d'oliban seraient apaisantes.

La digitopuncture

Détendez le cou en laissant tomber la tête sur la poitrine. Pressez pendant deux minutes les points indiqués sur la photo ci-dessous tout en respirant lentement et profondément.

Les thérapies psychologiques

Le stress et l'angoisse peuvent déclencher ou aggraver une crise. Des exercices de relaxation mentale comme la visualisation, la méditation et le biofeedback peuvent vous soulager.

La technique Alexander et le yoga

La technique Alexander et les exercices de yoga permettent à la poitrine de mieux se dilater.

La réflexologie

Comme pour la bronchite (voir p. 117).

Les thérapies de praticiens

- Ostéopathie
- Ostéopathie crânienne
- Homéopathie
- Acupuncture/médecine traditionnelle chinoise
- Psychothérapie
- Hypnose

Pour en savoir plus

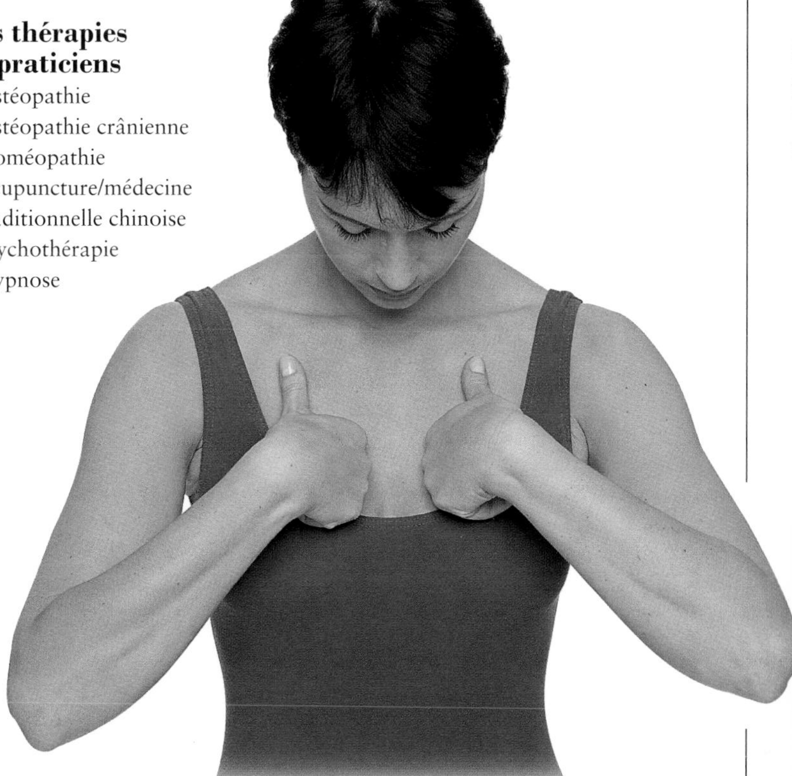

Les points de digitopuncture qui peuvent se révéler utiles sont localisés sous les salières.

Douleurs thoraciques et pulmonaires

Les huiles essentielles, utilisées pour des massages ou des inhalations, aident à libérer les poumons.

L'EMPHYSÈME

Cette maladie qui affecte les poumons de façon progressive est caractérisée par une distension des alvéoles (petits sacs d'air) qui transfèrent dans le sang l'oxygène que l'on respire. Quand elles fonctionnent mal, cela provoque un essoufflement permanent. La fumée de cigarettes ou une exposition prolongée à un air pollué sont souvent la cause de ces perturbations.

Ceux qui souffrent d'asthme ou de bronchite chronique peuvent aussi en être affectés. Bien que l'emphysème soit incurable, il y a des traitements efficaces à appliquer soi-même pour atténuer les symptômes. Nager, faire de l'exercice sans forcer, du tai chi et du yoga, utiliser des ionisateurs et des humidificateurs, se faire frapper dans le dos, avec la technique des mains creusées (voir p. 57).

Les thérapies diététique et nutritionnelle

Manger de la nourriture épicée comme l'ail, les piments, la moutarde, le radis noir et les oignons. Éviter les produits laitiers comme le lait, la crème et le fromage qui aident le mucus à se former, afin d'éviter la congestion. Boire des jus de légumes et de fruits pour améliorer les défenses immunitaires : combinaisons d'ail, céleri, épinards, cresson, carottes, pommes de terre, orge et chiendent ; et aussi cassis, oranges, citrons et raisins. Des suppléments de vitamines A, B, C et E ainsi que la coenzyme Q 10, le zinc et la lécithine sont recommandés.

La phytothérapie

Des infusions de racines de réglisse et de consoude aident à soulager une crise.

Les massages et l'aromathérapie

Des massages avec des huiles essentielles de bois de santal, pin, menthe et eucalyptus ou des inhalations avec des essences de basilic, cajeput, hysope ou thym permettront de respirer plus facilement.

Les techniques de relaxation

Biofeedback, méditation et visualisation aident à la relaxation (voir pp. 46-54).

La réflexologie

Presser régulièrement les points correspondants aux poumons (voir pp. 74-75).

Les thérapies de praticiens

- Acupuncture
- Ostéopathie
- Chiropractie
- Homéopathie

LA TUBERCULOSE

Il s'agit d'une infection due à la bactérie *mycobacterium tuberculosis* ou bacille de Koch. C'est une maladie systémique qui peut affecter n'importe quelles parties du corps dont le cerveau, les ganglions lymphatiques, l'intestin grêle, les reins et les os. Généralement, elle reste cependant limitée aux poumons. Les symptômes sont la douleur, la fatigue, l'essoufflement, le perte d'appétit et de poids, la fièvre, les transpirations nocturnes, la toux.

On crache aussi du sang. De 1944 à 1985 la maladie était bien maîtrisée, puis elle s'est réveillée ces dernières années.

Le vaccin du BCG est le meilleur traitement préventif, malheureusement il n'est pas toujours efficace. De plus, l'immunisation fait écran au diagnostic car si une personne vaccinée est atteinte, ses réponses aux tests seront toujours positives.

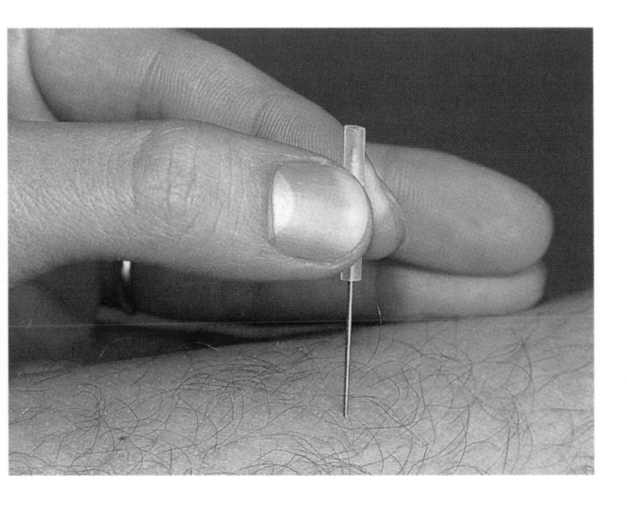

Les aiguilles d'acupuncture ont un bout rond qui pénètre dans les chairs en douceur. L'acupuncture peut soulager les douleurs associées aux poumons.

Pour en savoir plus

Aromathérapie 36
Naturopathie 62
Acides gras essentiels 143

Avertissement : la tuberculose est une maladie dont l'issue peut être fatale. Si vous souffrez de ces symptômes ou si vous avez été en contact avec un tuberculeux, consultez un médecin.

Les thérapies diététique et nutritionnelle

Les fruits frais et particulièrement le raisin, l'ecballium et la poire, ainsi que les régimes aux légumes crus avec de l'ail sont recommandés. Boire un jus de pommes de terre crues et de carottes accompagné d'un peu d'huile d'olive ou de noix avec du miel trois fois par jour serait bénéfique. Laisser le jus de pommes de terre reposer et ôter la fécule avant de l'utiliser.
Il est également important de consommer du lait, des œufs, du poisson et de veiller à manger des protéines.
Les suppléments qui renforcent le système immunitaire sont les vitamines A, B, C et E ; les minéraux, zinc, calcium et magnésium ; les acides gras essentiels oméga-3 et oméga-6 provenant des huiles de poisson, et le GLA des huiles de bourrache et d'onagre.

La naturopathie

L'air clair et sec des montagnes est essentiel pour les naturopathes. Si vous ne pouvez vous déplacer, allez au soleil et marchez dans la campagne aussi souvent que possible.
Un tissu chaud imprégné d'essence d'eucalyptus et d'alcool appliqué sur la poitrine aide à dégager les poumons. Des jeûnes de brève durée sont recommandés, mais seulement sous l'autorité d'un naturopathe expérimenté.

La phytothérapie

L'échinacée est un puissant stimulant du système immunitaire. Elle est particulièrement efficace quand on la prend en teinture avec de la molène et de l'aulnée. Une cuillère à café trois fois par jour au cours des repas. L'extrait de pépins d'agrumes et les racines de réglisse sont également bénéfiques.

Les massages et l'aromathérapie

Masser la poitrine et le dos peut faciliter la respiration et stimuler les défenses naturelles du corps. Les massages sont particulièrement efficaces si on les pratique avec des essences diluées dans une huile excipient. Essayez l'eucalyptus, le gingembre, le néroli, le théier, le cyprès, le romarin, le genièvre, la marjolaine ou la menthe.

Les thérapies de praticiens

- Acupuncture
- Phytothérapie chinoise
- Homéopathie
- Ostéopathie
- Psychothérapie
- Hypnose

L'air pur de la montagne fait partie du traitement pour soigner la tuberculose.

Douleurs liées au cœur et à la circulation

Le régime « méditerranéen », qui comprend des fruits et des légumes frais, du poisson, de l'ail, de l'huile d'olive et un peu de vin rouge est bénéfique pour le système cardio-vasculaire.

Les engelures

Rougeur des extrémités (mains, pieds, nez, oreilles) due au froid et à une mauvaise circulation. Les engelures démangent et brûlent. Si vous avez été exposé à un froid extrême, consulter un médecin car les engelures peuvent se compliquer de fissures, d'ulcérations ou de vésicules.

La naturopathie

Mélangez un blanc d'œuf et une cuillerée à café de farine avec de la glycérine et du miel, faites-en une pâte et appliquez-la sans frotter sur les plaques rouge violacé. Couvrez avec une bande et laissez pendant 24 heures.
Les aliments riches en vitamine E comme les graines, les noix, les amandes, les céréales complètes, les légumes verts à feuilles et le germe de blé ainsi que l'échinacée accélèrent le rétablissement.

L'homéopathie

Si la peau brûle, démange et est enflammée, appliquez de la crème Rhus tox deux fois par jour. Prenez Agaricus muscaria toutes les 3 heures ou Carbo veg si les engelures sont plus douloureuses dans un lit bien chauffé. Pour la peau fissurée et craquelée appliquez le baume Tamus et prenez Petroleum 6 CH trois fois par jour pendant 2 semaines.

La mauvaise circulation

Les douleurs sont souvent le résultat d'une mauvaise circulation ou alors d'une circulation interrompue. Les mains, les jambes et les pieds sont communément affectés. Un avis médical est nécessaire, car une interruption de la circulation peut se terminer par la mort des tissus. Quant à la mauvaise circulation, on peut l'améliorer par un régime, des exercices physiques et une réduction du stress.

Les thérapies diététique et nutritionnelle

Les conseils diététiques sont particulièrement importants quand il s'agit d'affections concernant le cœur et les artères. Le régime « méditerranéen » (voir la photo de gauche) est recommandé de même que l'oignon, le gingembre, les piments et l'alfalfa qui favorisent la circulation quand on en mange régulièrement.
Prendre des suppléments d'antioxydants est également conseillé : les vitamines A, C et E ; les minéraux sélénium, zinc et magnésium ; la lysine (un acide aminé) ; les acides gras essentiels EPA (des huiles de poisson) et GLA (de l'huile de bourrache et d'onagre) et la lécithine. Il y a maintenant de nombreux compléments alimentaires dans le commerce qui contiennent les doses qui conviennent.

La phytothérapie

De nombreuses plantes sont indiquées pour une mauvaise circulation, surtout celle des extrémités. Les plus connues sont le ginkgo biloba, l'aubépine, le poivre de Cayenne, le muguet, les fleurs de limettier, le pissenlit et le genêt à balais.

Le yoga

Les postures connues sous le nom de la chandelle et du poisson (voir ci-contre) seraient bénéfiques pour les troubles circulatoires des extrémités, ainsi que pour les systèmes digestif et respiratoire. Si la chandelle est trop difficile, restez en demi-chandelle, appuyé sur les épaules.

La thérapie de praticiens

- L'étirement des artères est une forme de digitopuncture hautement spécialisée très appréciée au Japon. Bien qu'efficace, elle est dangereuse dans des mains inexpérimentées, surtout pour les personnes qui souffrent d'artérite.

Pour en savoir plus

Avertissement : ces postures de yoga ne sont pas recommandées pour les personnes qui ont une tension artérielle trop forte ou qui souffrent de problèmes cardiaques. On doit également les éviter pendant les règles, ou si on a une infection des yeux, des oreilles ou du cerveau. Pour la chandelle et la charrue, voir l'avertissement qui suit. Si vous avez des doutes, vérifiez avec votre praticien que vous êtes en état de pratiquer ces postures.

La chandelle

1 *Étendez-vous sur le sol. Dressez le dos et les jambes et utilisez vos bras pour les maintenir verticalement.*

2 *Maintenir la position*

La charrue

1 *Mettez-vous dans la position de la chandelle.*

2 *Descendez doucement les jambes jusqu'à ce que vos orteils touchent le sol.*

3 *Vos bras sont maintenant étendus sur le sol, les mains à plat.*

AVERTISSEMENT

La chandelle et la charrue sont à éviter si vous souffrez de problèmes de dos ou de nuque.

Le poisson

1 *Asseyez-vous les jambes en tailleur, puis étendez-vous*

2 *Allongez les bras au-dessus de la tête, les paumes tournées vers le plafond, le dos cambré.*

Douleurs liées au cœur et à la circulation

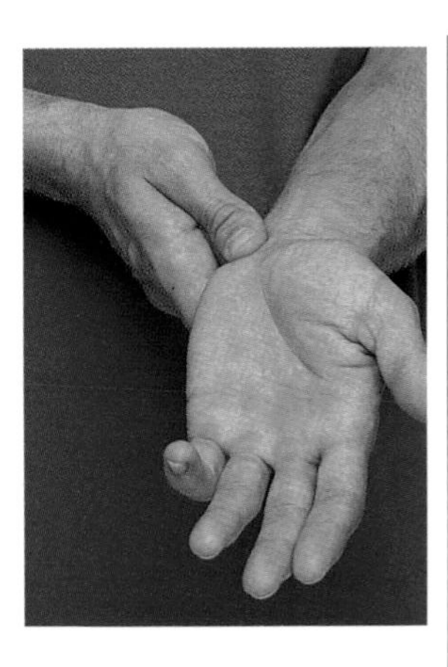

Pour calmer les palpitations, pressez le point de digitopuncture « C 7 » sur le pli du poignet, sur le côté externe du tendon qui se rattache au petit doigt.

Le réseau veineux qui distribue le sang dans le corps est susceptible d'entraîner, si la circulation est mauvaise, des engelures, des varices et des hémorroïdes. Le cœur, au centre de ce système, peut lui aussi être affecté par des conditions telles que l'angine de poitrine et les palpitations.

L'angine de poitrine

Elle provoque des douleurs dans le muscle cardiaque, ce qui vient d'une mauvaise circulation dans les artères qui l'approvisionnent.
Le style de vie conseillé est le même que pour ceux qui souffrent de problèmes cardiaques et artériels : exercice, régime, réduction du stress et accompagnement psychologique.

Avertissement : bien qu'une nouvelle école estime que l'angine de poitrine ne mène pas nécessairement à une crise cardiaque, l'avis médical est essentiel pour s'assurer que la douleur correspond bien à une angine de poitrine.

Les thérapies diététique et nutritionnelle

Une nourriture saine est particulièrement recommandée pour les maladies des artères et du cœur. Mangez de la salade, du poisson, de l'ail, des fruits, des légumes et buvez un peu de vin rouge.
Les suppléments de nutriments antioxydants sont à la fois curatifs et préventifs. Prenez donc des vitamines A, C et E ; du sélénium, du zinc et du magnésium ; de la lysine (acide aminé) ; des acides gras essentiels EPA, des huiles de poisson, et GLA de l'huile d'onagre et de bourrache, ainsi que de la lécithine.

La phytothérapie

À long terme, l'ail, la bromelaïne, les fleurs de limettier, le muguet, la cardiaire et les baies d'aubépine ont la réputation de venir à bout des symptômes de l'angine de poitrine. Cependant, mieux vaut consulter un herboriste qui vous fera une prescription plus précise.
Boire de l'infusion d'achillée est également recommandé. En prendre trois fois par jour.

Les palpitations

Les palpitations sont des battements de cœur irréguliers ou trop rapides. L'anxiété qu'elles provoquent est souvent plus sérieuse que le problème physique en soi. Elles peuvent avoir une raison psychologique comme l'angoisse ou la peur, ou résulter d'une infection, de l'ingestion d'un médicament, d'alcool, de thé ou de café susceptibles de provoquer une crise.

Les techniques de relaxation

Une respiration lente et profonde et les techniques de biofeedback aident à la détente.

La digitopuncture

Point « C 7 », au bord supérieur de l'os pisciforme du poignet, dans l'alignement du petit doigt.

La phytothérapie

Les crises chroniques sont apaisées par la valériane et les baies d'aubépine en gélules. Une infusion de citronnelle, de fleurs de limettier, de cardiaire ou de passiflore est bénéfique quand on en prend régulièrement.

La phlébite

Inflammation des veines, généralement des membres inférieurs. Elle est liée aux varices (voir p. 128), mais peut intervenir sur le site d'une injection intraveineuse.
Quoique douloureuse, la phlébite guérit

avec le repos. Il faudra surélever la jambe. Pour des phlébites prolongées, des bas antivarices sont parfois utiles.

La phytothérapie

Des anti-inflammatoires naturels et des analgésiques comme l'écorce de saule et la reine-des-prés aideront à calmer la douleur.

Le syndrome de Raynaud

Il est douloureux et provoque des spasmes dans les artérioles des doigts ; les mains et les pieds sont froids, insensibles et décolorés. Il est associé à une exposition chronique à des vibrations (par exemple engins vibrants). La maladie de Raynaud, une autre forme de la même affection, est associée à l'exposition au froid et affecte essentiellement les jeunes femmes.

Les thérapies diététique et nutritionnelle

Les aliments riches en fer comme le foie, le poulet, les légumes à feuilles vert foncé, le soja et les lentilles sont recommandés ainsi que des suppléments contenant les vitamines C, E, B, du cuivre, du fer et du sélénium. Les boissons riches en caféine ou en théine provoquent une constriction des vaisseaux sanguins et réduisent l'absorption du fer, il vaut donc mieux les éviter. D'autre part, le tabac provoque la constriction des vaisseaux sanguins et contribue au durcissement des artères.

Le biofeedback

Les techniques du biofeedback améliorent la circulation en contrôlant la tension musculaire.

Pour en savoir plus

Digitopuncture 38
Biofeedback 47
Médecine par les plantes 60

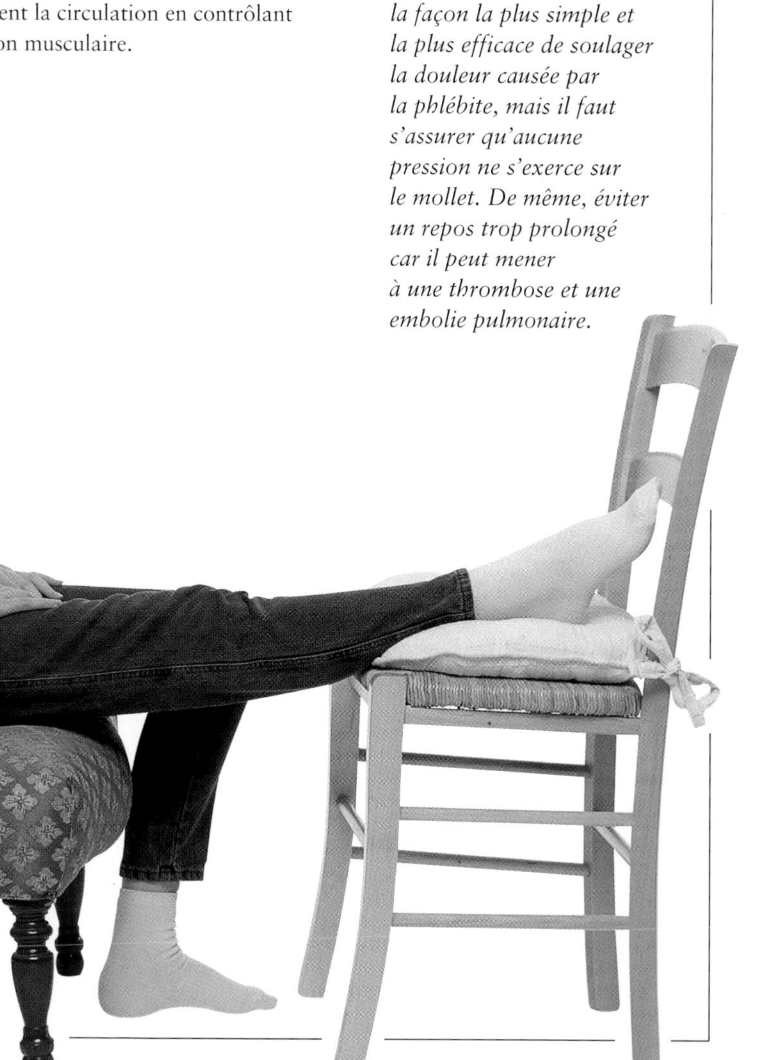

Surélever la jambe est la façon la plus simple et la plus efficace de soulager la douleur causée par la phlébite, mais il faut s'assurer qu'aucune pression ne s'exerce sur le mollet. De même, éviter un repos trop prolongé car il peut mener à une thrombose et une embolie pulmonaire.

Douleurs liées au cœur et à la circulation

Les varices

Les varices sont de petites poches de congestion dans les vaisseaux sanguins qui contiennent du sang « usé » retournant au cœur et aux poumons pour y être réoxygéné. Une mauvaise circulation est la cause des varices. Les dilatations de la veine sont parfois douloureuses et peuvent mener à la phlébite (voir p. 126).
Les femmes en souffrent plus que les hommes, car la grossesse les favorise. Un manque d'exercice, de trop longues stations debout et une surcharge pondérale en sont aussi les causes.

La naturopathie

Alterner des compresses chaudes puis froides peut soulager la douleur et améliorer la circulation.

Les thérapies diététique et nutritionnelle

Boire des jus de légumes serait efficace. Essayez les mélanges suivants :
carottes, céleri et persil ; carottes, céleri et épinards ; carottes, épinards et navets ; carottes, betterave et concombre.
Le jus de cresson est également recommandé. La betterave crue, les abricots, les cerises, les églantines, les mûres et le sarrasin seraient bénéfiques.
Prendre également des suppléments de vitamines C (500mg) et E (400 iu) avec de la rutine et de la lécithine.

La phythothérapie

Les baies d'aubépine, le marron d'Inde, le ginkgo biloba et les baies de sorbier des oiseleurs seraient efficaces. Demandez l'avis d'un herboriste qualifié.

L'aromathérapie

Ne pas masser les veines affectées.
Prendre un bain tiède (surtout pas chaud) avec quelques gouttes d'huile essentielle de cyprès, citron, lime ou bois de santal pour soulager la douleur.

Un massage de réflexologie complet serait bénéfique pour les varices. Les thérapeutes se concentrent sur des zones plus spécifiques.

La réflexologie

Les thérapeutes assurent que masser les pieds entre le deuxième et le troisième orteil améliore la circulation.

Les hémorroïdes

Les hémorroïdes sont un genre de varices qui se forment à l'entrée de l'anus. La constipation en est souvent la cause. Les veines se distendent, s'agrandissent et souvent elles rompent, ce qui crée des douleurs, des irritations et des saignements au cours des mouvements intestinaux.

Avertissement : il faut demander un avis médical si les saignements se prolongent pendant plus de douze heures et que leur origine n'est pas évidente.

La naturopathie

Des glaçons appliqués sur la zone affectée peuvent apporter un soulagement immédiat, mais des bains de siège chaud et froid en alternance sont recommandés sur le long terme.

Prendre des bains de siège dans l'eau chaude et des pieds dans l'eau froide et vice versa est le traitement idéal, mais il n'est praticable que dans les établissements thermaux qui ont le matériel approprié. Chez vous, vous pouvez prendre un bain tiède avec 500 g de sel de mer ou 3 ou 4 gouttes d'huiles essentielles de cyprès et/ou de camomille. Rester dans le bain pendant une dizaine de minutes. Des exercices cardio-vasculaires réguliers, par exemple la marche rapide ou le vélo, aident à surmonter les problèmes de circulation et à les prévenir. Vous pouvez aussi essayer le yoga.

Les thérapies diététique et nutritionnelle

Mangez des fruits et des légumes frais et des aliments complets contenant des fibres. Buvez de 6 à 8 verres d'eau par jour, ou des jus de fruit dilués entre les repas. Prenez une cuillerée à soupe d'huile de lin par jour.

Des suppléments de vitamines C (500mg), E (400 iu), de la rutine et de la lécithine sont recommandés. Si vous saignez beaucoup, prenez un supplément contenant du fer.

La phytothérapie

Appliquer de la crème à la pivoine sur les hémorroïdes et utilisez des suppositoires à la pivoine pour les hémorroïdes internes. Appliquer de l'hamamélis avec un coton si elles saignent. Autres plantes particulièrement efficaces en pommade : au calendula, millepertuis, ficaire, marron d'Inde, achillée, ou consoude.

On peut aussi boire l'achillée en infusion ou en faire des compresses avec une infusion de 1 ou 2 cuillerées à café de la plante dans une tasse d'eau chaude pendant 10 minutes. Trempez un tissu propre dans l'infusion et appliquez sur la zone affectée jusqu'à ce que le tissu soit froid.

Les thérapies par le mouvement

Étendez-vous trois minutes par jour sur le dos, les pieds en appui sur un mur.

La thérapie de praticiens

- Homéopathie

Pour en savoir plus

Thérapie diététique	30
Yoga	40
Naturopathie	62

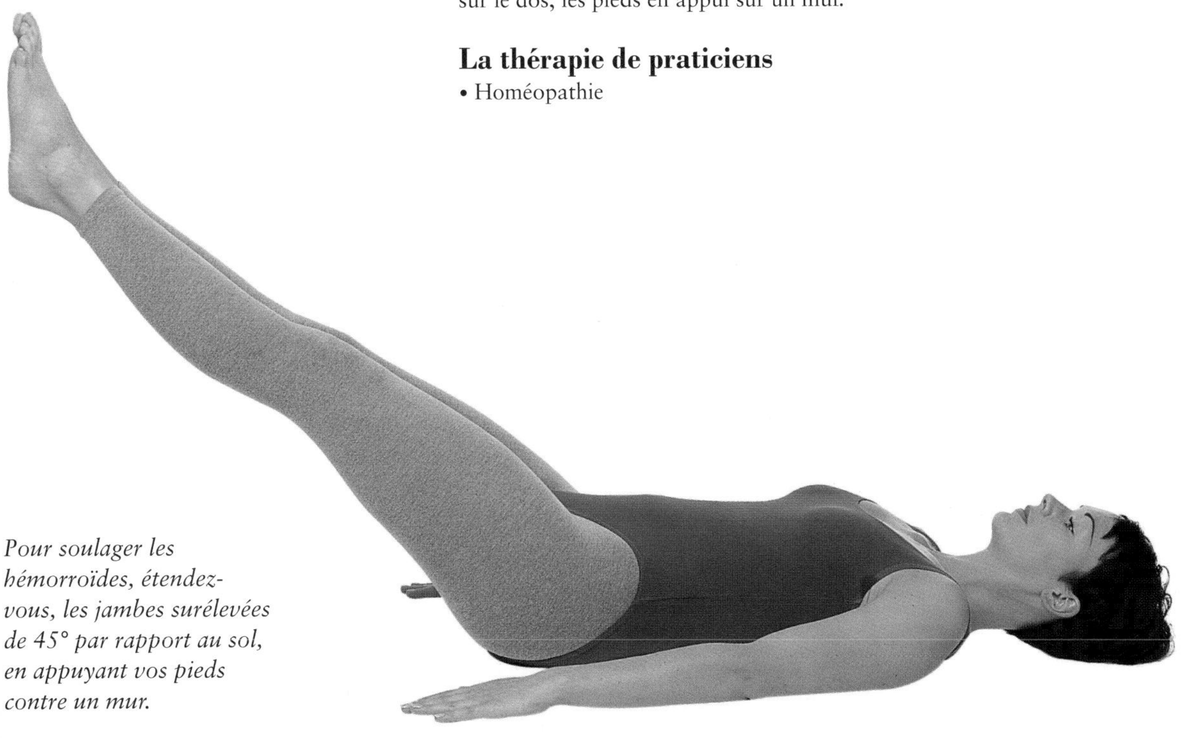

Pour soulager les hémorroïdes, étendez-vous, les jambes surélevées de 45° par rapport au sol, en appuyant vos pieds contre un mur.

Douleurs musculosquelettiques

Les problèmes de dos et d'articulation sont le mal du siècle du monde occidental. Les symptômes vont des spasmes musculaires aux articulations enflammées. Quant à la douleur concernant les nerfs, elle est bénigne (picotements), aiguë ou brûlante.

Les légumes frais sont essentiels pour se maintenir en bonne santé. Mangez-les crus ou légèrement cuits à la vapeur pour retenir le plus possible de nutriments, ou alors consommez-les en jus, comme les fruits.

Les névralgie, névrite et sciatique

Parmi les douleurs neurologiques les plus connues, il y a la névralgie (un nerf qui vous fait souffrir, le plus souvent au visage), la sciatique (douleur qui accompagne le trajet du nerf sciatique qui part du bas du dos pour descendre le long de la jambe) et la névrite (inflammation d'un nerf). Des facteurs physiques et psychologiques sont en cause. Les plus courants sont une infection, une mauvaise position, un régime inadapté, le stress et le surmenage.
Un zona est souvent suivi de névralgies. La douleur, qui peut être assez intense, vient d'une lésion des terminaisons nerveuses, et elle peut persister pendant des mois, surtout chez les personnes de plus de cinquante ans.

La naturopathie

Une alternance de chaud et de froid peut soulager la douleur et favoriser la guérison. Utiliser un sachet de petits pois surgelés et une bouillotte.
Prendre un bain « neutre » à la température du corps est très apaisant. Le yoga et la natation sont également recommandés, surtout si on les associe à un sauna ou à un bain de vapeur.

Les thérapies diététique et nutritionnelle

Manger beaucoup d'avoine, de légumes verts, de fruits frais. Prendre également les suppléments suivants : vitamines A, C, E et B ; magnésium, calcium et sélénium ; acides gras oméga-3 et oméga-6 (contenus dans les huiles de poisson, de lin, d'onagre et de bourrache). Des suppléments en minéraux et en vitamines de bonne qualité contiennent la plupart de ces éléments. La bromélaïne (enzyme extraite de l'ananas) est un anti-inflammatoire naturel pour les nerfs. Prenez-en jusqu'à 3 g par jour pendant les repas.

Les phytothérapies

Boire régulièrement des infusions de ginseng, de houblon, de cornouiller d'Amérique, de pulsatille, passiflore, millepertuis, scutellaire ou valériane. L'extrait de cimicifuga est un anti-inflammatoire naturel.
Le lait d'ail – deux gousses d'ail écrasées dans 250 ml de lait – consommé quotidiennement soulagerait la sciatique.

Si une allergie est impliquée dans une douleur nerveuse, un jeûne dépuratif à base de fruits ou de légumes et ne durant pas plus de 48 heures serait bénéfique. Parmi les combinaisons courantes : pomme-poire et carotte-betterave.

AVERTISSEMENT

Les douleurs neurologiques sont une affection relativement mineure du système nerveux qui diminuent avec le temps. Divers traitements accélèrent la guérison. Cependant, si la douleur est accompagnée par des diarrhées, des dysfonctionnements de la vésicule biliaire, ou si vous traînez la jambe, il faut consulter un médecin car le nerf est peut-être atteint.

L'homéopathie

Pour la névralgie, Belladonna 6 CH et Aconite 6 CH ; les lésions des nerfs, Hypericum 6 CH. Une fois par heure, maximum 4 heures. Bryonia et Rhus tox sont indiqués pour la sciatique, mais mieux vaut consulter un homéopathe pour une prescription personnalisée.

Les massages et l'aromathérapie

Masser les zones douloureuses avec 2 gouttes d'huiles essentielles de wintergreen, menthe et myrrhe. Vous pouvez aussi essayer le romarin et la lavande ou les clous de girofle, le basilic et l'eucalyptus. L'huile essentielle de millepertuis est également bénéfique si on la passe sur les zones affectées.

La digitopuncture

Pour les névralgies du visage, appuyer – côté douleur – sur un point sous l'extrémité interne du sourcil ; ou alors sur les points de chaque côté de la bouche. Pour la sciatique, appuyer sur « Vessie 58 » qui se trouve à une largeur de main (pouce compris) au-dessus et en arrière de la malléole externe. Maintenez la pression pendant 10 minutes. Recommencez toutes les demi-heures si nécessaire. **N'utilisez pas ce point si vous êtes enceinte.** Autre point pouvant soulager la sciatique : dans le creux de la fesse, dans la dépression entre l'os de la jambe et l'articulation de la hanche.

Les appareils pour soulager la douleur

La TENS est efficace pour traiter la plupart des douleurs neurologiques, mais un peu moins pour traiter les névralgies succédant à un zona. Des appareils manipulés à la main comme les masseurs/vibrateurs et les appareils à intrasons sont également efficaces si on les utilise au moins 45 minutes par séance.

La réflexologie

Elle peut soulager la douleur de la névralgie. Pour la sciatique, il y a des points spécifiques sur le talon (voir pp. 74-75).

Les thérapies par la relaxation et le yoga

La gestion du stress par des techniques comme la méditation, le training autogène et le biofeedback peuvent se révéler utiles, ainsi que les postures de yoga qui se concentrent sur l'étirement et tonifient la colonne vertébrale et les muscles du dos. Les exercices de respiration qui les accompagnent sont indispensables.

Les thérapies de praticiens

- Ostéopathie crânienne
- Ostéopathie et chiropractie
- Acupuncture
- Hypnose
- Technique Alexander

Pour en savoir plus

Système nerveux	16
Appareils électroniques	83
Acides gras essentiels	143

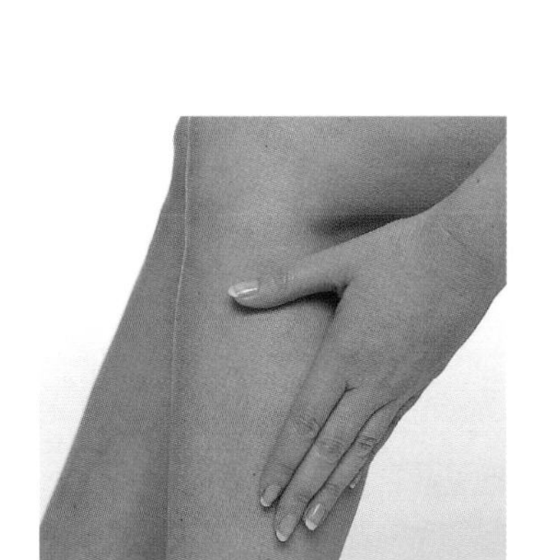

« V 58 » est un point de digitopuncture qui soulage la sciatique. Il est situé sur le mollet, au-dessus et en arrière de la malléole interne, sur le méridien de la vessie.

Douleurs musculosquelettiques

Le zona

Dû à une infection de certains nerfs et de la peau par le virus varicelle-zona, il se traduit par une éruption cutanée très douloureuse, qui touche en général le thorax, plus rarement la nuque ou le cou. Quand la partie supérieure de la face est atteinte, l'œil peut être touché.
Il survient souvent chez les personnes âgées et chez les sujets immunodéprimés, et il coïncide avec une période de stress émotionnel.

La phytothérapie

Appliqué en gel ou en liquide (pur ou dilué) l'aloe vera calme l'éruption.

La naturopathie

Un bain tiède avec du bicarbonate de soude (une ou deux tasses par bain) apaise l'irritation. Pour un bain d'avoine : prendre un sac en tissu de 500 g de farine d'avoine et le placer sous le robinet. Quand le bain est plein, ajouter quelques cuillerées à soupe d'avoine fraîchement moulue. Utiliser le sac de farine d'avoine mouillé pour tamponner les zones les plus affectées.

Les thérapies diététique et nutritionnelle

Manger sainement et prendre des suppléments de vitamines et de minéraux de bonne qualité avec du bêtacarotène, des vitamines B, C et E, du zinc et de la lysine, un acide aminé.

L'aromathérapie

Mélangez des huiles essentielles de géranium, sauge et thym avant de les appliquer avec douceur sur les zones affectées.
Ce traitement est bénéfique au début d'une éruption. Mélangez 3 gouttes de chaque essence dans 20 ml d'une huile excipient.

L'homéopathie

Rhus tox 6 CH pour la peau enflammée avec cloques et démangeaisons ; Apis mel s'il y a une sensation de brûlure ; Mezereum pour démangeaisons plus douleur. Appliquez les deux derniers en lotion.

La thérapie de praticiens

- L'acupuncture (surtout pour soulager les névralgies post-herpétiques ou la douleur qui suit une éruption).

La goutte

Quand le corps ne parvient pas à transformer l'acide urique (qui est produit au cours du processus d'élimination des résidus), il en résulte la goutte. Les cristaux d'acide urique se forment autour des articulations qui enflent, entraînant douleur et inflammation. La goutte s'attaque aux gros orteils mais aussi aux genoux, aux coudes et aux mains.
Les attaques vont et viennent et peuvent

QU'EST-CE QUE LA GOUTTE ?

Si le corps produit trop d'acide urique ou ne parvient pas à l'éliminer, l'excès se concentre sous forme de cristaux autour des articulations. On peut sentir sous les doigts ces dépôts ou tophi qui peuvent s'enflammer et provoquer des tuméfactions.

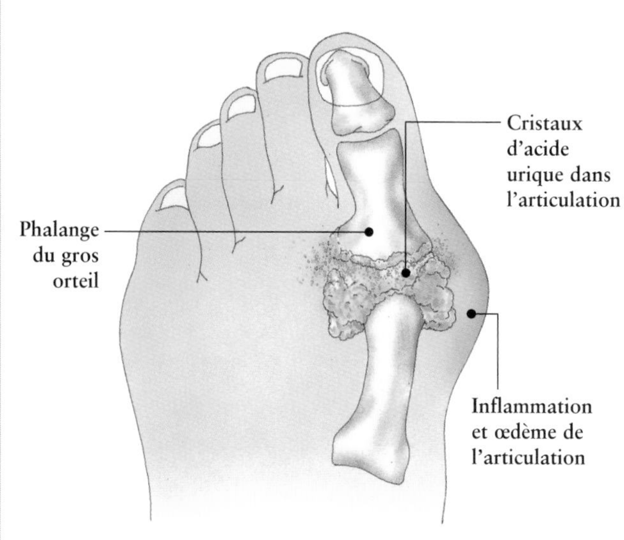

Les fruits rouges neutralisent l'acide urique dans le corps, empêchant son accumulation qui provoque la goutte. L'ail renforce le système immunitaire et contribuerait aussi à soulager la goutte.

provoquer de la fièvre. Des crises régulières endommagent les articulations et la guérison est plus difficile et plus longue.

La naturopathie

Une compresse froide peut soulager la douleur d'une crise aiguë mais un cataplasme de calendula et de consoude peut la calmer durablement. Un bain de sels d'Epsom de 20 minutes (une tasse par bain) aide également à éliminer l'acide urique.

Les thérapies diététique et nutritionnelle

Évitez la caféine, l'alcool, les coquillages, les sardines, les abats et les haricots blancs, qui contribuent tous à la formation de l'acide urique. Boire beaucoup d'eau pure et plate et manger de l'ail, des cerises et des fruits rouges permettent la dissolution des cristaux et neutralisent l'acide urique.

La phytothérapie

Des infusions quotidiennes de bardane, ortie, wintergreen, carotte sauvage, sassafras, genièvre, persil et/ou saule (choisissez-en deux ou trois) peuvent résoudre le problème.

L'homéopathie

Arnica et Belladonna peuvent réduire la sévérité d'une crise. Prendre une dose de 6 CH toutes les demi-heures, jusqu'à 10 doses (moins si la douleur diminue), puis de 30 CH trois fois par jour.

Les massages et l'aromathérapie

Masser la zone affectée avec des huiles essentielles de cyprès, menthe, lavande, camomille, géranium, eucalyptus ou romarin (2 gouttes dans une huile excipient). Vous pouvez ajouter 3 ou 4 gouttes de votre combinaison préférée dans un bain.

Le syndrome du canal carpien

Inflammation provoquée par la compression du nerf médian dans le canal carpien, à la face antérieure du poignet. Il est caractérisé par une sensation d'engourdissement, de fourmillement et de douleur dans l'index et le pouce. Il est courant chez les femmes enceintes ou âgées.

L'hydrothérapie

Alterner les compresses chaudes et froides réduit la douleur et soulage les symptômes.

Les thérapies diététique et nutritionnelle

Un supplément de vitamines B, surtout la B 6 (1 g par jour), avec du magnésium est efficace. Cependant, il faut parfois attendre quelques semaines avant que le traitement ne fasse effet.

La digitopuncture

Appuyer fermement pendant 2 minutes sur deux points qui se trouvent de part et d'autre de l'articulation du poignet et au centre peut soulager la douleur.

Pour en savoir plus

Aromathérapie	*36*
Digitopuncture	*38*
Acupuncture	*68*

Des bracelets en éponge souvent vendus pour soulager le mal de mer exercent une pression de chaque côté du poignet. On prétend qu'ils peuvent soulager la douleur provoquée par le syndrome du canal carpien.

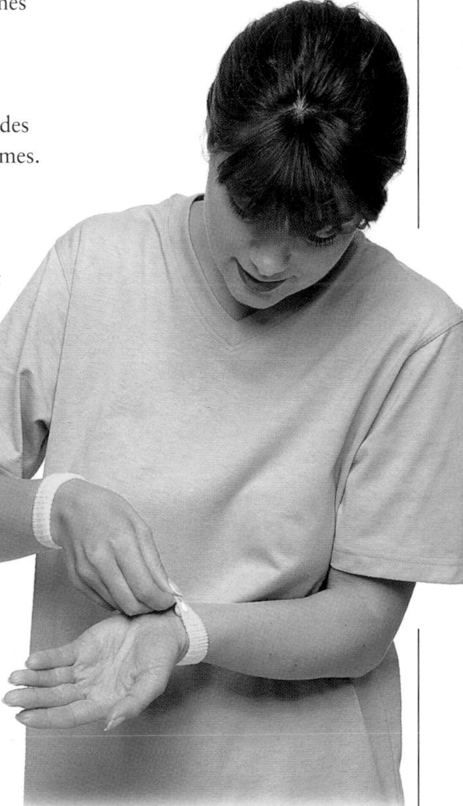

Douleurs musculosquelettiques

Les douleurs cervicales

Les causes vont du stress émotionnel à des stations assises ou allongées trop longues, ou à des problèmes plus sérieux comme une infection ou une blessure. Des douleurs cervicales non traitées peuvent entraîner des douleurs chroniques qui exigent des soins et de la patience. Des maux de tête, vertiges, douleurs oculaires, vision brouillée et douleurs de la mâchoire peuvent les accompagner. Si la souffrance n'est pas trop aiguë, massez-vous en douceur jusqu'à ce que les muscles se détendent. Si vous êtes coincé dans une position inconfortable, si le cou est raide, vous avez besoin de traitements plus attentifs.

Avertissement : un rachis cervical bloqué sans raison particulière, accompagné d'un mal de tête qui va en empirant, de température et d'une photophobie est un des premiers symptômes de la méningite. C'est une infection très dangereuse des méninges, ces membranes qui enveloppent le cerveau et la moelle épinière et qui contiennent le liquide cérébro-rachidien. Il faut immédiatement faire appel à un médecin.

Les massages et l'aromathérapie

Détendez-vous, massez-vous le cou et les épaules, la main bien adaptée au corps. Puis pétrissez les muscles et les tissus du cou et des épaules avec la paume et les doigts d'une seule main. Cherchez les nœuds et les zones dures et douloureuses, et travaillez-les jusqu'à ce que la raideur s'en aille. Empoignez fermement les zones douloureuses du cou et des épaules et étirez les muscles échauffés en faisant tourner lentement votre cou puis vos épaules, ainsi ils se masseront d'eux-mêmes. Utiliser quelques gouttes des huiles essentielles de marjolaine et/ou de romarin diluées dans une huile excipient ajoutera aux bienfaits du massage. Un ami ou un partenaire qui vous massera sera encore plus efficace mais surtout, évitez la zone de la gorge.

La réflexologie

Pressez sur la zone où le gros orteil rejoint la plante du pied – elle correspond au cou. Pour une douleur aiguë de la nuque, consultez un réflexologue qualifié.

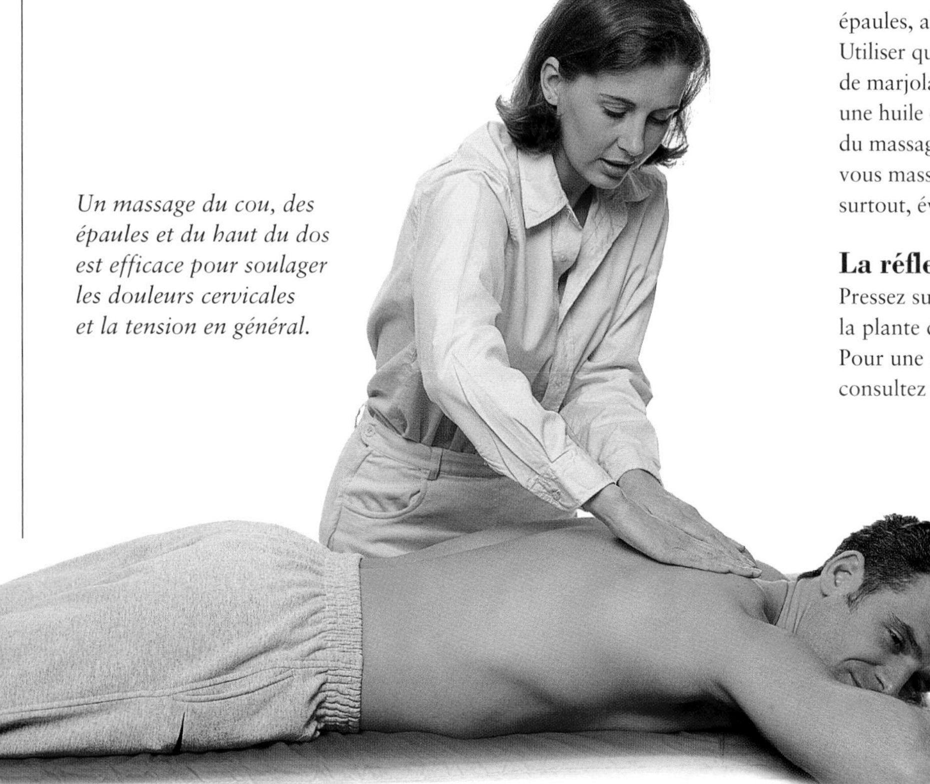

Un massage du cou, des épaules et du haut du dos est efficace pour soulager les douleurs cervicales et la tension en général.

Les appareils pour soulager la douleur

La TENS soulage efficacement la douleur, de même que les appareils favorisant la circulation sanguine, comme ceux qui massent par les intrasons (voir pp. 59 et 83). La TENS ne doivent pas être utilisés près de la gorge.

Les thérapies de praticiens

- Physiothérapie
- Thérapies par le mouvement comme le yoga, le tai chi, la technique Alexander, la méthode Feldenkrais, celle de Heller et le Rolfing.

La lésion traumatique des cervicales

Les douleurs cervicales, et aussi dorsales, sont parfois provoquées par un accident où la tête est violemment rejetée en arrière. Cela se produit fréquemment dans les accidents de voiture, surtout en l'absence d'appui-tête.
Les muscles, les tendons et les ligaments du cou sont traumatisés et c'est le processus de cicatrisation qui provoque la douleur.
Les symptômes comprennent également des maux de tête, des troubles de la vision, de la fatigue, des picotements, l'angoisse et la dépression. La lésion traumatique des cervicales peut se manifester juste après l'accident ou plus tard.

La naturopathie

Pour les cas bénins, des compresses chaudes et froides en alternance apportent un soulagement immédiat, et un massage doux favorise la circulation sanguine.

L'homéopathie

Une teinture ou une pommade à l'Arnica passée sur la zone affectée limitera les contusions, à condition qu'elle soit appliquée dans l'heure qui suit le choc. Prendre Arnica 30 CH sous forme de granulés toutes les 5 minutes au cours de la demi-heure qui suit l'accident, suivi par Hypericum 6 CH toutes les 4 heures (3 jours maximum).

Les instruments pour soulager la douleur

Comme pour les douleurs cervicales.

La thérapie nutritionnelle

Pour soulager la raideur, prendre du pentothénate de calcium. Pour accélérer la réparation des tissus, prendre un bon supplément en vitamines, minéraux et acides aminés. Des doses quotidiennes de vitamine C (de 3 à 5 g), de calcium (1 g) et de magnésium (500 mg) soulagent la douleur aiguë. Les gélules d'huiles de poisson (EPA) et d'onagre (GLA) sont recommandées, ainsi que la spiruline, une algue d'eau douce, disponible sous forme de poudre dans les boutiques diététiques.

Les thérapies par la relaxation

Il faut éviter le stress pour que les muscles du cou se détendent. Les thérapies comme la méditation, la visualisation, le biofeedback et l'auto-hypnose (affirmations) aident à se relaxer émotionnellement et mentalement.

Les thérapies de praticiens

- Acupuncture
- Ostéopathie et chiropractie
- Ostéopathie crânienne

Les torticolis

Il vient d'une contraction des muscles de chaque côté du cou. Quand il est chronique, il s'agit davantage du résultat d'une blessure ou d'une maladie. Quant au torticolis aigu, il peut être provoqué par un rhumatisme ou un ganglion enflammé.
Le torticolis congénital est difficile à corriger sans chirurgie une fois la période de l'enfance passée, mais les approches qui peuvent vous aider pour les douleurs du cou soulageront les crises de spasmes musculaires.

Pour en savoir plus

Massages	*56*
Accessoires de massage	*58*
Technique Alexander	*66*

Douleurs musculosquelettiques

Les douleurs du dos

Très répandues dans le monde occidental. C'est, avec la grippe, une des maladies qui coûte le plus de journées de travail à la société. Le dos est soutenu par une structure osseuse complexe – les vertèbres – protégée par différents tissus interconnectés, dont les muscles, nous maintenant droit.
Cela met le dos sous pression constante, et cela explique pourquoi les problèmes de dos sont difficiles à traiter.
Bien que la douleur puisse intervenir à n'importe quel endroit du rachis, elle affecte généralement les lombaires. On l'appelle alors un lumbago.
Les traitements conventionnels comme les myorelaxants, les anti-inflammatoires stéroïdiens et non stéroïdiens, les antidépresseurs et les tranquillisants ont tous des effets secondaires.
La majorité (environ 90 %) des épisodes douloureux se résolvent en six semaines. Il arrive que la douleur devienne chronique et la physiothérapie, l'ostéopathie et parfois la chirurgie sont mises à contribution.

Les traitements de la douleur aiguë

Il ne faut pas rester allongé plus de 24 heures. Continuez si possible à travailler et prenez un peu d'exercice. Voyez votre médecin si vous avez des antécédents de cancer, de la fièvre, si vous avez reçu un coup ou si vous souffrez de troubles sensoriels, intestinaux ou de vessie.

La naturopathie

Des compresses chaudes puis froides soulagent la douleur : utilisez un paquet congelé et une bouillotte. Cinq minutes pour la bouillotte, 10 minutes pour le paquet congelé. À pratiquer aussi longtemps que cela vous sera bénéfique.

Les appareils qui soulagent la douleur.

La TENS est efficace, de même que ceux qui activent la circulation dans la zone douloureuse, comme les vibromasseurs à intrasons (voir pp. 59 et 83). Si vous utilisez des vibromasseurs à haute fréquence, la séance doit durer au moins 45 minutes pour obtenir de bons résultats.

Les massages et l'aromathérapie

Demandez à un ami ou à un partenaire de vous masser tout le dos avec soin, en se concentrant sur les zones plus chaudes ou douloureuses, sans trop appuyer sur la colonne vertébrale elle-même.
Un mélange de 12 gouttes d'essence de gingembre, 5 de genièvre et 8 de romarin ou de lavande (le romarin est stimulant et la lavande calmante), ajouté à une huile excipient augmentera les bienfaits du massage. D'autres essences, bénéfiques pour les douleurs aiguës, sont le poivre noir, le cyprès, le bouleau et l'eucalyptus. Pour les douleurs musculaires en général, essayez la marjolaine, la camomille ou la sauge.

La phytothérapie

La bromélaïne (extrait de l'ananas) est un anti-inflammatoire puissant (en prendre 2 ou 3 g par jour pour commencer, puis 1 ou 2 g quand la douleur diminue).
Autres anti-inflammatoires efficaces en infusion : valériane, millepertuis et cornouiller d'Amérique.
Il existe des gélules d'écorce de saule et de reine-des-prés qui remplacent l'aspirine. Le gingembre, le poivre de Cayenne, le radis noir, la lobélie et la boule-de-neige frottés sur la zone douloureuse agissent favorablement en stimulant la circulation sanguine locale.

L'homéopathie

La teinture ou la pommade à l'Arnica frottée doucement sur la zone affectée agira sur la contusion si elle est appliquée dans l'heure qui suit un choc ou un étirement accidentel.
Arnica 6 CH toutes les demi-heures pendant 3 heures, puis toutes les 4 heures pendant 5 jours maximum est efficace.
Rhus tox 3 CH est conseillé pour les élongations et Ruta 3 CH pour les tendons et les os meurtris.

Les thérapies de praticiens

- Acupuncture
- Chiropractie et ostéopathie
- Ostéopathie crânienne/thérapie crâniosacrée.
- Physiothérapie
- Hypnose
- Massages

Pour en savoir plus

Hydrothérapie 62
Médicaments 80
Physiothérapie 82

LES DOULEURS DE DOS CHRONIQUES

L'hydrothérapie

La natation combinée au sauna ou au bain de vapeur est excellente pour soulager un dos qui souffre.

Les exercices

Un exercice modéré est beaucoup plus salutaire que le repos complet, mais il ne faut pas vous surmener pendant le processus de guérison. Faire du vélo est recommandé car, comme pour la natation, vous êtes soulagé du poids de votre corps. La marche et le jogging ne présentent pas d'inconvénient si on porte des chaussures adaptées. Quand vous irez mieux, le yoga et le tai chi sont envisageables. Mais il vaut mieux suivre quelques cours avec un professionnel afin de ne pas prendre de mauvaises habitudes quand vous exécutez vos mouvements.

Les thérapies diététique et nutritionnelle

Un bon régime alimentaire est important pour le mal de dos, tout comme pour les autres affections douloureuses. Mangez des fruits et des légumes frais et essayez de diminuer les graisses animales, l'alcool, le thé et le café. Des suppléments d'huiles de poisson (EPA) et d'huiles d'onagre ou de bourrache (GLA) sont recommandés. Des suppléments avec de la vitamine C, du calcium, du magnésium et du manganèse favorisent également la guérison.

L'aromathérapie

Des bains chauds contenant quelques gouttes de camomille, lavande, genièvre, eucalyptus et romarin soulageront la douleur.

La pression constante exercée sur la colonne vertébrale et les muscles du dos fait que cette partie du corps est plus fragile. Bien qu'ils soient douloureux, la plupart des problèmes de dos se résolvent avec le temps et des exercices appropriés.

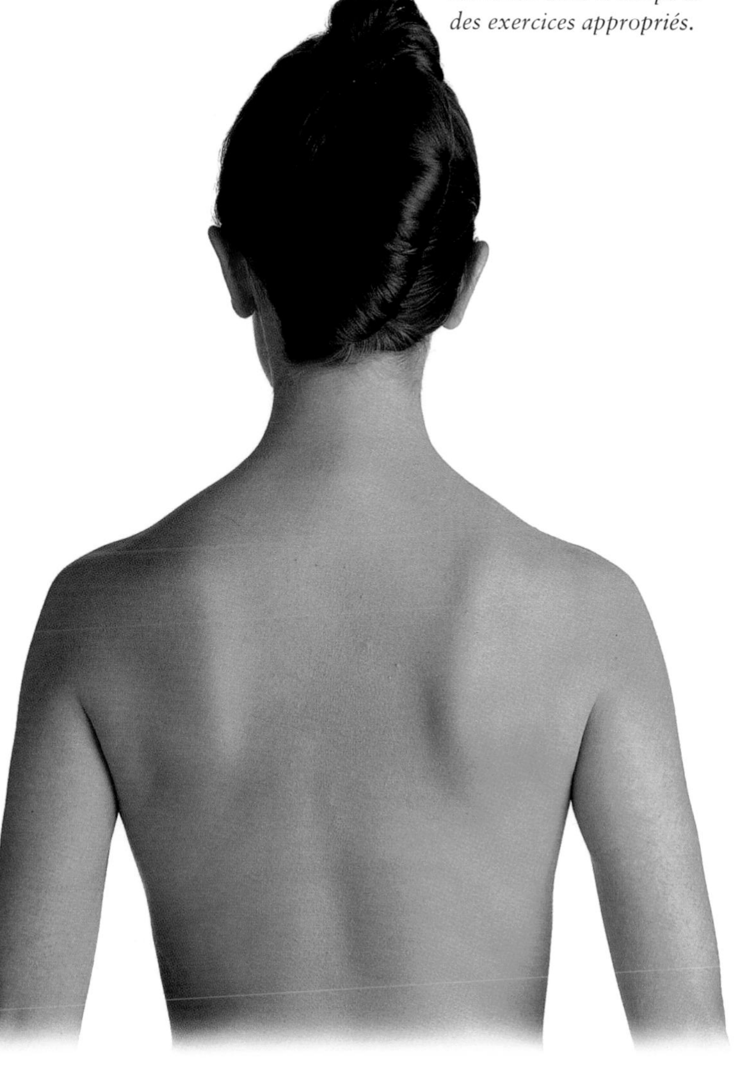

Douleurs musculosquelettiques

Traitement en réflexologie pour les douleurs lombaires : pressions exercées sur le coup de pied.

La technique Alexander

La technique Alexander apprend à se tenir correctement et, si on la pratique régulièrement, elle est particulièrement efficace pour les douleurs du cou et des lombaires.

La réflexologie

Pendant une minute, vous maintenez doucement la pression avec votre pouce sur un des points de réflexologie agissant sur le dos. La zone correspondant à la colonne vertébrale court du gros orteil au talon, le long de la plante du pied – côté interne. Pressez la base du gros orteil pour les douleurs cervicales ; sous le coup de pied pour les douleurs au milieu du dos ; et la cambrure pour les douleurs lombaires. Si la douleur persiste, consultez un réflexologue.

Les thérapies par la relaxation

Elles encouragent la relaxation des muscles du dos en évitant le stress – une origine courante de tensions musculaires. Des thérapies telles que la méditation, la visualisation, le biofeedback et l'auto-hypnose (affirmations) favorisent une relaxation émotionnelle et mentale (voir pp. 46-51).

Les thérapies de praticiens

- Acupuncture
- Chiropractie
- Massages
- Ostéopathie
- Ostéopathie crânienne/thérapie crâniosacrée
- Physiothérapie
- Méthode Heller
- Rolfing
- Méthode Feldenkrais
- Hypnose
- Imposition des mains

La hernie discale

Entre chaque vertèbre de la colonne vertébrale il y a un disque plat de cartilage élastique qui absorbe les chocs. Il peut être écrasé ou se déplacer, par exemple si vous faites un faux mouvement. L'imagerie par résonance magnétique (IRM) montrent qu'environ un tiers de la population présente une hernie discale. La plupart des gens n'en souffrent pas. Cependant, si le disque comprime un nerf, il peut provoquer une douleur le long de la jambe connue sous le nom de sciatique. Un choc violent peut provoquer une lésion d'un disque qui va partiellement sortir de son habitacle, appuyer sur un nerf et provoquer une inflammation. La douleur causée par une hernie discale est brutale, souvent accompagnée par des spasmes des muscles, des fourmillements et un engourdissement d'une jambe ou d'un pied, des deux jambes ou des deux pieds. Si cela se produit, faire aussitôt appel à un ostéopathe, un chiropracteur ou un médecin. Les manipulations de la colonne vertébrale peuvent soulager la pression sur le nerf et ainsi éliminer la douleur. Une douleur aiguë peut nécessiter une intervention chirurgicale ; si la miction et la digestion sont affectées, il faut peut-être envisager la chirurgie.

HERNIE DISCALE

La plupart des hernies discales viennent de la façon dont les disques et la colonne vertébrale s'articulent. Des rotations peuvent endommager le revêtement d'un disque intervertébral, qui fait saillie.

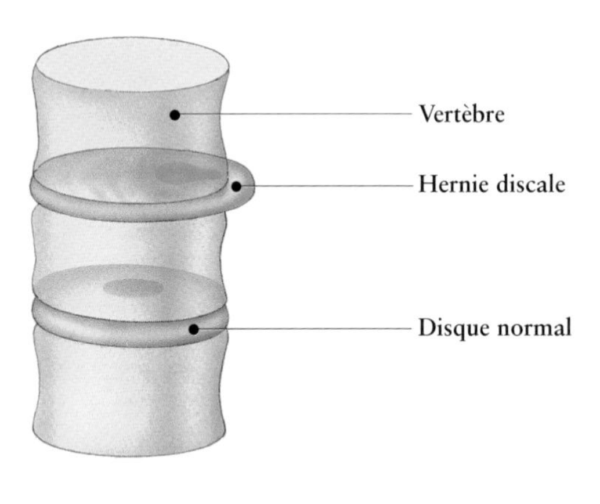

Les procédés électriques
La TENS peut apporter un soulagement immédiat de la douleur (voir p. 83).

L'hydrothérapie
Appliquer des compresses chaudes et froides. Mais dans l'éventualité où la chaleur soulagerait, une bouillotte est tout indiquée.

L'homéopathie
Essayez Arnica 6 CH toutes les demi-heure pendant 3 heures, puis toutes les 4 heures (jusqu'à 5 jours).

Les thérapies de praticiens
- Acupuncture
- Chiropractie
- Ostéopathie
- Physiothérapie

La cyphose
Il s'agit d'une déformation de la colonne vertébrale, anormalement convexe en arrière. C'est le problème de posture le plus courant qui peut aboutir à un dos bossu. On le voit souvent chez ceux qui passent beaucoup de temps assis. L'ostéoporose peut provoquer le même phénomène.
Les traitements consistent en exercices réguliers qui favorisent la correction de la posture et permettent de respirer profondément. Il faut également s'assurer que la surface de travail est à la bonne hauteur et apprendre à se détendre.

La lordose
Rester trop longtemps assis, ou debout les jambes raides, peut provoquer une courbure physiologique de la colonne vertébrale qui se creuse vers l'avant. Cette courbure est exacerbée par une contraction des muscles du dos.

La méthode Feldenkrais est efficace pour traiter les problèmes de dos. Un massage doux vous aide à bien vous sentir dans votre corps et à repérer où se trouvent les tensions.

Pour en savoir plus

Système musculosquelettique 18
Technique Alexander 66
Méthode Feldenkrais 67

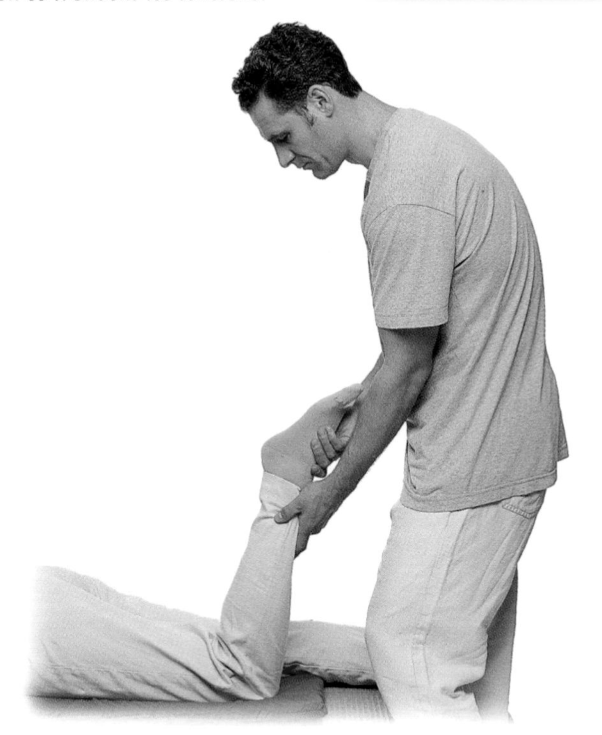

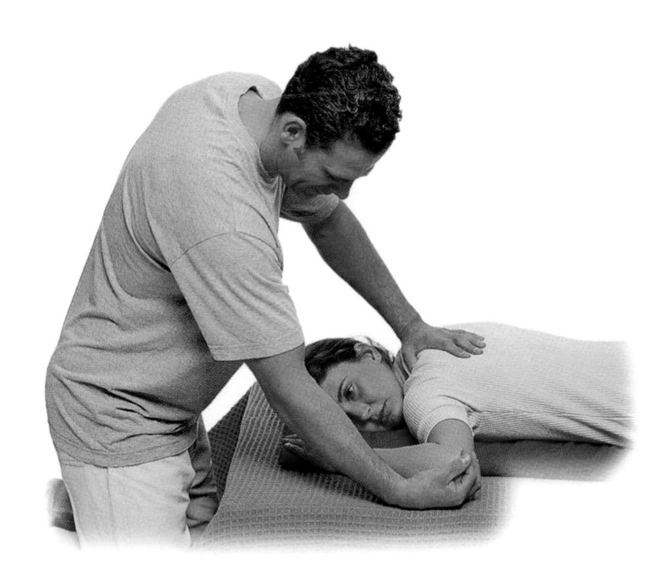

Douleurs musculosquelettiques

Se tenir bien appuyé sur les talons tout en rentrant le menton prévient la lordose.

Pour corriger la lordose, tenez-vous droit, les genoux détendus. Le bassin est légèrement basculé vers l'avant et le ventre est tonique mais sans exagération. Rentrez le menton afin d'allonger la nuque, ce qui vous empêche de basculer vers l'avant. Des exercices pour renforcer les abdominaux sont également bénéfiques.

La scoliose

Incurvation latérale de la colonne vertébrale parfois provoquée par une jambe plus courte que l'autre. La plupart du temps, la cause est inconnue. La scoliose peut être provoquée par une contraction des muscles d'un côté de la colonne, une paralysie des muscles ou une mauvaise position. La scoliose peut interférer avec le bon fonctionnement des poumons et comprimer les nerfs qui partent de la colonne.
Une semelle sur mesure dans une chaussure peut apporter un soulagement. Un étirement régulier des muscles des hanches et du tronc aide à redresser la colonne. L'ostéopathie crânienne est également recommandée. Dans tous les cas de figure, consulter un spécialiste.

Le changement de maintien

Pour corriger le maintien, s'adresser aux spécialistes des thérapies suivantes :

- Ostéopathie et chiropractie
- Physiothérapie
- Thérapie par le massage
- Yoga
- Tai chi
- Technique Alexander
- Méthode Feldenkrais
- Rolfing
- Méthode Heller

Les crampes

La crampe est une brusque contraction musculaire qui intervient souvent après des exercices physiques épuisants, la nuit ou pendant la grossesse. Les crampes sont des réponses à des stimuli nerveux, mais on en ignore la cause exacte. Elles ne durent pas plus de quelques minutes.

La naturopathie

Exercer une forte pression avec les pouces sur le point le plus douloureux tout en vous concentrant pour étirer les muscles. Vous influez ainsi sur les nerfs qui conduisent à la relaxation. Dès que possible, appliquer une compresse trempée dans de l'eau chaude. Répéter l'opération toutes les 5 minutes. Au bout de 4 ou 5 compresses, pétrissez la zone affectée et massez-la.

La phytothérapie

Gingko biloba en gélules ou boule-de-neige en infusion.

L'homéopathie

Cuprum metallicum 3 CH prévient ou diminue les crises.

Les thérapies diététique et nutritionnelle

Manger des légumes à feuilles vert foncé, des coquillages, des noix et des graines prévient les crises. Vous pouvez également prendre des huiles d'onagre et de bourrache (1 g par jour), des vitamines C (3 g) et E (250-400 iu), du calcium et du magnésium.

Les autres problèmes musculosquelettiques

La fibromyalgie : syndrome douloureux diffus dont on ne connaît pas la cause. Peut-être de mauvaises positions, les séquelles d'une infection ou des exercices inhabituels.
La tendinite (inflammation des tendons) est provoquée par l'usure ou une blessure. Elle est responsable de problèmes tels que les blessures par actions répétitives et le tennis-elbow. La ténosynovite est une inflammation de la gaine synoviale de certains tendons. Elle est provoquée par un surmenage, une action répétitive, ou parfois une infection bactérienne.
La bursite est une inflammation de la bourse séreuse, les tissus mous qui recouvrent les articulations et leur permettent de bouger. Elle vient de pressions ou de frictions mais il arrive aussi qu'elle soit provoquée par une inflammation bactérienne.

Cette inflammation des bourses est responsable d'états comme l'« épaule raide » ou le « genou de la servante ».
Ces situations sont toujours douloureuses, invalidantes et parfois chroniques. Le temps et des exercices adaptés peuvent souvent guérir les crises aiguës. Le repos n'est pas vraiment recommandé car il déconditionne les muscles.

La naturopathie

Appliquer des compresses froides aux premiers signes d'inflammation, puis des sachets surgelés si le mal persiste. Quand cela ira mieux, passez aux compresses chaudes puis froides et commencez à faire des exercices très contrôlés pour que les articulations gardent leur mobilité.

Les thérapies diététique et nutritionnelle

Des fruits et des légumes frais, surtout du céleri, favorisent un prompt rétablissement. Prendre aussi des suppléments avec des acides gras essentiels (EPA et GLA), des vitamines A, C, E et B, du magnésium et du calcium ainsi que de la bromélaïne et de la papaïne. Évitez le thé, le café, l'alcool, le sucre et les fruits acides.

La phytothérapie

Infusions de valériane, de trèfle d'eau, d'hydrastis, de bouleau et de primevères. Le soir, infusions de passiflore ou de camomille avec du houblon.
Les cataplasmes chauds sont assez efficaces. Pour cela, utilisez la consoude, la guimauve, l'orme rouge et les graines de lin.

L'homéopathie

Essayer Arnica ou Apis 6 CH toutes les 2 heures pour une crise aiguë. Rhus tox ou Bryonia 6 CH deux fois par jour pendant 2 semaines pour les crises récurrentes. Voyez un thérapeute pour une prescription personnalisée.

Les massages et l'aromathérapie

Masser avec des huiles essentielles de lavande, bois de santal, genièvre, eucalyptus, thym et/ou romarin (5 gouttes diluées dans une huile excipient). Pétrir les zones affectées plutôt que de les masser en surface.

La digitopuncture

Pour l'« épaule raide », appuyer vers le haut et pendant 3 minutes à une extrémité ou l'autre de l'humérus (l'os de l'avant-bras). Répéter quotidiennement.

Les thérapies de praticiens

- Acupuncture
- Hypnose
- Phytothérapie chinoise
- Ostéopathie ou chiropractie

Appliquer une compresse froide peut soulager la douleur du tennis-elbow ou épicondylite.

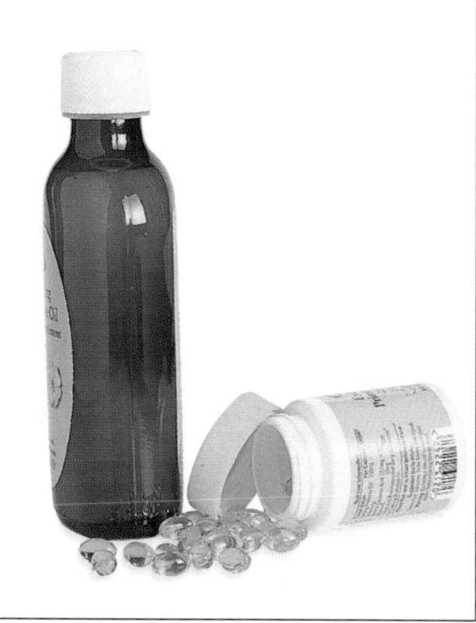

uelettiques

plus
l s'agit
culations,
t les
n
se en deux
hrite
thérapies
ies
tion

ivent
ents

Pour en savoir plus

La monoarthrite

Elle est provoquée par l'usure progressive du cartilage de protection d'une articulation, ce qui finit par endommager les os, provoquer des douleurs, réduire le mouvement et déformer l'articulation. C'est la forme d'arthrite la plus répandue et elle est courante dans les hanches, les genoux et les mains. Elle affecte de la même façon les hommes et les femmes.

La polyarthrite rhumatoïde

Elle affecte tous les tissus, surtout ceux des articulations, provoquant une inflammation. Elle commence généralement par les pieds et les mains puis gagne le reste du corps. C'est une maladie auto-immune, ce qui signifie que les défenses de l'organisme se retournent contre lui et attaquent ses tissus.
Le régime, le mode de vie et les prédispositions génétiques en sont la cause. Les femmes en souffrent trois à quatre fois plus que les hommes, surtout entre vingt et quarante ans. En dehors du gonflement et de la raideur des articulations affectées, et de la douleur ressentie, les patients sont parfois fatigués, un peu fiévreux et ils manquent d'appétit.

Un extrait de la moule aux orles verts de Nouvelle-Zélande est un supplément recommandé pour la polyarthrite rhumatoïde.

La naturopathie

Pour soulager la douleur, compresses chaudes et froides. On peut aussi prendre des bains d'eau de mer, d'algues ou de sels d'Epsom (3 ou 4 cuillerées à soupe dans un bain chaud).
Les jeûnes à base de jus de fruits et de légumes sont également bénéfiques. Céleri, carottes, betteraves, pommes de terre, chou blanc et concombres sont recommandés.
De l'exercice modéré est important pour toutes les formes d'arthrite. La natation est excellente (surtout suivie d'un sauna ou d'un bain de vapeur), de même que marcher. Porter un bracelet de cuivre ou des supports élastiques contenant du cuivre serait bénéfique.

Les thérapies diététique et nutritionnelle

Réduire la consommation de graisses animales, thé, café et alcool, boire beaucoup d'eau minérale – au moins de 6 à 8 verres par jour.
Manger des fruits et des légumes frais mais éviter les aliments acides comme la viande rouge, les tomates et les agrumes. Prendre un extrait des moule aux orles verts de Nouvelle-Zélande (disponibles en gélules dans les boutiques diététiques) et boire du vinaigre de cidre mélangé à du miel trois fois par jour au cours des repas serait bénéfique.
Les suppléments quotidiens recommandés doivent contenir de hautes doses d'huiles de poisson contenant des oméga-3, mais aussi des vitamines A, C, E et B, du zinc, fer, magnésium, manganèse, cuivre, molybdène, sélénium et silice. La superoxyde dismutase, une enzyme, et le glutathion qui est constitué d'acides aminés joueraient un rôle bénéfique. Ces éléments sont normalement inclus dans des suppléments de bonne qualité, mais les gélules d'huiles de poisson sont prises séparément.

La phytothérapie

Dans les plantes qui luttent contre l'inflammation se trouvent les graines de céleri, le yucca, le trèfle d'eau, l'harpagophytum, la cimicifuga, le yam, l'écorce de saule et la matricaire. Demandez l'avis d'un herboriste pour une prescription personnalisée.

L'homéopathie

La crème à base de Ruta graveolens passées sur les zones douloureuses serait efficace. Ruta grav, Arnica et Bryonia sont pris en granulés. Demandez une prescription à un thérapeute qualifié.

Les massages et l'aromathérapie

Masser avec 2 ou 3 gouttes d'huiles essentielles de lavande et/ou camomille dans de l'huile excipient. Les essences de cyprès, d'eucalyptus et de romarin, en massage ou ajoutées à un bain, sont également efficaces.

Une crème basée sur le remède homéopathique Ruta graveolens peut s'appliquer directement sur les articulations.

Pour en savoir plus

LES ACIDES GRAS ESSENTIELS

OMÉGA-3 NOM CHIMIQUE : Acide alphalinoléique

Ingrédients clés	Meilleures sources dans les suppléments	Meilleures sources dans la nourriture
Acide eicosapentaenoique (EPA) Acide gammalinoléique (GLA)	Huiles de poisson Huile de pépins de cassis Huile de lin Huile d'onagre Huile de bourrache	Poissons gras (thon, maquereau, harengs) Légumes à feuilles vert foncé Graines de tournesol Graines de carthame et de sésame Graines de courges, avoine, blé, riz, petits pois et haricots

OMÉGA-6 NOM CHIMIQUE : Acide linoléique

Ingrédients clés	Meilleures sources dans les suppléments	Meilleures sources dans la nourriture
Acide linoléique	Huile de lin Huile de pépins de cassis	Graines de tournesol et de sésame Huile d'olive extra vierge

Il est important de prendre des AGE oméga-3 et oméga-6 et la plupart des experts s'accordent maintenant à penser que le juste équilibre est de deux oméga-3 pour un oméga-6. Cette association est maintenant disponible dans des gélules uniques dans les pharmacies et les boutiques diététiques.

Douleurs musculosquelettiques

Les douleurs dans les articulations sont soulagées par les techniques de digitopuncture. Ci-dessous sont illustrés les points pour la main, la hanche et le genou.

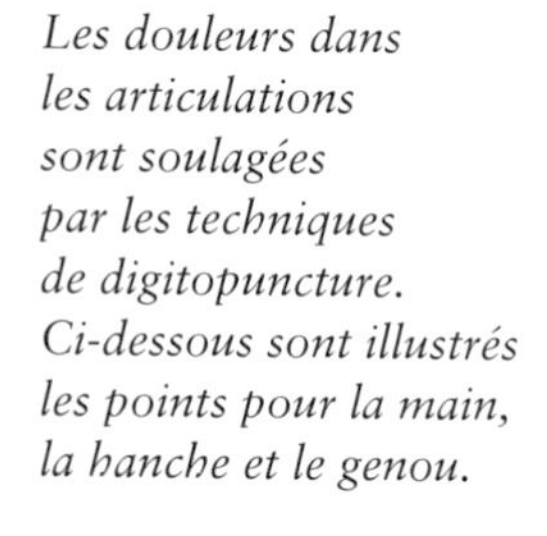

Les thérapies par le mouvement

Le yoga et le tai chi sont excellents pour tous les types d'arthrite car ils ne sont pas violents, et ils encouragent une juste approche mentale et émotionnelle pour gérer la douleur. Les mouvements de danse présentent une alternative plus délicate. Pour s'initier à toutes ces disciplines, un professeur qualifié est exigé.

La digitopuncture

À pratiquer matin et soir tant que durent les symptômes, en appuyant à chaque fois pendant 2 minutes.
Pour la douleur dans un genou : appuyer sur un point à quatre travers de doigt sous la rotule et un travers de doigt à l'extérieur du tibia.
Pour une douleur dans la hanche : appuyer sur les bords internes de la hanche, dans la dépression où la jambe s'articule avec le bassin.
Pour une douleur dans la main : pincer la main entre l'index et le pouce.

La réflexologie

Manipuler le pied – la plante, les côtés et le coup de pied – couvrira les points réflexes impliqués dans l'arthrite, surtout pour la polyarthrite rhumatoïde qui touche tout le corps (voir pp. 74-75).

Les appareils électriques

La TENS (stimulation transcutanée externe) soulage la douleur grâce aux basses et hautes fréquences. C'est par l'expérience que vous apprendrez ce qui vous convient le mieux. Les masseurs/vibrateurs et les appareils qui fonctionnent aux intrasons sont également efficaces si on les utilise suffisamment longtemps (au moins 45 minutes).

Les thérapies par la relaxation

Visualisation, méditation et biofeedback peuvent soulager la douleur due à l'arthrite, mais il vous faut d'abord travailler avec un psychothérapeute expérimenté (voir pp. 46-51).

Les thérapies des praticiens

- Acupuncture pour soulager la douleur
- Phytothérapie chinoise
- Ostéopathie crânienne (surtout pour la polyarthrite rhumatoïde)
- Ostéopathie ou chiropractie pour le soulagement de la douleur chronique mais pas pour les crises aiguës
- Psychothérapie et entretiens
- Hypnose

La sclérose en plaques (SEP)

Maladie du système nerveux central provoquée par une inflammation et une

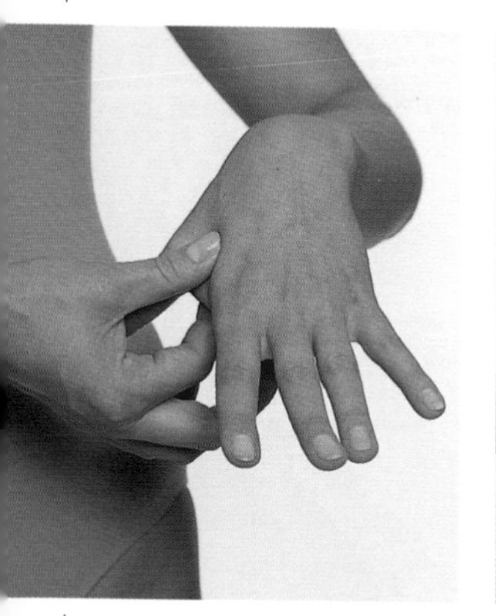

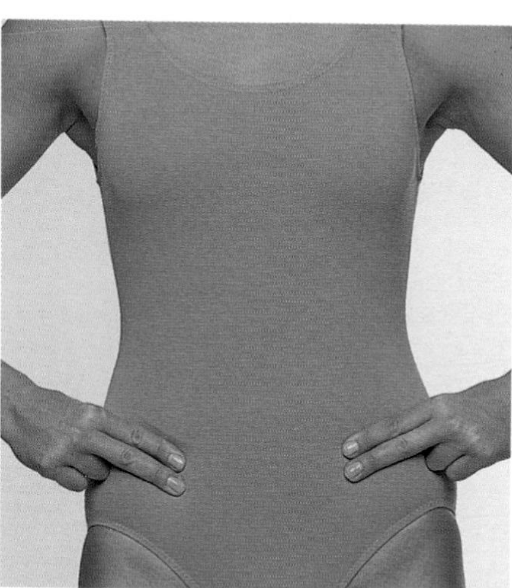

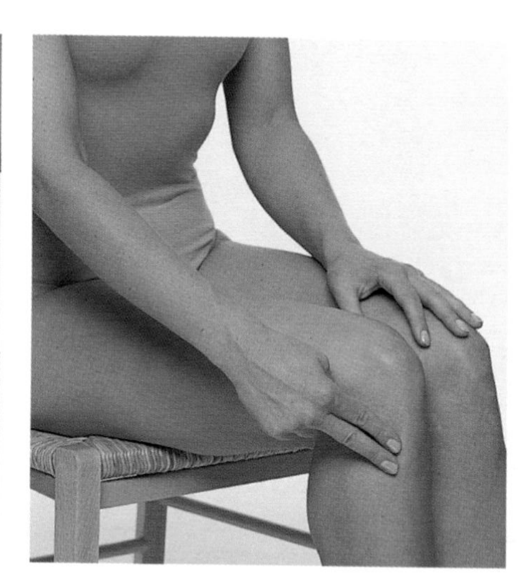

destruction du fourreau de myéline, le revêtement lipidique des fibres nerveuses, aboutissant à une sclérose de la substance blanche. Les symptômes sont variés : fourmillements dans les jambes, vision brouillée, engourdissement, fatigue, dépression, diverses douleurs nerveuses et musculaires.

La SEP est une condition dégénérative et incurable dont les causes sont encore inconnues. Les symptômes sont si complexes qu'il est plus facile de les traiter directement plutôt que de les considérer comme une seule maladie. Pour des raisons encore inconnues, elle est plus courante dans les pays froids et les femmes sont plus touchées que les hommes. La médecine conventionnelle peut traiter certains de ces symptômes mais est impuissante à traiter la maladie elle-même.

L'état des gens qui souffrent de cette maladie peut être amélioré – et l'évolution de la SEP parfois stoppée – grâce à une variété de thérapies qui ne passent pas par les médicaments. Tout dépend de la sévérité des symptômes et de la gravité de l'évolution.

Les thérapies physiques

Des exercices de coordination et de musculation ainsi que des étirements sont très bénéfiques pour quelqu'un qui souffre de la SEP, car ils entretiennent la mobilité et la flexibilité et permettent de surmonter la douleur qui vient d'une trop grande immobilisation.

Les thérapies diététique et nutritionnelle

Les symptômes empirent quand on mange trop de graisses animales, des produits laitiers, du sucre et du sel. On a également constaté que les personnes souffrant de SEP manquent de certains nutriments essentiels, comme la vitamine B 12. Manger des aliments complets, des fruits et des légumes, du riz brun et des céréales est bénéfique.

Voilà les suppléments que nous recommandons :

- Acides gras essentiels : oméga-3 et oméga-6 polyinsaturés pris en gélules.
- Vitamines A (de préférence sous forme de bêtacarotène), B, surtout B 1, B 2, B 3, B 6, B 12, biotine, vitamines C et E, zinc, magnésium, manganèse, molybdène, sélénium et vanadium.

Pour les dosages, suivre les conseils d'un thérapeute qualifié, car les besoins varient en fonction des symptômes.

Les massages et l'aromathérapie

Masser les membres et les muscles avec des huiles essentielles est aussi bénéfique pour la SEP que pour n'importe quel état douloureux. Comme la liste des essences recommandées est fort longue, mieux vaut consulter un aromathérapeute qualifié. Quand on vous aura prescrit la combinaison la mieux adaptée, vous pourrez employer ces huiles chez vous.

Quelques exemples d'essences : camomille pour les troubles intestinaux et de la vessie ; genièvre, romarin et poivre noir pour le tonus musculaire ; sauge et jasmin pour les tensions ; basilic, romarin, noix de muscade, thym, géranium et marjolaine pour la fatigue.

La réflexologie

Manipuler les pieds peut soulager certains symptômes, y compris les problèmes intestinaux et de la vessie.

Voir un thérapeute qualifié car les techniques varient selon les symptômes individuels.

Pour en savoir plus

Vitamines et minéraux	*35*
Acupuncture	*68*
Acides gras essentiels	*143*

Douleurs digestives et urinaires

De nombreux problèmes digestifs et urinaires viennent de troubles relativement mineurs, mais ils peuvent s'avérer très douloureux. L'automédication est souvent souhaitable mais rappelez-vous que certains états, par exemple l'appendicite, demandent une assistance médicale urgente.

La nausée

Se sentir nauséeux peut être provoqué par une indigestion, un excès d'alcool, un empoisonnement, le mal des transports, la grossesse et la migraine. Certains traitements peuvent aussi vous donner envie de vomir.

La thérapie diététique

Vomir est la réponse normale à une indigestion et il ne faut pas s'en empêcher. Ensuite, il vous faudra boire du bouillon de légumes et manger des aliments neutres comme le riz, des légumes bouillis, des biscottes et des poires pendant 24 heures afin que votre organisme se rétablisse.

Avertissement : des vomissements répétés peuvent être le symptôme d'une maladie grave. Consultez votre médecin. Si vous crachez du sang, il faut tout de suite aller passer des examens.

Le bouillon de légumes, les légumes bouillis et les poires font partie des aliments conseillés pour se remettre d'un accès de vomissements.

La phytothérapie

Le gingembre en infusion ou en gélules (le prendre deux heures et demie avant d'entreprendre un voyage) est efficace pour les nausées, surtout celles provoquées par la voiture, l'avion et le bateau. Pour une infusion, coupez la racine en morceaux, faites bouillir pendant 15 minutes et buvez. Le gingembre est encore plus efficace si vous le prenez avec de la menthe. Manger du gingembre cristallisé pendant un voyage peut aider à soulager le mal des transports.

Des infusions de camomille et de ballote calment les nausées et les vomissements. Il ne faut pas prendre ces plantes pendant la grossesse.

La digitopuncture

Appuyez sur un point situé sur le poignet, sur la même ligne que le majeur, à trois travers de doigt du pli du poignet. Un point situé au milieu de l'estomac, entre le sternum et le nombril, peut produire le même effet. Appuyez plusieurs secondes. Vous pouvez aussi porter des bandes élastiques avec des boutons-pressions intégrés pendant les voyages pour prévenir le mal des transports. On les trouve dans les boutiques de santé.

L'homéopathie

Tout à 6 CH : Nux vomica et Cocculus pour les vomissements et les nausées ; Sepia pour la nausée provoquée par les odeurs de cuisine ; Pulsatilla, Ipecacuanha et Arsenicum alb pour le mal des transports et les vomissements suivant un repas ; Tabacum si sueurs et vertiges ; Borax si les troubles sont accompagnés d'angoisse.

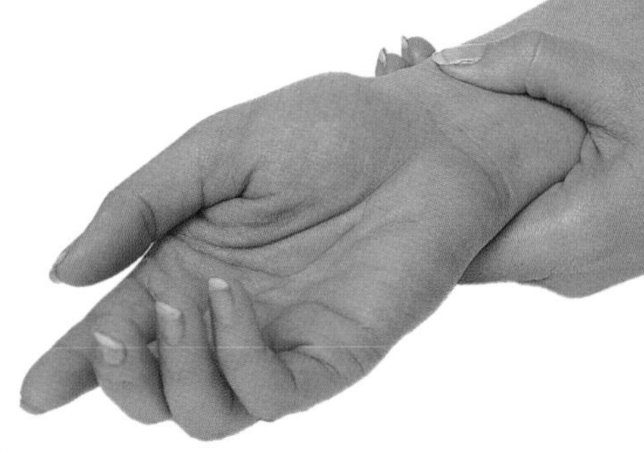

Le point de digitopuncture « Péricarde 6 » est efficace pour contrôler la nausée et les vomissements.

L'aromathérapie

Ajoutez 4 gouttes d'huile essentielle de menthe à une huile excipient neutre comme celle de pépins de raisin que vous utiliserez pour vous frotter la poitrine. Ces gouttes à respirer sur un mouchoir sont également efficaces.

Les thérapies de praticiens

- Acupuncture
- Phytothérapie chinoise

L'INDIGESTION

L'indigestion et les brûlures d'estomac sont caractérisées par des douleurs thoraciques. Elles sont produites par de la bile acide de l'estomac qui remonte dans l'œsophage et sont provoquées par un excès de boisson et de nourriture avalée trop vite. Les symptômes sont les mêmes que ceux de l'ulcère, de la hernie hiatale ou de la crise cardiaque, il faut donc prendre au sérieux ces douleurs, bien qu'ils soient probablement provoqués par une indigestion.

Les thérapies diététique et nutritionnelle

Pour un soulagement rapide, prendre du vinaigre de cidre ou du jus de citron dans de l'eau chaude et appliquer une bouillotte sur le ventre.
Si l'indigestion est sérieuse, faites un jeûne de 12 heures en buvant des infusions (voir la phytothérapie), des pommes râpées ou du jus de carottes.
Il faut manger en prenant son temps. Un régime varié, associant des légumes et des fruits frais avec des hydrates de carbone (comme les pâtes) et des protéines (comme le poisson), vous aidera. Prenez peu de graisses et des suppléments d'acidophilus et de pectine pour prévenir l'indigestion.

La phytothérapie

Des gélules ou de la poudre de reine-des-prés, de coriandre et d'orme rouge prises avec de l'eau tiède, soulagent les douleurs de l'indigestion, de même que les infusions de gingembre, menthe, camomille, persil, fenouil, citronnelle, feuilles de framboisier et cannelle. Le gingembre et le persil mangés crus sont également recommandés.

La réflexologie

Appuyer sur la zone au centre de la cambrure de chaque pied, qui correspond aux reins et à l'appareil digestif. Appuyer plus fort sur les zones douloureuses jusqu'à ce que la douleur s'estompe (voir pp. 74-75).

Les thérapies de praticiens

- Acupuncture
- Phytothérapie chinoise

Manger du gingembre cru et du persil peut contrôler l'acidité et soulager l'indigestion.

LES TRAITEMENTS POUR LA « GUEULE DE BOIS »

Le meilleur traitement consiste à ne pas trop boire d'alcool. Pour prévenir une « gueule de bois », avaler un verre de lait avant de passer à l'alcool. Avant de vous coucher, boire beaucoup d'eau. Cela empêchera la déshydratation qui provoque les maux de tête. Le lendemain, une infusion de menthe, camomille, ortie ou achillée. Une douzaine de cuillerées de miel, prises nature ou avec de l'eau chaude, vous aideront peut-être. Pour le traitement du lendemain : un œuf cru dans de la sauce du Worcestershire ou du vinaigre de cidre, le remède homéopathique Nux vomica 6 CH, et la spiruline en gélules.

Pour en savoir plus

Système digestif	20
Médecine par les plantes	60
Réflexologie	74

Douleurs digestives et urinaires

Se mettre une bouillotte chaude sur le ventre est un moyen simple et réconfortant de soulager le mal de ventre.

Le mal de ventre

Une des douleurs les plus communes est le mal au ventre qui vient souvent de l'ingestion d'aliments contre-indiqués ou d'une suralimentation. Il peut être accompagné de nausées mais il ne dure pas longtemps. L'angoisse et la tension provoquent les mêmes résultats.

Avertissement : en cas de douleurs importantes, prolongées ou récurrentes, consulter tout de suite un médecin.

Les thérapies nutritionnelle et diététique

Une bouillotte sur le ventre apporte un soulagement immédiat. Pour les indigestions ou la « gueule de bois », jeûner pendant 12 heures est efficace. Il faut alors boire beaucoup d'eau et surtout pas de café, de thé ou d'alcool. Pour prévenir le mal au ventre, manger peu, plus souvent et plus sainement. Réduire les graisses animales. Ne pas faire de sport trop vite après un repas (attendre au moins 30 minutes, une heure est préférable) et porter des vêtements lâches.
Le jus de pomme avec du gingembre, de la menthe et du fenouil serait également efficace. Cela favorise la digestion et l'expulsion des gaz.

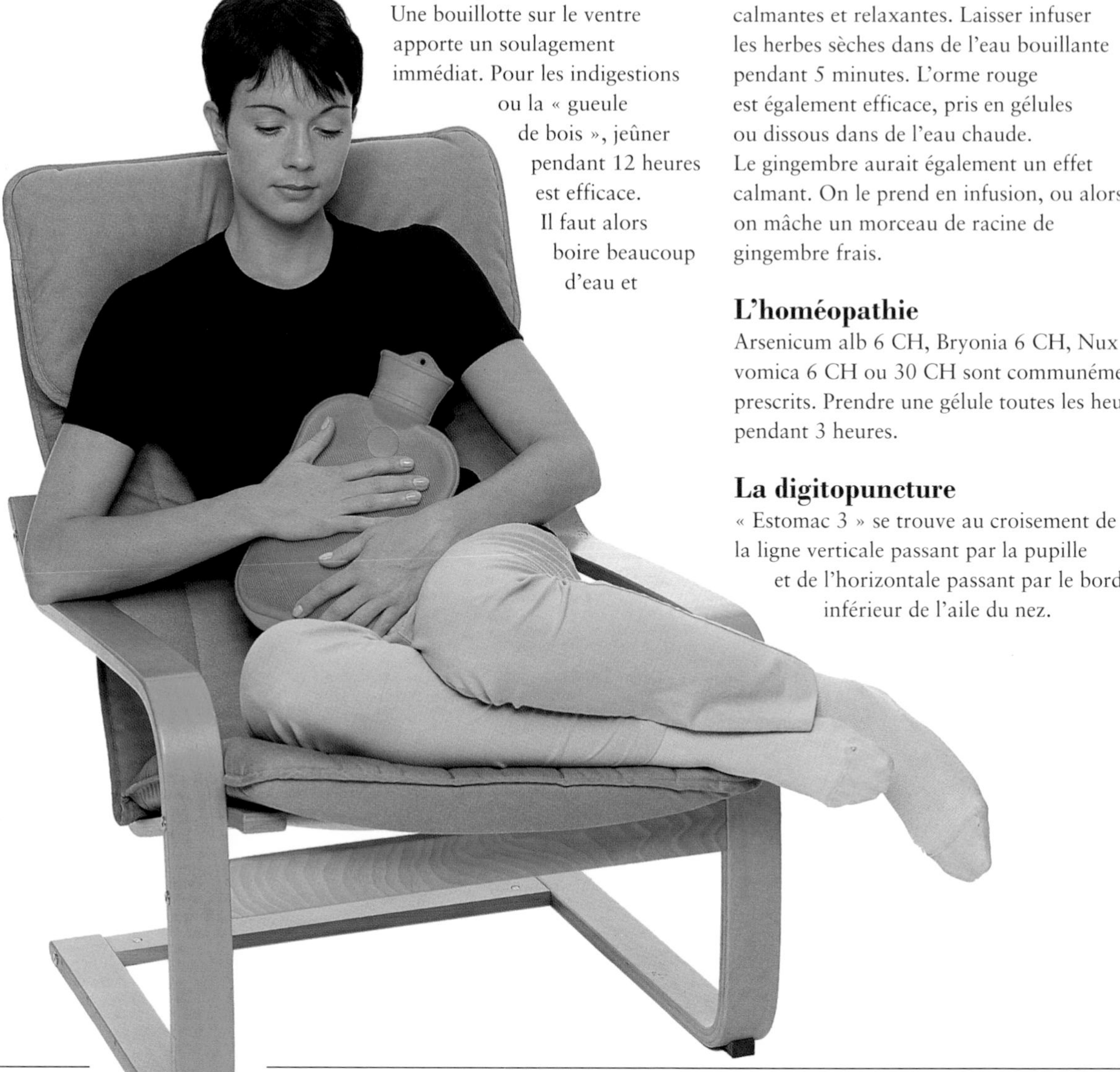

La phytothérapie

Les infusions de camomille, menthe, citronnelle, guimauve ou consoude sont calmantes et relaxantes. Laisser infuser les herbes sèches dans de l'eau bouillante pendant 5 minutes. L'orme rouge est également efficace, pris en gélules ou dissous dans de l'eau chaude.
Le gingembre aurait également un effet calmant. On le prend en infusion, ou alors on mâche un morceau de racine de gingembre frais.

L'homéopathie

Arsenicum alb 6 CH, Bryonia 6 CH, Nux vomica 6 CH ou 30 CH sont communément prescrits. Prendre une gélule toutes les heures pendant 3 heures.

La digitopuncture

« Estomac 3 » se trouve au croisement de la ligne verticale passant par la pupille et de l'horizontale passant par le bord inférieur de l'aile du nez.

Il peut soulager des douleurs abdominales causées par le stress.
« E 37 » est situé sur la jambe, à quatre travers de doigt sous la rotule et à un travers de doigt en dehors de la crête tibiale. Point utile pour les problèmes digestifs.
Pour une tonification générale, étendez-vous sur une surface dure et appuyez avec les pouces le long de la ligne qui part du diaphragme et s'arrête à mi-chemin du nombril.

Les thérapies de relaxation

Des exercices de relaxation classiques et progressifs (voir pp. 46-47) suivis de visualisation, biofeedback et méditation aident à prévenir les maux de ventre récurrents provoqués par la tension et l'anxiété.

Les thérapies par le mouvement

Certains mouvements de yoga et des exercices de tai chi calment la douleur physique ou mentale. Par exemple la posture de la tranquillité du yoga serait très efficace contre les maux de ventre.

Les exercices

Mieux vaut ne pas bouger tant que vous souffrez, mais des exercices réguliers stimulant la digestion préviennent les douleurs.

Les thérapies de praticiens

- Acupuncture
- Phytothérapie chinoise

Pour en savoir plus

Système digestif	20
Yoga	40
Médecine par les plantes	60

Les points de digitopuncture situés au croisement de la ligne verticale passant par la pupille et de l'horizontale passant par le bord inférieur de l'aile du nez soulagent les maux de ventre reliés au stress.

Les infusions de menthe et de camomille sont des grands classiques pour soulager les maux de ventre.

Douleurs digestives et urinaires

Pour guérir la constipation, mangez des pruneaux, des fruits et des légumes frais, et du son.

La constipation

Des mouvements intestinaux réguliers sont vitaux pour la santé, mais ce « régulier » varie, selon les personnes, de trois fois par jour à une fois tous les trois jours. Des rythmes considérés comme normaux.

La constipation intervient quand la routine est changée et que les selles durcies s'expulsent plus difficilement. Cela est souvent dû à un mauvais régime et à un manque d'exercice associés au stress.

La constipation permet aux toxines de passer dans le sang. De là, elles se répandent dans tout le corps, provoquant des symptômes comme les maux de tête, la fatigue, des douleurs articulaires et musculaires et des réactions allergiques.

La naturopathie

Une bouillotte sur l'abdomen est bénéfique, et l'huile de lin prise avec des graines de plantain peut nettoyer un côlon paresseux. Faire du sport sous une forme ou sous une autre est essentiel, et les exercices de relaxation sont recommandés pour l'angoisse. Dans les cas sérieux, on peut même envisager une irrigation du côlon.

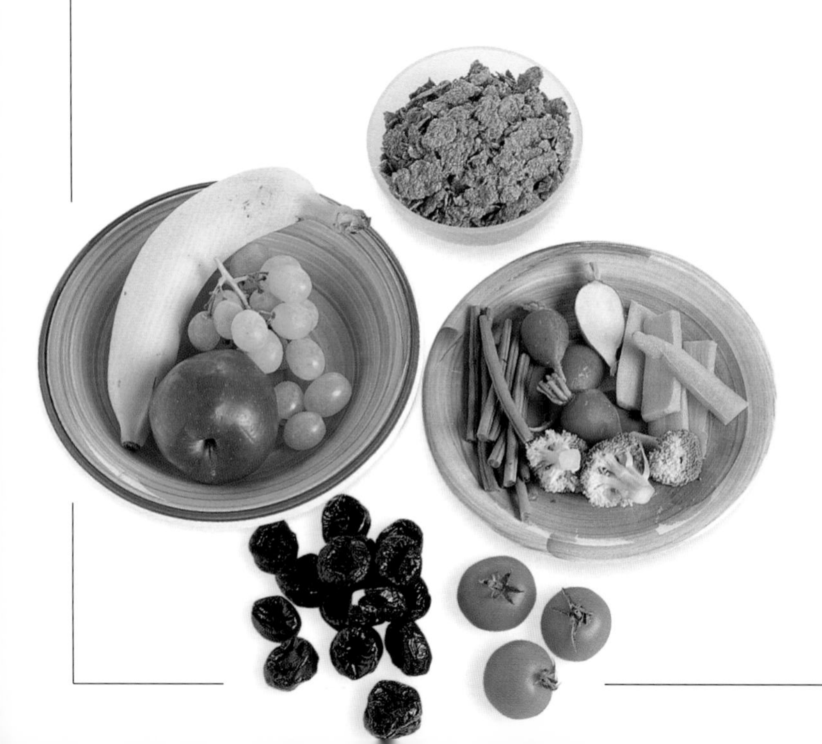

Les thérapies diététique et nutritionnelle

Les pruneaux et le jus de pruneaux sont d'excellents laxatifs naturels, mais il ne faut pas en abuser. Le meilleur laxatif consiste à prendre davantage de fibres (son, céréales, légumes crus et fruits frais, riz brun) et à éviter les aliments raffinés comme le sucre et la farine blanche.

Buvez au moins de 6 à 8 verres d'eau chaque jour, de préférence filtrée. Le jus de pomme naturel est également recommandé.

Assurez-vous que votre régime contient des sels minéraux (**il y en a dans la plupart des comprimés ou gélules de polyvitamines**).

Les jus de carottes ou de céleri avec de l'ail et des oignons sont bénéfiques.

La phytothérapie

Les follicules de séné et l'écorce de cascara en infusion sont des laxatifs puissants, mais ils peuvent déclencher des maux de ventre. La camomille, le houblon ou le fenouil peuvent contrecarrer ces effets, mais l'huile de lin est une alternative plus douce (une cuillerée à soupe matin et soir), ainsi que le pissenlit. Mangez-le en salade ou préparez une infusion et buvez-en trois fois par jour. À moins que vous ne préfériez l'aloès ou l'orme rouge.

Les massages et l'aromathérapie

Utiliser un mélange d'essences de poivre noir (5 gouttes), marjolaine et romarin (10 gouttes chaque) pour masser l'abdomen et les lombaires.

La réflexologie

Masser la cambrure du pied (qui correspond aux principaux organes digestifs) peut soulager.

La diarrhée

La diarrhée correspond à des selles trop liquides – ce qui vient souvent d'une infection, d'un empoisonnement ou d'angoisses. En général, elle s'arrête d'elle-même mais elle peut mener à une période temporaire d'incontinence.

L'IRRIGATION COLONIQUE

Certains naturopathes conseillent un lavement à grande eau du côlon. Le thérapeute spécialisé procède au moyen d'un appareil branché sur l'eau courante passant à travers un filtre. Cette eau est introduite dans le côlon par le rectum grâce à une canule à deux circuits qui lui permet d'entrer et de sortir sans que la personne ait à bouger. Ainsi le côlon est débarrassé de déchets qui y stagnent parfois depuis des années. Il faut procéder avec une hygiène rigoureuse. Ensuite, prendre des suppléments de vitamines, de minéraux et de probiotiques comme l'acidophilus.

Pour en savoir plus

Appareil digestif	20
Naturopathie	62
Homéopathie	70

Avertissement : voir un médecin si la diarrhée s'accompagne de vomissements, dure plus de 48 heures (24 heures pour les enfants), et s'il y a du sang ou du mucus dans les selles.

Les thérapies diététique et nutritionnelle

Buvez beaucoup d'eau afin d'éviter la déshydratation. Pour remplacer les liquides et les sels minéraux perdus, dissoudre une cuillerée à café de sel et huit de sucre dans un litre d'eau, buvez 500 ml par heure et ne mangez rien de consistant avant que la diarrhée n'ait cessé. Réintroduisez progressivement des nourritures solides dans le corps. Mangez des yaourts naturels, buvez de l'eau de riz et prenez un probiotique, par exemple de l'acidophilus en gélules trois fois par jour. On peut prescrire des laxatifs pour contrecarrer les effets constipants de certains remèdes contre la douleur.

La phytothérapie

La menthe en infusion est recommandée, de même que l'aigremoine, le plantain, le géranium ou l'hydrastis.

L'homéopathie

Arsenicum alb 6 CH, Pulsatilla 6 CH et Causticum 6 CH sont bénéfiques. Une prescription par un thérapeute qualifié est préférable.

Les massages et l'aromathérapie

Un bain chaud avec 4 ou 5 gouttes d'essences de genièvre, de menthe et de géranium est recommandé. Ou alors un massage doux du ventre et des lombaires avec un mélange d'essences de théier, menthe, bois de santal et géranium (5 gouttes pour chacune avec une huile excipient).

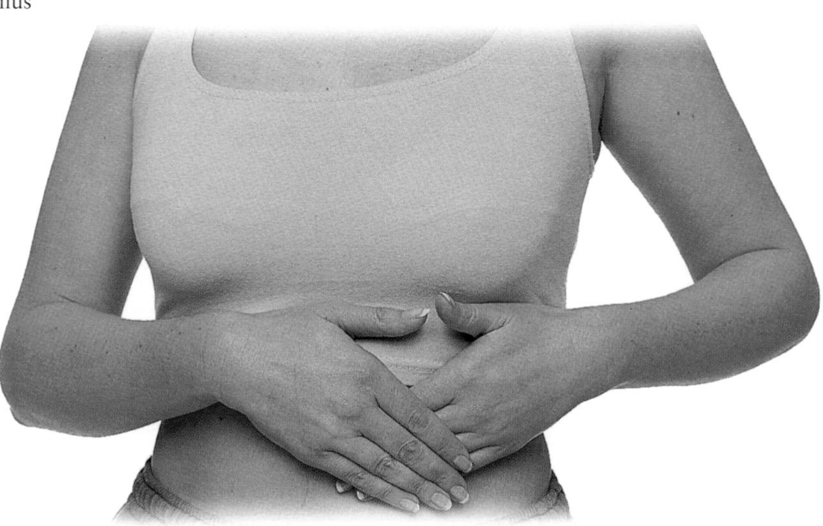

Le point de digitopuncture « Estomac 25 » aide à calmer la diarrhée. Appuyer très fort sur les points situés à trois travers de doigt de chaque côté du nombril.

Douleurs digestives et urinaires

La gastro-entérite

Inflammation de l'estomac et des intestins, généralement par infection bactérienne provenant d'une eau ou d'aliments contaminés. Elle provoque des diarrhées, des douleurs intestinales sévères, de la fièvre, des maux de tête et de la fatigue. Elle surprend souvent les touristes. Il faut prendre les précautions qui s'imposent, ne boire que de l'eau en bouteille, refuser les boissons avec des glaçons, laver et peler les fruits, éviter les salades et les aliments qui sont restés longtemps hors d'un frigo.

Avertissement : cette affection est sérieuse, attention à la déshydratation (voir La naturopathie, ci-contre). Il faut faire appel à la médecine conventionnelle si les symptômes durent plus de 48 heures pour un adulte. Voir immédiatement un médecin pour les enfants de moins de douze ans et les personnes âgées. Les cas graves se traitent aux antibiotiques.

Naturopathie

Un jeûne est recommandé mais continuez à boire, de l'eau avec un peu de sel de mer ou du miel si la diarrhée est sévère et prolongée (voir p. 151). Suivre les conseils donnés pour la diarrhée.

Le syndrome du côlon irritable

La désignation de syndrome renvoie à un ensemble de symptômes de cause inconnue. Dans ce cas, il s'agit d'un côlon spasmé. Les muscles du côlon se contractent sans raison apparente, provoquant des douleurs abdominales, des crampes, des flatulences, des douleurs lombaires, une léthargie, des maux de tête, de la fatigue et des diarrhées alternant avec la constipation. Le problème est courant et même de plus en plus fréquent. Sans très bien savoir pourquoi, on accuse le régime alimentaire et le stress. Les troubles vont et viennent mais une fois qu'ils ont commencé, ils ont tendance à revenir et à se prolonger dans le temps.

L'APPENDICITE

L'appendicite est une inflammation de l'appendice, un organe résiduel siégeant au niveau du coelum. Les symptômes sont une douleur qui commence au centre de l'abdomen, puis s'installe en bas et à droite, là où se situe l'appendice. S'il n'est pas traité, le problème peut mettre la vie en danger en évoluant en péritonite (une inflammation du péritoine, la membrane tapissant les parois de l'abdomen). Voyez tout de suite un médecin si vous soupçonnez une appendicite. Dans les cas sérieux, une appendicite infectée est retirée chirurgicalement.

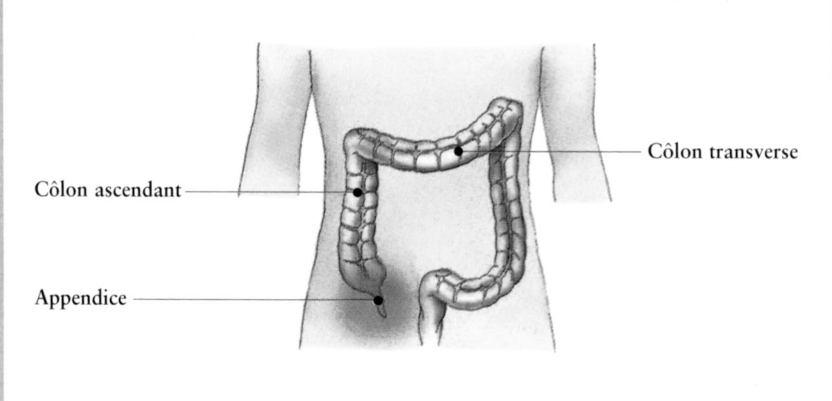

Les thérapies diététique et nutritionnelle
Un régime sain à base d'aliments complets est essentiel, ainsi que de l'exercice régulier et un contrôle du stress. Vérifier les intolérances alimentaires avec un thérapeute expérimenté est également conseillé.

Les thérapies par la relaxation
Des exercices de relaxation, de visualisation, de biofeedback et de méditation sont bénéfiques (voir pp. 46-51).

Les autres thérapies
Les traitements utiles à la constipation et à la diarrhée (phytothérapie, massage et aromathérapie, digitopuncture et réflexologie) soulagent le syndrome du côlon irritable (voir pp. 150-151). Une consultation initiale avec un thérapeute qualifié est conseillée.

La diverticulose colique
Inflammation du côlon provoquée par de petites poches (ou diverticules) de résidus infectés dans la paroi intestinale. C'est le résultat de la constipation chronique.

Avertissement : un diverticule infecté peut se perforer et mener à la péritonite. Demander un avis médical.

Les thérapies diététique et nutritionnelle
Traiter comme la constipation (voir p. 150).

Les maladies inflammatoires des intestins
Ce sont des désordres qui interviennent dans tout l'intestin et qui vont de gaz excessifs à une colite ulcéreuse en passant par la maladie de Crohn (entérite).
La colite touche le gros intestin ou côlon. Ses causes sont incertaines mais une insuffisance en fibres et un stress excessif en seraient la source. Elle peut provoquer la diarrhée, des douleurs et parfois du mucus et du sang dans les selles. La maladie de Crohn, dans l'intestin grêle, vient d'une inflammation récurrente. C'est une maladie plus sérieuse, car elle peut empêcher l'absorption des nutriments par le corps, entraîner de la fièvre, de la diarrhée, une perte de poids, ainsi que des douleurs.

Les thérapies diététique et nutritionnelle
Mangez sain (voir l'illustration ci-dessous) et évitez les produits laitiers, le sucre et les aliments raffinés et cuisinés industriellement. Grâce à un thérapeute expérimenté, apprenez quels sont les aliments à éviter.

La phytothérapie
De l'orme rouge deux fois par jour et des infusions régulières de citronnelle et de camomille seraient bénéfiques.

Les autres thérapies
Réflexologie (voir constipation, p. 150) et homéopathie (voir diarrhée, p. 151), mais consultez d'abord un thérapeute qualifié. Thérapies de relaxation (voir le syndrome du côlon irritable, ci-contre).

Les thérapies de praticiens
- Ostéopathie crânienne
- Psychothérapie et entretiens

Pour en savoir plus

Appareil digestif	*20*
Thérapie nutritionnelle	*33*
Diarrhée	*150*

Les maladies inflammatoires des intestins sont calmées par un jeûne de 24 heures suivi par un régime de légumes bouillis, riz brun, poires cuites et pommes crues. L'ail, frais ou en gélules, et le charbon végétal, sont également efficaces, surtout pour la colite.

Douleurs digestives et urinaires

L'INFECTION DE L'APPAREIL URINAIRE

Elle concerne la vessie, l'uretère et les reins. Quant à l'urétrite, c'est une inflammation de l'urètre. Ces infections provoquent des douleurs lors de la miction (l'urine peut contenir du sang ou du pus). Elles sont parfois accompagnées de violents maux de tête, de fièvre et de frissons.
L'infection de l'appareil urinaire est plus courante chez les femmes et peut venir de contusions pendant des rapports sexuels. L'urétrite est une infection bactérienne, et elle est généralement le résultat d'une maladie sexuellement transmissible.
Le problème se résout souvent de lui-même au bout de deux ou trois jours, mais il peut aussi être traité de la même façon que la cystite (voir plus loin). Si la douleur est importante, on a recours aux antibiotiques.

Boire une solution de bicarbonate de soude est une façon simple et rapide de soulager les douleurs qui accompagnent la cystite

Avertissement : une infection de l'appareil urinaire non traitée peut être dangereuse. Consulter un médecin dès que possible.

Les thérapies diététique et nutritionnelle

Boire beaucoup d'eau (de 6 à 8 verres par jour) et supprimer le café, le thé, l'alcool ou les jus de fruits acides. La tisane d'orge est efficace (5 tasses par jour) ainsi que les suppléments de vitamine C (1 g par jour).

La phytothérapie

Prendre 2 gouttes d'huile essentielle de théier dans un verre d'eau tiède peut être bénéfique, de même que les infusions régulières de camomille, achillée, barbes de maïs, fleurs de bruyère.

Le jus d'airelles est un remède populaire pour prévenir la cystite, et un nombre croissant de personnes atteste de son efficacité.

LA CYSTITE

C'est une inflammation de la vessie provoquée par une infection bactérienne. Elle est relativement commune – surtout chez les femmes adultes (bien que les hommes et les enfants puissent en souffrir) – et une fois qu'elle s'est déclenchée elle a tendance à revenir.
Les symptômes, qui vont de bénins à sérieux, sont des douleurs ou une sensation de brûlure en urinant, un désir fréquent d'uriner, l'impression de ne jamais parvenir à vider la vessie, et parfois du sang dans les urines qui peuvent dégager une odeur forte. Dans les affections sévères, on rencontre de la fièvre et des douleurs dans les lombaires.
Les causes de la cystite sont nombreuses : une mauvaise hygiène, une inflammation causée par une réaction aux produits chimiques des vêtements, les produits de toilette, l'acte sexuel (surtout chez les femmes), une MST, un massage de l'urètre au cours de l'acte sexuel qui introduit une bactérie dans la vessie. Autres causes : un vidage incomplet de la vessie, des calculs ou des corps étrangers dans la vessie. Faire attention à l'hygiène intime et s'abstenir de pénétration sexuelle. Un certain nombre de remèdes accélèrent la guérison et soulagent la douleur.

Avertissement : la cystite peut mener à une infection des reins. Consultez un médecin si les symptômes persistent.

Les thérapies diététique et nutritionnelle

Boire de l'eau tiède additionnée d'une cuillerée à café de bicarbonate de soude peut soulager dans les 20 minutes. Le yaourt naturel appliqué généreusement sur le sexe soulage. Pour prévenir une crise, mangez aussi sainement que possible, surtout des légumes et des fruits en évitant les fruits acides.

Le jus d'airelles serait préventif. Buvez aussi de l'eau fraîche, de préférence filtrée (de 6 à 8 verres par jour), et supprimez le café et l'alcool pendant les crises.

La naturopathie

Alterner les bains tièdes (température du corps) et froids pendant une demi-heure peut vous aider. Pour prévenir les crises, portez toujours des sous-vêtements en coton.

Si vous souffrez de fréquentes crises de cystite, essayez le bain de siège. Cela implique de s'asseoir dans l'eau chaude jusqu'à la taille avec les pieds dans l'eau froide (et vice versa). Ce n'est pas recommandé pour ceux qui ont de la tension ou un cœur faible.

La phytothérapie

L'infusion de camomille est efficace si on en prend dès les premiers signes d'une crise et la douleur est soulagée par des infusions de cumin, coriandre et fenouil (une tasse trois fois par jour). Des infusions régulières de souci, achillée, barbes de maïs, buchu et millepertuis peuvent vous soulager. L'échinacée, en teinture ou en gélules est recommandée pour les infections.

L'homéopathie

Prendre Cantharis 6 CH et Staphysagria 6 CH toutes les heures tant que durent les symptômes.

L'aromathérapie

Trois ou 4 gouttes d'huiles essentielles de bois de santal, genièvre, lavande ou bergamote mélangées avec une huile excipient et utilisées comme nous l'avons déjà décrit soulage la douleur et l'inconfort. Vous pouvez aussi ajouter les essences à un bain.

La réflexologie

Masser le milieu de la plante de pied (rein) et le bord externe près du talon (vessie) (voir p. 75). Essayez aussi le milieu du gros orteil (glande pituitaire).

Pour en savoir plus

Thérapie diététique 30
Aromathérapie 36
Médecine par les plantes 60

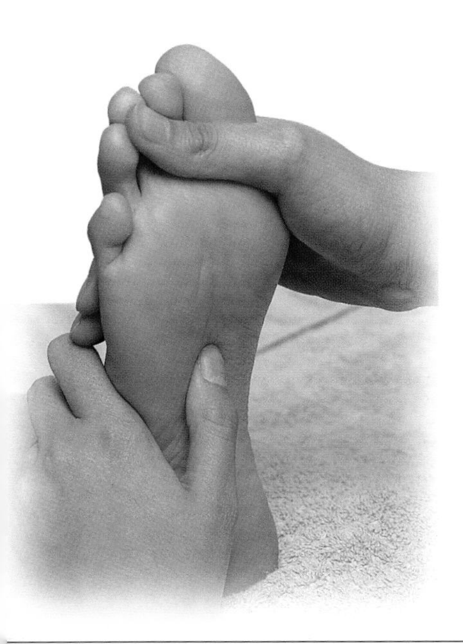

Pour traiter la cystite par la réflexologie, masser les zones du pied qui correspondent aux reins et à la vessie.

Douleurs digestives et urinaires

La hernie diaphragmatique

Saillie d'organes ou de parties d'organes abdominaux dans le thorax à travers un orifice du diaphragme. La cause principale en est la surcharge pondérale. Les symptômes vont des brûlures d'estomac à des difficultés respiratoires en passant par des difficultés à avaler, des saignements et des régurgitations, surtout quand on est étendu ou qu'on se penche. Faire attention à ne pas s'étouffer quand les sécrétions gastriques reviennent dans l'œsophage. Autrefois, on avait recours à la chirurgie, plus rarement aujourd'hui.

La naturopathie

Le problème peut s'arranger de lui-même, surtout si on maigrit et si on mange sainement. Dormir la tête surélevée, ou même dormir dans un fauteuil, peut apporter un soulagement immédiat. Les traitements pour les ulcères (voir ci-dessous) sont également efficaces.

Le yoga et la technique Alexander

De nombreuses techniques de respiration et des postures de yoga peuvent vous soulager, de même qu'apprendre à mieux se tenir avec la technique Alexander.

Les thérapies de praticiens

- Ostéopathie
- Chiropractie

Les ulcères gastroduodénaux

L'ulcère duodénal touche surtout la première partie du duodénum. L'ulcère de l'estomac est trois fois moins fréquent. Ils provoquent tous deux des douleurs récurrentes ou chroniques dans l'estomac et sont généralement précédés par une inflammation ou gastrite. On sait maintenant qu'environ 90 % des ulcères sont provoqués par la bactérie *Helicobacter pylori.* Cela signifie que la plupart des ulcères sont guéris par l'association d'antibiotiques et d'un médicament qui réduit la production acide de l'estomac.

DIFFÉRENTS TYPES DE HERNIE HIATALE

La hernie hiatale est due au passage, à travers l'orifice du diaphragme normalement réservé à l'œsophage, d'une petite partie de l'estomac. Dans une hernie coulissante, l'estomac pénètre dans la cavité thoracique ; dans une hernie paraœsophagienne, l'estomac se tient près de l'œsophage

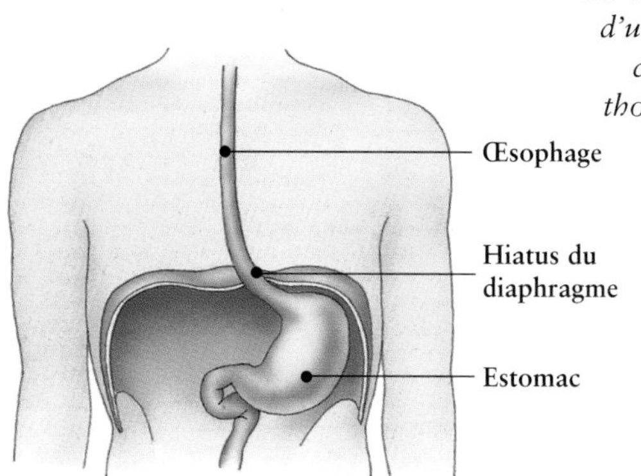

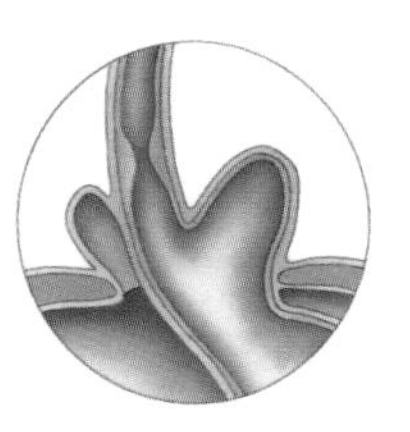

Hernie cardio-œsophagienne

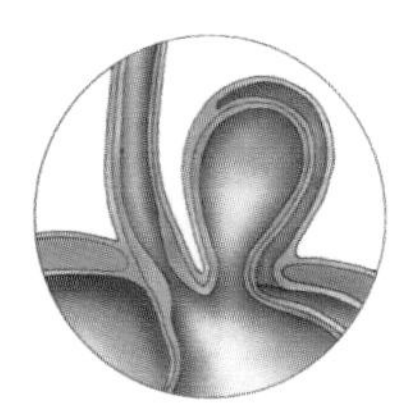

Hernie hiatale paraœsophagienne

Les ulcères gastroduodénaux sont plus courants chez les hommes que chez les femmes. Ils sont souvent aggravés par le stress et l'angoisse associés à une mauvaise alimentation et à la consommation d'alcool. Cela provoque une cavité douloureuse dans les muqueuses protectrices entre les deux organes. Les douleurs gastriques peuvent couvrir une zone de l'estomac de la taille de la main. Elles se déclenchent généralement après les repas. La douleur au duodénum est normalement moins aiguë, moins liée à l'alimentation et n'est que de la taille d'un doigt.

Avertissement : les ulcères peuvent provoquer des saignements et des perforations avec péritonite. Toujours demander l'avis d'un médecin.

Manger des céréales complètes et boire du jus à base de chou, banane, pommes de terre, carottes ou céleri peuvent soulager les ulcères

Pour en savoir plus

Appareil digestif	20
Thérapie diététique	30
Yoga	40

La thérapie diététique

Des changements radicaux du régime alimentaire (avec ou sans jeûne) et de style de vie peuvent résoudre le problème. Mais cela nécessite une grande autodiscipline. Des boissons, comme le thé, le café et l'alcool, ainsi que toutes les nourritures épicées doivent être éliminées, de même que le tabac. Il faut manger des bananes, du riz brun, du millet, du sarrasin, du seigle, du pain complet et boire des fruits fraîchement pressés. Des jus de pommes de terre crues, carottes, céleri et chou sont recommandés.

Les thérapies de gestion du stress

Vu le rôle important du stress dans la formation de l'ulcère, il est essentiel de le contrôler. Pratiquer une relaxation musculaire progressive et régulière, puis la visualisation, le biofeedback et la méditation. Certains exercices de yoga et de tai chi sont de puissantes armes contre le stress. L'exercice en général est recommandé.

La phytothérapie

Une cuillère à café d'huile essentielle de millepertuis prise matin et soir est efficace contre la gastrite, tandis qu'une cuillère à soupe d'extrait de jus d'aloe vera prise avec un verre d'eau tiède trois fois par jour est bénéfique pour les ulcères. La réglisse et le jus de myrtilles seraient également efficaces. Vous pouvez aussi essayer les infusions de guimauve, coriandre et citronnelle.

L'homéopathie

Essayez Arsenicum alb, Argentum nit, Lycopodium et Nux Vomica, mais une prescription personnalisée est préférable.

Les thérapies de praticiens

- Acupuncture pour soulager la douleur
- Phytothérapie chinoise pour soulager la douleur
- Hypnose pour gérer le stress et apprendre à se détendre.

Douleurs digestives et urinaires

Les lithiases rénales

Concrétion pierreuse qui se forme par précipitation de certains composants (calcium, cholestérol) de l'urine. Les causes en sont un manque de vitamine A, une réduction des citrates (sels) dans les urines, une infection des reins, une obstruction de l'appareil urinaire ou un dysfonctionnement métabolique. Une inactivité prolongée peut augmenter la quantité de calcium dans les urines et favoriser la formation de calculs. Les symptômes sont une douleur sourde mais constante dans le bas du dos et sur un seul côté. Les ultrasons désintègrent les calculs et leur permettent d'être évacués naturellement, sans chirurgie.

Avertissement : des douleurs aiguës peuvent signaler qu'un calcul est passé d'un rein dans l'urètre. Demandez tout de suite une intervention médicale.

La naturopathie

Une compresse de sels d'Epsom appliquée sur les reins et l'abdomen pendant 10 à 15 minutes et aussi souvent que nécessaire peut soulager la douleur, de même qu'un bain avec des sels d'Epsom.

Les calculs dans les reins se forment quand des cristaux de calcium et d'autres substances chimiques dans les urines forment des dépôts durs dans les reins. Quand un calcul passe dans l'urètre, il peut provoquer une douleur extrême et des difficultés à uriner.

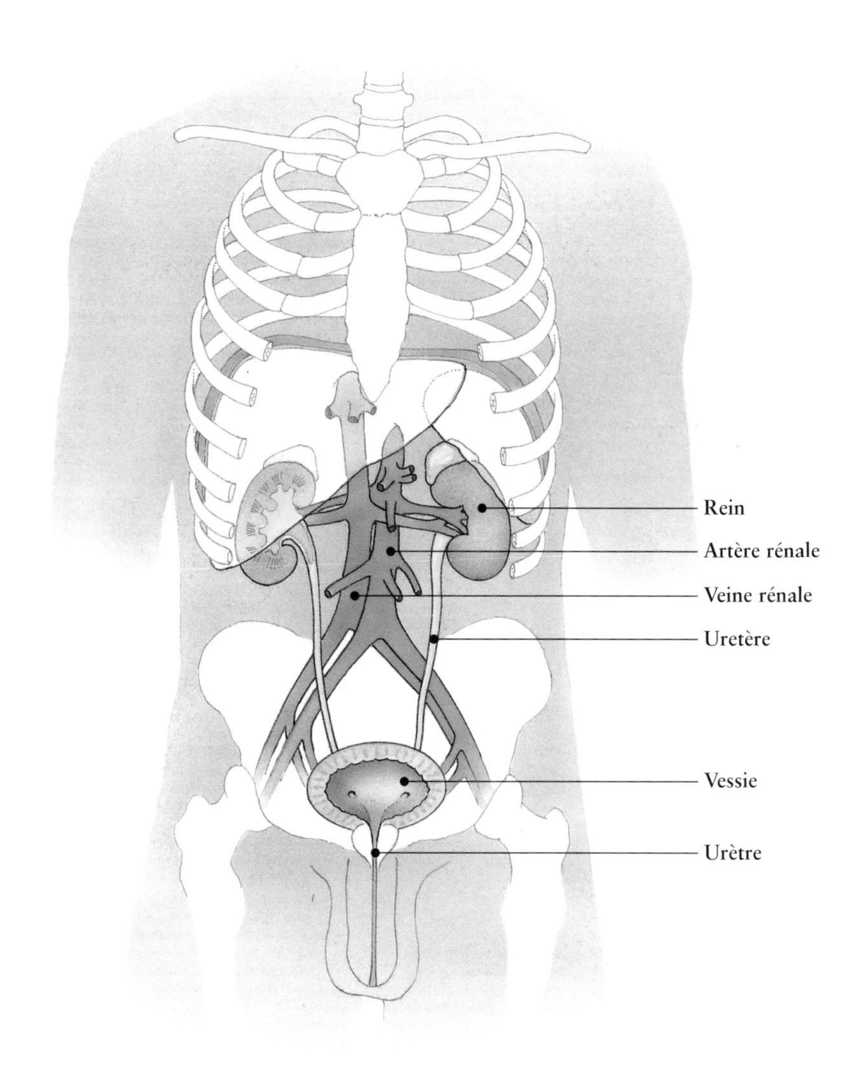

La thérapie diététique
Boire beaucoup d'eau fraîche et diminuer les produits laitiers et les nourritures riches en calcium comme le chocolat, les fraises, la rhubarbe, le raisin, les épinards et les betteraves. Une dose quotidienne de vinaigre de cidre ou de jus de citron dans de l'eau tiède avec du miel serait efficace pour dissoudre les calculs.

La phytothérapie
Prises régulièrement, les teintures de chiendent, collinsonia, persil et carottes sauvages finiraient par dissoudre les calculs. On peut aussi boire de l'infusion d'ortie (trois fois par jour).

L'homéopathie
Berberis 6 CH, Sarsaparilla 6 CH, Magnesia phos 6 CH et Calcarea 6 CH soulageraient les douleurs d'un uretère bloqué, mais voyez d'abord un thérapeute qualifié.

Les thérapies de praticiens
- Acupuncture pour le soulagement de la douleur
- Phytothérapie chinoise

LES CALCULS
Formés de sels de cholestérol et de calcium, les calculs sont des dépôts minéraux dans la vésicule biliaire.
Ils peuvent provoquer des problèmes digestifs et une infection de la vésicule biliaire, qui peuvent mener à leur tour à une perforation et même à la péritonite.
Ils sont douloureux et la chirurgie peut s'avérer nécessaire si les calculs bloquent le flux de bile venant du foie.
En dehors de la douleur, ressentie dans la partie supérieure de l'abdomen et l'épaule droite, le passage des calculs dans le conduit biliaire peut entraîner une jaunisse, des brûlures d'estomac et de la fièvre.
Voyez un médecin si les symptômes sont sérieux. Les ultrasons désintègrent les calculs sans douleur et leur permettent d'être évacués naturellement, sans en passer par la chirurgie.

Les thérapies diététique et nutritionnelle
Faire travailler le foie est le meilleur traitement pour évacuer les calculs. Pendant 6 jours, mangez et buvez des aliments complets et des pommes avec beaucoup de jus de pomme frais. Le matin du septième jour, buvez une tasse d'huile d'olive et de jus de citron (à parts égales). Cela permettrait d'évacuer les calculs en stimulant la production de bile du foie.
Les nourritures qui sont bonnes pour le foie, et donc pour la vésicule biliaire, sont les artichauts, la chicorée, les radis, les endives et les pissenlits (excellents en salade). Buvez de l'eau plate, supprimez les graisses animales et les produits laitiers et prenez de la vitamine C.

La phytothérapie
Boire quotidiennement 2 ou 3 tasses d'infusion de centaurée pendant 4 semaines permet éventuellement d'évacuer les calculs. Ou alors faire infuser deux parts de guimauve pour une de boldo, une de chelone, une de feuilles de bouleau et une d'hydrastis. Buvez trois fois par jour. La collinsonia, la gentiane et le pissenlit sont également recommandés, mais mieux vaut consulter un thérapeute qualifié. Les plantes pour les calculs ne sont pas conseillées pendant la grossesse.

L'aromathérapie
Verser de l'huile essentielle de pin dans un brûle-parfum peut soulager.

La réflexologie
Appuyer chaque jour sur un point au centre de la plante du pied gauche (correspondant à la vésicule biliaire) pendant 10 à 15 secondes est bénéfique.

Les thérapies de praticiens
- Acupuncture pour soulager la douleur
- Phytothérapie chinoise pour soulager la douleur.

Pour en savoir plus

Médecine par les plantes	60
Acupuncture	68
Réflexologie	74

Douleurs de l'appareil reproducteur : généralités

De ce côté-là, les femmes, qui ont un cycle menstruel, sont plus fragiles que les hommes. Les hommes ont cependant des problèmes propres qui surviennent à l'âge mûr. Et les deux sexes sont affectés par les maladies sexuellement transmissibles (MST).

Les poux du pubis, l'herpès génital, les urétrites aspécifiques et les chlamydiae sont assez bénins. D'autres MST sont plus graves. Si vous pensez avoir attrapé une MST, un diagnostic précis posé par un médecin est vital. Ceux qui souffrent du sida bénéficient de thérapies qui renforcent le système immunitaire.

Avertissement : la blennorragie, la syphilis et le sida nécessitent un suivi médical très sérieux.

La chlamydia trachomatis a le comportement d'une bactérie et d'un virus. Les chlamydiae se propagent par le biais des rapports sexuels et on les traite par les antibiotiques.

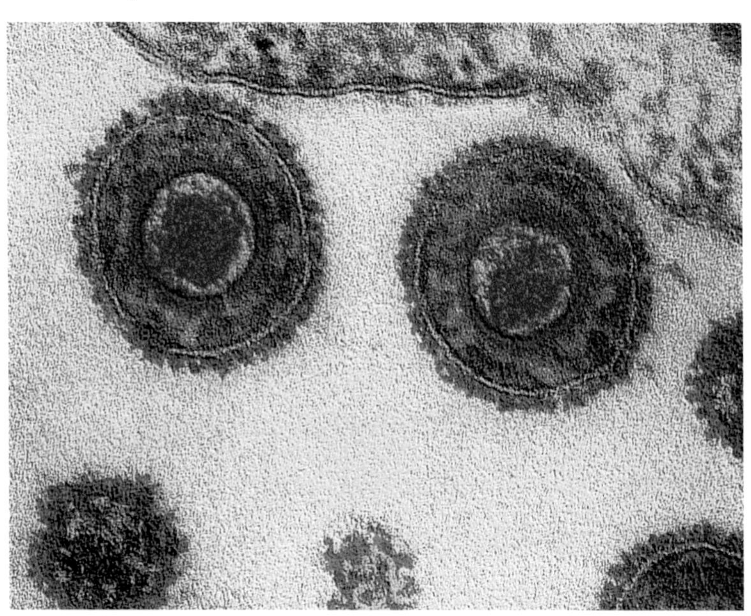

L'herpès génital

Infection virale causée par l'herpès simplex (également responsable des boutons de fièvre), l'herpès génital est caractérisé par des boutons douloureux sur le pénis ou dans le vagin. Ils forment des cloques qui crèvent avant de sécher.

La naturopathie et la phytothérapie

Laver la zone affectée avec de l'eau salée (une cuillère à café de sel dans 500 ml d'eau). Vous pouvez aussi appliquer de l'essence de théier sur les boutons ou les cloques et de l'harpagophytum pour les sécher.

L'infection par chlamydia

Elle est provoquée par une bactérie, la chlamydia trachomatis, qui se loge dans l'urètre et, chez les femmes, dans le vagin. Les symptômes sont un vagin irrité, des douleurs pendant les rapports sexuels, un col de l'utérus douloureux, le besoin d'uriner et des pertes.

Avertissement : si des chlamydiae non traités se propagent à d'autres parties de l'appareil reproducteur, provoquant une inflammation pelvienne, la stérilité et un épuisement à long terme sont à redouter. Le traitement médical est essentiel.

La naturopathie

L'irrigation du côlon par un praticien expérimenté suivie d'un supplément de Lactobacillus sont recommandés.

Les thérapies diététique et nutritionnelle

Manger sain (plus de fruits et de légumes frais, moins de sucres, de nourriture industrielle et d'alcool) et prendre des vitamines A, C, E et du zinc.

La phytothérapie

Une irrigation vaginale quotidienne de calendula, hydrastis et échinacée est efficace. Le soir, introduire du yaourt nature sur un tampax.

LES PREMIERS SECOURS POUR UNE HERNIE

Essayez de faire retourner la hernie d'où elle vient en appuyant doucement et fermement vers l'intérieur, puis utilisez un bandage herniaire pour maintenir les tissus en place. Ne bandez pas une hernie que vous ne pouvez pas retourner manuellement et qui est « étranglée ». Pour empêcher que cela se reproduise, faites attention à ne pas faire d'efforts.
Une hernie « étranglée » est dangereuse et c'est la chirurgie qui permet de remettre les choses en place. La chirurgie est presque toujours nécessaire si le problème est récurrent.

LA HERNIE

Saillie d'une partie d'organe hors de la cavité dans laquelle il est normalement contenu. Une hernie se produit souvent dans les intestins qui poussent sur un point faible de la paroi abdominale, provoquant une inflammation et une tumescence.
Les hommes souffrent plus souvent que les femmes de la hernie inguinale, qui fait saillie au pli de l'aine. Cette affection est souvent douloureuse et débilitante, surtout si la saillie fait pression sur le scrotum. Soulever des poids lourds ou pousser pour déféquer sont les causes les plus courantes de hernies.

Avertissement : on peut toujours réduire une hernie, elle se reproduira si elle n'est pas bandée. S'adresser à un médecin.

Pour en savoir plus

Psychothérapie	76
Infection de l'appareil urinaire	154
Hernie hiatale	156

COMMENT SOULEVER DES CHARGES PESANTES
Quand vous utilisez votre dos et vos muscles abdominaux, votre dos est en danger et vous risquez une hernie. Quand vous soulevez un poids, gardez les jambes pliées.

1 *Tenez-vous près de l'objet.*

2 *Accroupissez-vous en gardant le dos droit.*

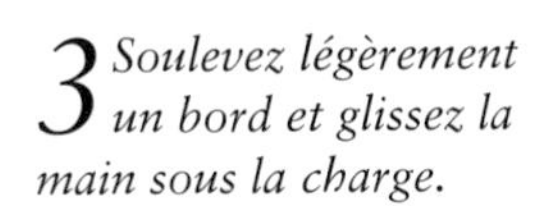

3 *Soulevez légèrement un bord et glissez la main sous la charge.*

4 *Gardez le dos droit en vous redressant.*

5 *Tenez la charge près de vous quand vous la transportez.*

Douleurs de l'appareil reproducteur : hommes

Pour la prostate, boire beaucoup d'eau. Cela empêche la déshydratation, qui gêne la prostate, et permet d'uriner fréquemment, ce qui soulage la congestion.

Les problèmes de prostate

La prostatite est une inflammation de la prostate due à une infection. La glande de la prostate, de la grosseur d'une noix, se situe juste sous la vessie et est impliquée dans la production du sperme.
L'adénome de la prostate est un grossissement naturel de la glande, qui survient surtout après cinquante ans et restreint le fonctionnement de la vessie.
Les symptômes de la prostate sont similaires à ceux de la grippe, avec des douleurs dans les lombaires, des frissons et de la fièvre.

Avertissement : une prostatite non traitée peut amener une inflammation des autres parties de l'appareil génito-urinaire, y compris les testicules. Avis médical essentiel.

La naturopathie

Boire beaucoup de liquide, de préférence de l'eau, et surtout ni thé, ni café, ni alcool. Il faut uriner souvent pour que la vessie soit la plus vide possible. Prenez un bain de siège pendant 10 minutes, les genoux pliés et un linge froid sur le front.
Ensuite, essuyez-vous avec une serviette froide que vous garderez un instant entre les jambes pour refroidir cette zone. Certains thérapeutes recommandent des éjaculations régulières et un massage de la prostate pour soulager la pression due à l'augmentation de volume de la glande. Si vous voulez vous masser vous-même, demandez les conseils d'un médecin.
Un exercice régulier, par exemple marcher et faire du vélo, est bénéfique.

Les thérapies diététique et nutritionnelle

Évitez les aliments épicés et gras, prenez des suppléments quotidiens de vitamines C, E, B, du zinc et du magnésium. Des suppléments en huiles de poisson, d'onagre et d'olive sont recommandées. Essayez les jus de carottes, céleri, cresson et radis noir ; carottes, concombre, betteraves, radis et ail ; potiron.

La phytothérapie

Infusions de pissenlit, sabal serulata et pygeum. Les teintures de pyrole en ombelle et échinacée. Staphysagria et Pulsatilla (homéopathie) sont également bénéfiques, mais une prescription personnalisée d'un herboriste est préférable.

Les massages et l'aromathérapie

Inhaler des huiles essentielles de lavande, cyprès et thym, ou les utiliser pour des massages.

La réflexologie

Masser un point à mi-chemin entre la malléole interne et le talon. Le même point est bénéfique pour l'utérus.

Les thérapies de praticiens

- Acupuncture et phytothérapie chinoise
- Irrigation colonique

L'IMPUISSANCE

L'incapacité à parvenir à l'érection ou à la maintenir peut être physique – c'est le résultat d'une maladie ou d'une infection – mais elle est souvent psychologique. Un problème physique sera facilement détecté par un médecin (certains médicaments et drogues peuvent provoquer l'impuissance). Si les raisons physiques ne sont pas évidentes, la cause est probablement psychologique. Une association de traitements travaillant sur la relaxation et le désir est très efficace.

La thérapie par le partenaire

Le faire participer est important. Contentez-vous de caresses. N'ayez de rapports sexuels que si vous êtes en confiance. Assurez-vous également que le cadre et les circonstances s'y prêtent.

La naturopathie

Un bain froid quotidien, ou un bain de siège chaud puis froid, est efficace si vous le prenez régulièrement. L'exercice est recommandé.

Les massages et l'aromathérapie

Les massages sur tout le corps avec des huiles essentielles de ylang-ylang, jasmin, rose, bois de santal, jojoba ou patchouli – qui sont des aphrodisiaques – sont relaxants pour l'esprit et stimulants physiquement. Masser le cou et la tête, y compris le cuir chevelu, avec de l'essence de romarin est également bénéfique.

Les thérapies diététique et nutritionnelle

Mangez sainement (fruits et légumes frais, pas trop d'alcool). Les aliments riches en vitamine C et en zinc (que vous pouvez aussi prendre en suppléments) sont bénéfiques.

La phytothérapie

Infusions de sabal serulata et de pygeum.

Les thérapies de relaxation

Les exercices de relaxation des muscles, la visualisation, la méditation et le biofeedback peuvent aider à surmonter les effets de la pression psychologique qui se cachent derrière l'impuissance et à réaffirmer un état d'esprit plus positif.

Les thérapies de praticiens

- Psychothérapie et entretiens (y compris consultation d'un sexologue)
- Hypnose

Pour en savoir plus

Thérapie diététique	30
Méditation	48
Psychothérapie	76

La vitamine C et le zinc sont bénéfiques en cas d'impuissance. Les brocolis, les poivrons rouges et les cassis sont de bonnes sources de vitamine C, tandis que les coquillages, les sardines, les graines de courge, le poulet et le riz brun sont riches en zinc.

Douleurs de l'appareil reproducteur : femmes

Pour les candidoses, du yaourt naturel dans le vagin apporte un soulagement.

La vaginite

Inflammation du vagin, généralement provoquée par des candida albicans (un type de champignon). Autres responsables : l'infection par trichomonas, un parasite, et les transmissions de microbes par voie sexuelle si l'homme est un porteur sain. Elle est plus fréquente après la ménopause, quand les parois du vagin sont plus fines à cause d'une production réduite d'hormones, ce qui favorise contusions et infections. Les symptômes sont la douleur, des démangeaisons et parfois des pertes avec du sang. Les antibiotiques sont souvent nécessaires pour se débarrasser d'une infection.

La forme connue sous le nom de « vaginite non spécifique » apparaît quand les bactéries que l'on rencontre dans le vagin se multiplient sans raison, provoquant des pertes malodorantes.

La phytothérapie

Des irrigations régulières au millepertuis et au calendula sont un traitement efficace : mélangez 10 gouttes de chacune des teintures mère dans 500 ml d'eau bouillie. Vous pouvez aussi prendre un bain avec quelques gouttes d'huile essentielle de lavande. Le gel ou la teinture (diluée) d'aloe vera est également efficace.

Si vous souffrez de sécheresse vaginale – un problème pour les femmes ménopausées – utilisez un gel lubrifiant ou de l'huile de jojoba. Si c'est enflammé, essayez une goutte ou deux d'essence de théier dans une huile excipient.

La candidose

Elle est provoquée par la multiplication d'un champignon du type levure, le candida albicans. La candidose se caractérise par des démangeaisons du vagin et de la vulve, des pertes blanches, de la fatigue, des maux de tête et des douleurs dans les membres. Avoir des rapports ou uriner est souvent douloureux.

Le candida albicans fait partie de la flore que nous abritons en temps normal – ce sont de minuscules organismes qui vivent

VAGINISME

Dans le vaginisme, les muscles se contractent, bloquant l'entrée du vagin et rendant la pénétration douloureuse ou impossible.

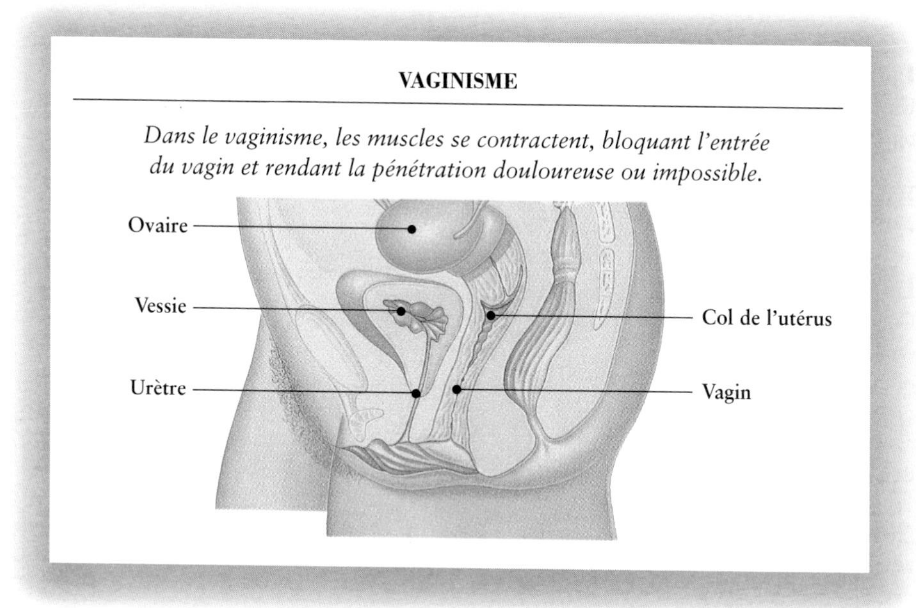

plus particulièrement dans la bouche, le vagin et les intestins. Normalement, sa croissance dans cette zone est contrôlée par des bactéries.
Si cet équilibre est rompu, par exemple par un traitement d'antibiotiques, les candida albicans se multiplient.

Avertissement : la candidose nécessite un traitement spécifique à base d'antifongiques. Consultez votre médecin.

La thérapie nutritionnelle et la naturopathie

Pour soulager les démangeaisons, mangez deux ou trois yaourts naturels par jour, plus deux gélules de lactobacillus acidophilus. Évitez le sucre, les autres hydrates de carbone raffinés et l'alcool (les levures s'en nourrissent). Mangez des salades avec de l'ail, des fruits frais et des céréales complètes. Évitez d'avoir des rapports pendant les crises.

L'aromathérapie

Irrigations avec 2 ou 3 gouttes d'huiles essentielles de théier, bergamote et myrrhe – ou lavande, bergamote et rose – dans 1 litre d'eau tiède. L'essence de théier, antiseptique et antifongique, peut être appliquée directement.

La phytothérapie

Une compresse chaude d'hydrastis, myrrhe ou camomille soulage les symptômes.

La thérapie de praticiens

- Homéopathie

Le vaginisme

Contraction du vagin qui se bloque, ce qui rend les rapports douloureux ou impossibles. Le vaginisme est sans doute psychique mais une vaginite chronique qui entraîne des rapports douloureux peut aboutir au même résultat. Le vaginisme est souvent associé à une faible excitation sexuelle mais cela n'a rien à voir : une femme peut très bien désirer avoir une relation sexuelle mais elle est incapable de se détendre pour des raisons dont elle n'est pas consciente et qu'elle ne peut contrôler.

La thérapie avec le partenaire

La confiance, l'aide d'un partenaire sexuel compatissant, un cadre favorable à la détente, avoir tout son temps devant soi peut porter ses fruits.
Essayez un bain chaud aux chandelles avec un verre de vin. Apprendre à votre partenaire comment s'y prendre peut aussi se révéler efficace, de même qu'un massage.

Les thérapies de praticiens

- Entretiens ou psychothérapie
- Hypnose

Pour en savoir plus

Massages 56
Hypnose 77
Chlamydia 160

Un massage d'un partenaire attentif avec des huiles essentielles d'ylang-ylang ou de rose est une expérience sensuelle qui aidera à créer une atmosphère d'amour et de confiance. Ce qui peut prévenir le vaginisme.

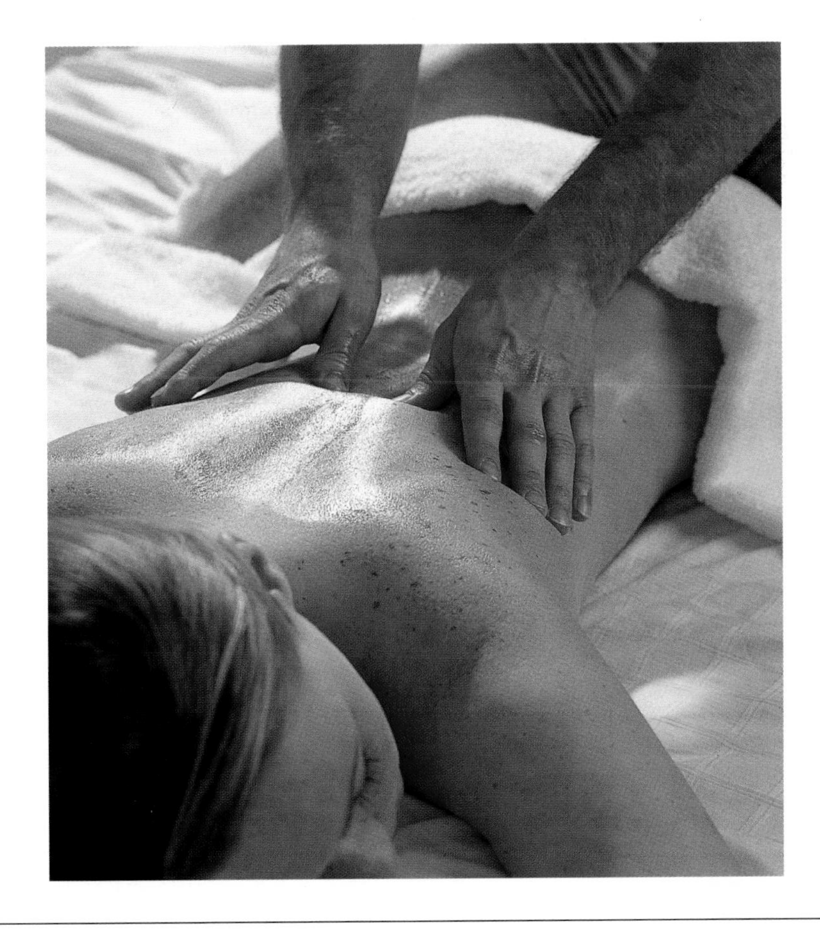

Douleurs de l'appareil reproducteur : femmes

LE SYNDROME PRÉMENSTRUEL (SPM)

Il décrit un ensemble de symptômes qui résultent d'un changement dans l'équilibre hormonal juste avant la menstruation.
Le SPM regroupe plusieurs états : dépression, maux de tête, irritabilité, humeur changeante, crises de boulimie, impression d'être gonflée et seins douloureux.
Les réactions au SPM vont de modérées à très sérieuses, cela dépend des individus et cela change d'un mois sur l'autre.

La naturopathie

Les exercices en plein air suivis d'un bain chaud avec de l'huile essentielle de citronnelle sont relaxants et calmants.

Les thérapies diététique et nutritionnelle

Manger sain : des salades, des légumes à feuilles vertes, moins de produits laitiers, moins de sucre, sel, caféine et alcool.
Des suppléments de vitamines C, B et E, du zinc, du magnésium, du fer et des acides gras essentiels (2 EPA pour 1 GLA) sont conseillés (voir p. 143).

La phytothérapie

Une infusion de yam, ginseng, réglisse, fenouil, varech, cimicifuga et veratre est conseillée. Boire trois fois par jour pendant la deuxième moitié du cycle menstruel et ce pendant trois mois. Cette infusion équilibrerait le niveau hormonal.
Un large éventail de plantes est prescrit pour les symptômes de la SPM : dépression et angoisse (bourrache, citronnelle) ; seins douloureux (onagre) ; rétention d'eau (pissenlit, gratteron) ; maux de tête (reine-des-prés, écorce de saule)) ; et insomnie (camomille).
Mais mieux vaut consulter un herboriste pour une prescription personnalisée.

La réflexologie

Massez le coup de pied et le centre de la plante des deux pieds. Consultez un réflexologue qui vous soulagera de vos symptômes individuels.

La thérapie de relaxation

Apprendre à réguler le stress et à se détendre en utilisant les techniques de relaxation est un point important du traitement du SPM.

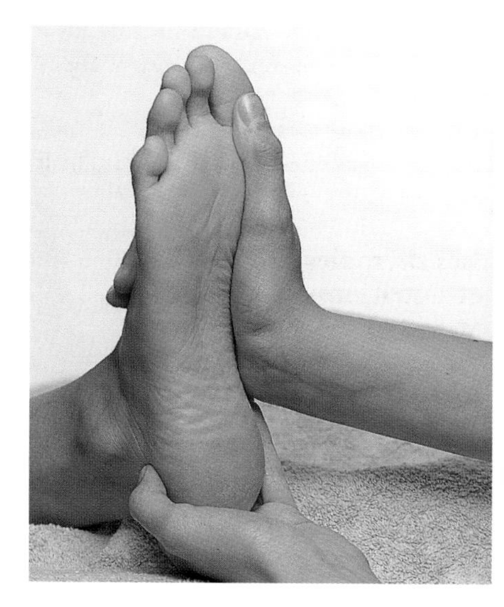

En réflexologie, le gros orteil, le coup de pied et le milieu de la plante du pied sont associés au syndrome prémenstruel.

Les thérapies de praticiens

- Acupuncture et médecine traditionnelle chinoise
- Homéopathie
- Entretiens et psychothérapie

LES DOULEURS MENSTRUELLES

On les appelle dysménorrhée. Elles se caractérisent par des crampes dans le bas ventre. La douleur vient de contractions excessives pendant la menstruation pour expulser les tissus qui tapissent l'utérus. Cela est généralement dû à une

surproduction de substances apparentées aux hormones, les prostaglandines, qui favorisent les contractions. Des contractions trop importantes se traduisent par une souffrance sourde dans les reins et le bas-ventre. Dans les cas sérieux, les douleurs sont violentes et accompagnées de nausées et de diarrhées.
La dysménorrhée est différente du syndrome prémenstruel et de la ménorragie (saignements trop importants). Cette dernière est généralement provoquée par des fibromes bénins dans l'utérus, normalement non douloureux. Parfois, les règles douloureuses sont aussi provoquées par une inflammation de l'utérus (voir l'encadré sur les douleurs utérines, p. 168).

La naturopathie

L'exercice puis un bain chaud avec de l'huile essentielle de carvi sont bénéfiques.

Les thérapies diététique et nutritionnelle

Manger sain et boire beaucoup, réduire les graisse animales, les huiles raffinées et le sel, manger des fruits et des légumes frais, des céréales complètes, des graines, des noix et des plantes légumineuses.
Prendre des suppléments de vitamines et de minéraux (surtout B 6 et magnésium), ainsi que de l'huile d'onagre et de la vitamine E.

La phytothérapie

La plante chinoise dong quai (angelica sinensis) apporte un réel soulagement aux douleurs menstruelles. Une infusion de feuilles de framboisier et de gingembre est également efficace.

La digitopuncture

Des points sur l'abdomen, le bas du dos et les jambes sont très utiles pour soulager la douleur. Demander l'avis d'un spécialiste.

Le yoga

La posture du cobra est particulièrement efficace pour les douleurs menstruelles. Autres postures recommandées : le chat et l'arc.

La thérapie de relaxation

Apprendre à se détendre est bénéfique pour toutes les douleurs de ce type, et le biofeedback s'est révélé particulièrement efficace.

Pour en savoir plus

Yoga	40
Relaxation	46
Acides gras essentiels	143

Le cobra

1 Dans la posture du cobra, les épaules sont basses, le dos arqué et le cou étiré vers l'arrière.

2 Pour commencer, vous êtes à plat ventre sur le sol, les mains au niveau de la poitrine. Repoussez doucement le sol et commencez à déplier les bras. Allez jusqu'où vous pouvez et surtout ne forcez pas.

Douleurs de l'appareil reproducteur : femmes

Le prolapsus génital

Un prolapsus de la matrice ou de l'utérus vient avec l'âge et une surcharge pondérale ou des grossesses multiples. Le relâchement des muscles permet aux organes de glisser, provoquant des douleurs, une sensation de lourdeur dans les reins et le ventre, ainsi qu'une incontinence et une constipation.

Avertissement : un prolapsus important peut entraîner une infection et une obstruction urinaires. Demander l'avis d'un médecin.

La naturopathie

Faire de l'exercice et perdre du poids est essentiel. Parmi les exercices pour tonifier les muscles du bassin il y a les genoux que l'on ramène sur la poitrine et la surélévation du bassin (à pratiquer régulièrement). Si les symptômes n'évoluent pas, il faut envisager la chirurgie.

La thérapie diététique

Un régime à base de fibres soulage la constipation, symptôme courant d'une descente d'organes.

Un des symptômes d'une descente d'organes est la constipation. Manger des aliments riches en fibres, dont du pain complet, des céréales au son et des fruits frais. Boire beaucoup d'eau.

La phytothérapie

Les plantes telles que la cimicifuga, les feuilles de framboisier et le gottilier tonifieraient l'utérus. Il faut les boire en infusion ou en teinture diluée. Un mélange de ces herbes associé à du yam soulage les crampes.

L'inflammation de l'appareil génital

Un ou plusieurs organes de l'appareil génital féminin peuvent s'infecter. Les organes concernés sont les ovaires, les trompes de Fallope, l'utérus et le col de l'utérus. Symptômes : douleurs abdominales et lombaires sévères, fièvre, pertes, règles douloureuses ou trop abondantes, douleurs ou saignements pendant les rapports sexuels, faiblesse et fatigue à long terme.
Ce type d'inflammation peut venir d'une blessure provoquée par un moyen contraceptif (stérilet), une endométriose (voir l'encadré ci-dessous), une MST ou un avortement.

Avertissement : les antibiotiques sont sans doute nécessaires. Ce type d'infection est très sérieux et il faut immédiatement consulter un médecin.

LES DOULEURS UTÉRINES

Deux conditions déclenchent ce type de douleurs. Elle sont différentes mais répondent à des noms qui se ressemblent.
L'endométrite est rare. C'est une inflammation des parois de l'utérus, ou endomètre, provoquée par une infection bactérienne. Les symptômes sont des douleurs dans les reins et le ventre, et des règles erratiques. Le traitement conventionnel comprend des antibiotiques et, si le problème récidive, une dilatation et un curetage, pratiqués par un chirurgien. Quant à l'endométriose, elle est caractérisée par la présence de fragments de muqueuse utérine à l'extérieur de l'utérus. Cette muqueuse gonfle au moment des règles en réponse au cycle hormonal – provoquant ainsi de violentes douleurs. Ces deux maladies nécessitent un traitement médical, mais les symptômes répondent au traitement réservé aux règles douloureuses.

La naturopathie
Reposez-vous, mangez sain et prenez des bains chauds avec des huiles essentielles de cyprès et de lavande qui soulagent les symptômes.

La thérapie nutritionnelle
Des suppléments avec des vitamines A, B, C et E, du zinc, du magnésium et du sélénium sont recommandés. Prenez les acides gras essentiels EPA et GLA et, en même temps que les antibiotiques, lactobacillus acidophilus (deux gélules par jour) pour restaurer la flore de l'utérus et de l'intestin.

La digitopuncture
Pour les crampes abdominales, appuyez sur un point juste au-dessus du pubis, à quatre travers de doigt sous le nombril ; et sur le point « Rate 6 » à quatre travers de doigt au-dessus de la malléole interne, à la limite du tibia. **Ne pas utiliser ce point durant la grossesse.**

Les thérapies de praticiens
- Acupuncture
- Médecine traditionnelle chinoise
- Homéopathie
- Phytothérapie

Pour en savoir plus

Thérapie diététique	30
Médecine par les plantes	60
Douleurs menstruelles	166

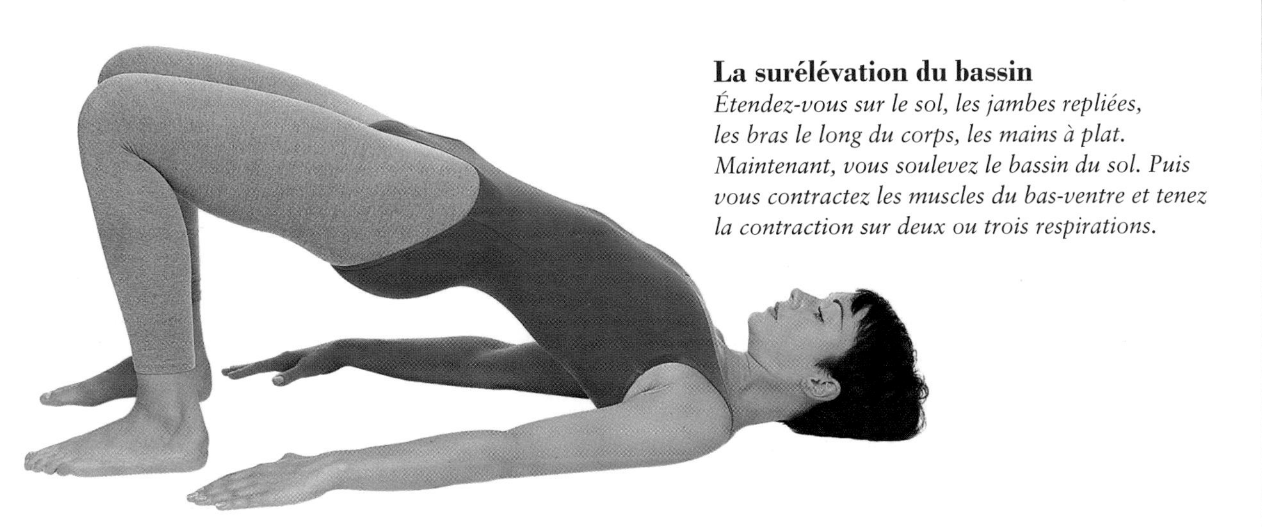

La surélévation du bassin
Étendez-vous sur le sol, les jambes repliées, les bras le long du corps, les mains à plat. Maintenant, vous soulevez le bassin du sol. Puis vous contractez les muscles du bas-ventre et tenez la contraction sur deux ou trois respirations.

Les genoux sur la poitrine
Étendez-vous sur le sol, prenez vos genoux et ramenez-les doucement sur la poitrine. Puis contractez les muscles du bas-ventre et tenez la contraction sur deux ou trois respirations.

Douleurs dues au cancer

Le cancer est une multiplication rapide et anormale de certaines cellules. Ces cellules finissent par interférer avec le bon fonctionnement du corps. Les raisons de cette multiplication ne sont pas encore bien comprises, mais il est certain qu'une mauvaise alimentation, une infection virale, le stress et la pollution sont des facteurs déclenchants.

Les senteurs rafraîchissantes des huiles essentielles de citron, citronnelle et lavande apaiseraient la douleur.

Le cancer est une maladie redoutée pour ses origines mystérieuses, les douleurs qu'elle engendre et sa nature imprévisible, ce qui la rend difficile à traiter. En réalité, la plupart des cancers ne sont pas douloureux – du moins aux premiers stades. On a suggéré qu'entre 25 et 50 % des personnes atteintes d'un cancer ne souffrent pas du tout. Certains cancers – par exemple celui du foie – sont peu douloureux, même aux stades les plus avancés. Quand la douleur intervient, elle est souvent due à des excroissances cancéreuses qui appuient sur un nerf ou qui interfèrent avec une autre fonction du corps. Un traitement efficace pour la douleur exige une association de diverses approches psychologiques et physiques afin que tout le corps, esprit et émotions, se mobilise pour restaurer la santé. L'automédication est possible bien plus souvent qu'on ne l'imagine, surtout avec l'assistance et l'appui positifs de la famille et des amis.

Avertissement : les approches décrites ici viennent en complément des traitements médicaux conventionnels. Jusqu'à 90 % des patients répondent bien au contrôle de la douleur par les médicaments. On peut supposer que les cellules cancéreuses se multiplient moins vite quand la douleur est bien contrôlée. Dans de nombreux pays, il est illégal de soigner le cancer pour quelqu'un qui n'est pas médecin.

Les procédés électriques

La stimulation transcutanée des nerfs et d'autres procédés électroniques traitent les douleurs dues au cancer exactement de la même façon que les autres – en bloquant les messages de douleur au cerveau et en stimulant la production d'endorphines. Les procédés utilisant la TENS peuvent être prescrits par un médecin, mais ils sont également disponibles dans les boutiques spécialisées de la plupart des pays. Certains fabricants louent des machines ou les vendent à tempérament, afin que vous puissiez les essayer avant de vous décider.

La thérapie nutritionnelle

Vitamines et minéraux n'ont pas les propriétés analgésiques de certaines plantes, mais certains ont été distingués pour leur capacité à lutter contre le cancer. Ce sont les vitamines antioxydantes A (de préférence sous forme de bêtacarotène), C et E, ainsi que le sélénium, le zinc et le manganèse.

Les massages et l'aromathérapie

Se faire masser avec des huiles essentielles peut se révéler très utile pour contrôler la douleur due à un cancer. Les huiles essentielles de géranium, jasmin, genièvre ou camomille sont recommandées.
Il n'est pas conseillé de masser l'endroit où se trouve la tumeur, ou la zone que le traitement a rendu irrité ou sensible. Mettre des huiles essentielles de citron, citronnelle et/ou lavande dans un diffuseur de parfum est recommandé.

La réflexologie

Le même principe que pour les massages s'applique à la réflexologie. Grâce aux pieds, la réflexologie présente l'avantage de masser indirectement les zones ou organes du corps affectés par les tumeurs. Les mêmes essences utilisées pour les massages en général peuvent l'être pour les pieds. Là encore, il est préférable que quelqu'un le fasse à votre place. Assurez-vous que cette personne appuiera fermement (mais sans excès) avec les pouces sur les points (de 5 à 10 secondes pour chaque pression).

La digitopuncture

La digitopuncture (shiatsu compris) découle des deux thérapies précitées pour le soulagement des douleurs dues au cancer. Appuyer avec un doigt, une jointure ou même toute la main sur les points reliés à la zone affectée peut se révéler très efficace (voir La digitopuncture, p. 38). La pression doit être profonde et uniforme mais non douloureuse (20 secondes pour chaque pression).

La phytothérapie

Tout dépend des symptômes et des individus. Les plantes les plus utilisées sont les suivantes : cornouiller d'Amérique, trèfle rouge, pomme de terre des îles du Pacifique, cypripède, passiflore et valériane. Mais les conseils d'un herboriste qualifié sont essentiels pour une prescription personnalisée.

L'homéopathie

Nux vomica (3 CH ou 6 CH, pris trois fois par jour pendant un mois) soulagerait les nausées et l'inconfort général provoqué par les traitements conventionnels du cancer comme la chimiothérapie.

Les exercices

Nager et marcher calment l'angoisse tout en reconstruisant les défenses immunitaires.

Les thérapies de praticiens

- Acupuncture
- Imposition des mains

Pour en savoir plus

Thérapie nutritionnelle 33
Aromathérapie 36
TENS 83

LES SUPPLÉMENTS POUR LE CANCER

Un supplément de 17 minéraux mis au point par un médecin hongrois, le docteur Joseph Béres, au début des années 70 aurait des résultats pour soulager la douleur dans un grand nombre d'affections, dont le cancer. Commercialisée sous le nom de Béres Drops Plus, cette combinaison rééquilibrerait le corps en minéraux. Un autre supplément disponible et controversé est le cartilage de requin qui parviendrait à inhiber et réduire la croissance des cellules cancéreuses.

L'AIDE PSYCHOLOGIQUE

Les techniques psychologiques peuvent stimuler le cerveau pour qu'il influence le corps en ce qui concerne sa relation à la douleur. Pour soulager la douleur du cancer, il est important de lutter contre le stress tout en promouvant la relaxation et la pensée positive. Les techniques d'automédication les plus utiles pour surmonter les douleurs du cancer sont :

- *Méditation*
- *Training autogène*
- *Visualisation*
- *Thérapie par les arts créatifs, surtout musique et peinture*

Parmi les thérapies des praticiens qui aident à cultiver une attitude mentale positive pour lutter contre la douleur :

- *Psychothérapie*
- *Entretiens*
- *Entraînement à l'affirmation*
- *Hypnose*

Glossaire

Aiguë : douleur violente, venant souvent d'une blessure ou d'une infection.

Analgésique : médicament ou substance qui soulage la sensibilité à la douleur.

Asanas : postures de yoga qui étirent le corps en douceur.

Atopie : prédisposition héréditaire.

Chronique : à long terme.

Douleur référée : qui prend son origine dans une partie du corps et est ressentie dans une autre.

Dynamisation : processus par lequel un remède homéopathique est rendu plus puissant par « potentiation ». À chaque fois, le remède est dilué puis secoué pour imprimer l'énergie de la substance originelle sur les molécules du liquide. L'agitation de la solution est connue sous le nom de « dynamisation ».

Endorphines : hormones intervenant pour bloquer les sensations de la douleur.

Endoscope : appareil utilisé dans la « chirurgie boutonnière » pour apporter des instruments miniatures et une caméra à l'endroit où l'opération doit avoir lieu.

Épidurale : injection de médicaments dans le canal rachidien lombaire pour anesthésier la douleur.

Huile essentielle : liquide aromatique extrait d'une plante dont les aromathérapeutes estiment qu'elle contient la « force de vie » de la plante.

Infusion : remède à base de plante(s) que l'on prépare comme un thé. Les plantes infusent dans une théière pendant 10 minutes, on verse le liquide et on le boit chaud.

Ki : énergie fondamentale de l'univers, connue sous le nom de prana dans la médecine indienne traditionnelle.

Méridien : « canal » qui circule dans le corps, activant la force de vie, une énergie connue sous le nom de ki (il y a douze méridiens principaux).

Point d'acupuncture : point spécifique le long d'un méridien où le flux du ki, l'énergie fondamentale de l'univers, peut être activé.

Prana : énergie fondamentale de l'univers dans la médecine traditionnelle indienne. Connue sous le nom de ki dans la médecine traditionnelle chinoise.

Teinture : remède à base de plante(s) qui se prépare en écrasant ou en hachant une/des plante(s) et en la/les plongeant dans une solution d'alcool. On laisse le liquide reposer pendant plusieurs semaines, puis on le passe.

Thérapie holistique : approche qui considère l'individu comme un tout et encourage le patient à prendre une part active à son traitement.

Thérapies par l'énergie : traitements qui favorisent la guérison en manipulant la « force d'énergie » du corps pour corriger un déséquilibre. L'homéopathie, la réflexologie et le shiatsu appartiennent à cette catégorie.

Thérapies physiques : traitements qui voient la douleur comme un symptôme d'une cause physique, qui peut être traitée par le biais du corps (nutrition, massages, acupuncture, physiothérapie).

Thérapies psychologiques : traitements qui favorisent une attitude positive et encouragent la relaxation physique et mentale. Ces exemples comprennent la méditation, les entretiens et l'hypnose.

Tsubo : point particulier situé le long d'un méridien et que l'on utilise dans le shiatsu.

Adresses utiles

ADEP
(Association d'Entraide des Polios et Handicapés)
Service du traitement de la douleur
194, rue d'Alésia
75014 Paris
01 45 45 37 13

Association de gérontologie
14, rue Mouraud
75020 Paris
01 43 67 51 26

Association pour le traitement de la douleur de l'enfant
26, avenue du docteur Arnold Netter
75012 Paris
01 49 28 02 03

Association des Soins Palliatifs (ASP)
44, rue Blanche
75009 Paris
01 45 26 58 58

Association des Soins Palliatifs (ASP)
40, rue du Rempart St-Étienne
31000 Toulouse
05 61 12 43 43

Association des Soins Palliatifs (ASP)
5, avenue Oscar Lambret
59000 Lille
03 20 44 56 32

Association Sparadrap
48, rue de la Plaine
75020 Paris
01 43 48 11 80

Centre Hospitalier de Rouen
Unité anti-douleur
1, rue Germont
76000 Rouen
02 32 88 89 90

Centre Hospitalier de Valenciennes
Service Oncologie
Avenue Desandrouins
59300 Valenciennes
03 27 14 33 33

Centre Hospitalier Intercommunal de Toulon-La-Seyne
Hôpital Font Pré
Comité de lutte contre la douleur
1208, avenue du colonel Picot
BP 1412
83056 Toulon cedex
04 94 61 61 61

Direction de l'action sociale de la Santé
94, quai de la Rapée
75012 Paris
01 43 47 74 03

Fédération Nationale des Centres de Lutte Contre le Cancer (FNCLCC)
101, rue de Tolbiac
75013 Paris
01 44 23 04 04

Hôpital Laennec
Thérapie de la douleur
42, rue de Sèvres
75007 Paris
01 44 39 66 60

Hôpital Lariboisière
Centre de traitement de la douleur
2, rue Ambroise Paré
75010 Paris
01 49 95 69 98

Hôpital Tenon
Unité de la douleur
4, rue de la Chine
75020 Paris
01 56 01 65 71

Société Française d'Accompagnement et de Soins Palliatifs (SFAP)
110, avenue Émile-Zola
75015 Paris
01 45 75 43 86

Société française d'anesthésie et de réanimation
14, rue Raynouard
75016 Paris
01 45 25 82 25

Index

Remerciements

L'éditeur remercie, pour son aimable contribution à ce livre, Andrew Sydenham, qui a pris toutes les photographies excepté :

2 Tony Latham ; 6 Camera Press ; 9 Henry Arden ; 10 Tony Stone ; 13 The Stock Market ; 17 Science Photo Library ; 19 Science Photo Library ; 27 Science Photo Library ; 29 (haut) The Stock Market ; 34 Science Photo Library ; 36 Camera Press ; 38 Laura Wickenden ; 39, Laura Wickenden ; 40 Henry Arden ; 41 Henry Arden ; 43–45 Laura Wickenden ; 47 Laura Wickenden ; 48 (bas) The Bridgeman Art Library ; 50–51 Images Colour Library ; 52 Camera Press ; 53 Henry Arden ; 56 Laura Wickenden ; 62 Robert Harding Picture Library ; 64 Laura Wickenden ; 66 Laura Wickenden ; 67 Henry Arden ; 68–69 Science Photo Library ; 70 Laura Wickenden ; 73 (bas) Laura Wickenden ; 74–75 Laura Wickenden ; 76–77 Science Photo Library ; 84 Marshall Editions ; 85–86 Science Photo Library ; 88 Henry Arden ; 93 The Stock Market ; 103 (bas) Henry Arden ; 121 Henry Arden ; 123 (gauche) Science Photo Library (droite) The Stock Market ; 125 Henry Arden ; 129 Henry Arden; 137 Tony Latham ; 140–142 Henry Arden ; 148 Henry Arden ; 149 (gauche) Henry Arden ; 151 Laura Wickenden; 160 Science Photo Library ; 161 Laura Wickenden ; 165 Laura Wickenden ; 167 Henry Arden ; 169 Henry Arden